LES NOCES MEURTRIES

Sandra Banière

LES NOCES MEURTRIES

Roman

Terres de France

PRESSES
DE LA CITÉ

Une première édition de ce roman a paru en 2014 aux éditions Chemin vert. L'auteure a été finaliste du concours « Nos lecteurs ont du talent » organisé par cette maison d'édition.

© Presses de la Cité, 2017 pour la présente édition
ISBN 978-2-258-14336-4

Presses
de   un département **place des éditeurs**
la Cité

place
des
éditeurs

Remerciements

Je remercie :

Mes lecteurs de la première heure : Sylvine, Alice, Manou, Audrey, Thibault et Fabienne pour m'avoir encouragée à donner vie à ce roman.

Les lecteurs et lectrices du concours Nos lecteurs ont du talent 2013 qui m'ont hissée dans la liste des finalistes. Sans eux, cette formidable aventure n'aurait peut-être jamais débuté.

Toutes celles et ceux qui ont pris la peine de découvrir Hélène et Gaby au gré des dédicaces, rencontres, salons et chroniques.

Mon éditrice, Sophie Lajeunesse, qui a cru en mon histoire et qui l'a portée vers une autre destinée.

Marie-Pauline Taillandier pour ses conseils avisés, et pour le temps qu'elle m'a consacré.

Mon mari, Eric, pour sa patience et, tout simplement, pour être chaque jour à mes côtés.

1

Robe blanche, hiver blanc, journée blanche...
Ses certitudes sur la vie, en ce samedi matin de
février 1979, étaient aussi pures que ce blanc qui
avait recouvert tout le vignoble, immaculé. Cela rendait le paysage irréel, bien loin des images de cartes
postales avec les vignes vertes et leurs belles grappes
de raisin gorgées de saveurs sucrées, illuminées par le
soleil. Le ciel était encore très chargé, et l'horizon se
mêlait même à la terre, au point qu'on ne distinguait
plus que l'alignement des piquets.

Tous les ceps nouvellement taillés étaient enve-
loppés d'une chape blanche voluptueuse, qui faisait
disparaître les différentes parcelles. Sans y faire la
moindre anicroche, quelques oiseaux s'étaient posés
sur cette vaste étendue de neige, délicatement per-
chés sur les fils de fer.

De la fenêtre de sa chambre de jeune fille, Hélène
admira longtemps ce décor qui surgissait à peine une
fois l'an. Même la majestueuse église Saint-Martin
de Chavot-Courcourt, isolée en haut de la vallée,
semblait se faire dévorer par le rideau gris couvert
de flocons. Ce spectacle rendait ce jour encore un

peu plus particulier. Hélène se disait qu'à chaque fois qu'elle évoquerait son mariage, elle se souviendrait de cette épaisse couche de neige qui semblait avoir arrêté le temps pour quelques heures, quelques jours...

Même si elle n'était pas naïve au point de croire que tout serait idyllique, Hélène était convaincue qu'elle faisait le bon choix en épousant Bertrand. Il était issu, comme elle, d'une famille de vignerons, il partageait les mêmes valeurs et avait les mêmes envies. Pour la première fois, elle éprouvait de véritables sentiments amoureux et désirait ardemment fonder une famille. Pourtant, elle aurait pu ne jamais le rencontrer.

A dix-sept ans, elle comptait bien échapper au bal de la Saint-Vincent et à son traditionnel défilé, qui avaient lieu chaque 22 janvier. Elle avait toujours suivi toute la famille bien gentiment, mais elle s'estimait désormais suffisamment grande pour choisir si elle irait ou non. S'octroyer quelques heures à se délecter de mots, d'histoires romanesques, n'avait pas de prix pour elle. L'occasion était inespérée ! Pour une fois, elle ne serait pas interrompue par les allées et venues de ses trois frères qui ne faisaient jamais grand cas de son besoin de calme, ni par l'agacement que suscitait sa petite sœur Annette, qui râlait régulièrement parce qu'elle était gênée par la lumière de la lampe de chevet alors qu'elle voulait dormir.

Elle n'avait rien dit à personne et les observait s'agiter et revêtir leurs costumes de vigneron. Habillés d'une chemise en lin bleue, d'un long tablier blanc et d'une casquette de caviste, Gilles, Antoine et Christian se ressemblaient encore plus que d'habitude. Annette, avec sa jupe, son corsage, son châle assortis aux tenues des garçons, et son bagnolet qui recouvrait élégamment toute sa chevelure, était ravissante. Alors qu'elle commençait à s'impatienter, pressée de sentir le silence l'envelopper et de se laisser happer par un roman de Zola qu'elle avait déniché en faisant du rangement dans le grenier, son père entra dans sa chambre, l'air furieux :

— Qu'est-ce que tu fais ? On t'attend au moins depuis dix minutes !

— Je ne vais quand même pas aller à la Saint-Vincent avec vous ! tenta-t-elle de plaider.

— Bien sûr que si ! Tu ne vas pas rester là avec tes bouquins ! T'as dix-sept ans, tu ne sors jamais ! Et puis, nous y allons toujours tous ensemble ! Je veux que tu nous accompagnes.

Voyant qu'Hélène ne bougeait pas, bien décidée à résister, Claude ajouta :

— C'est un ordre ! On y va ! Maintenant !

Les larmes aux yeux, Hélène enfila ses vêtements, et retrouva sa famille en bas. Elle garda la tête baissée, vexée d'avoir été rappelée à ses obligations.

Ils retrouvèrent ensuite les vignerons du village sur la place de la mairie. Les habitants formaient un cortège. Les hommes les plus forts soulevaient les brancards remplis de brioches et le tonnelet de vin nouveau, tandis que les plus jeunes enfants étaient chargés de petits paniers débordant de faux raisins. Un tambour accroché à leurs bretelles, Gilles et Antoine, ses frères âgés de quinze et douze ans, rejoignirent les rangs de la fanfare. La procession débuta quelques minutes plus tard, guidée par monsieur Perthuis, le doyen du village, tenant le bâton de saint Vincent. Au rythme de la musique, ils déambulèrent dans les rues de Moussy avant de s'arrêter à l'église pour assister à la messe. Avec Noël, c'était d'ailleurs l'une des rares cérémonies de l'année à laquelle la famille se rendait, plus par habitude que par réelle ferveur catholique. Une fois que le vin et les brioches furent bénis par le prêtre, toute l'assemblée se réunit à la salle des fêtes, avenue du Mont-Félix, non loin de là où elle habitait, face à la route qui relie encore Moussy à Chavot.

La fanfare joua un dernier morceau, annonçant la remise des médailles. Les nouveaux détenteurs de diplômes viticoles furent récompensés, et on ne manqua pas d'énoncer quelques mots en hommage à Lucien Coquet, vigneron et conseiller municipal, mort quelques mois plus tôt d'une embolie pulmonaire.

Les bouchons de champagne sautèrent, libérant des millions de fines bulles dans la salle. En guise d'apéritif, et pour accompagner le breuvage local, on servit les brioches dorées. La potée champenoise suivit ! Saint Vincent ne pouvait pas être mieux célébré !

Malgré la joie ambiante, les rires qui s'élevaient au fur et à mesure que les verres se remplissaient, Hélène se tenait en retrait, se renfrognant un peu plus quand le bal débuta. Il ne fallait pas compter sur elle pour se déhancher sur la piste de danse. Elle détestait cela. Au bout de quelques chansons entonnées par les musiciens, la table s'était considérablement vidée. Il ne restait plus qu'un groupe en pleine conversation qui se plaignait des dernières récoltes et jasait sur le père Thiébault qui délaissait ses parcelles. Pour se donner une contenance, la jeune fille faisait mine de surveiller Annette, et son plus jeune frère, Christian, qui s'amusaient avec d'autres enfants un peu plus âgés qu'eux dans un petit coin de la salle. A cinq et sept ans, les bêtises étaient encore monnaie courante.

Les minutes s'étiraient, ses yeux picotaient d'ennui, et elle ne cessait de se dire qu'elle serait mieux plongée dans son roman. Mais elle savait au fond d'elle que ces ruminations étaient vaines puisqu'elle aurait été incapable de désobéir à son père.

Perdue dans ses réflexions, Hélène mit un certain temps avant de réaliser qu'un homme l'observait. Elle ne l'avait jamais vu à Moussy. Qu'est-ce qu'il voulait ? Il cherchait peut-être quelqu'un. Elle s'apprêtait à l'interroger quand il la devança :

— Vous dansez ce slow ?

Un slow ! Depuis son arrivée, Hélène s'était calfeutrée dans sa bulle sans vraiment faire attention à la musique. Elle écouta pour la première fois le chanteur qui s'était lancé dans une pâle imitation d'un succès de Polnareff, *Lettre à France*. Toute rougissante, elle regarda furtivement l'inconnu, et se dit que cela ne l'engageait à rien d'accepter cette proposition. Cette danse aurait au moins le mérite de rassurer son père !

Ils n'échangèrent aucun mot. Hélène gardait soigneusement ses distances malgré les tentatives du jeune homme pour l'enserrer davantage. Elle était mal à l'aise. Le peu de fois où elle avait dansé, c'était lors de fêtes familiales et elle n'avait eu pour cavaliers que des cousins ou des oncles. Tout le temps de la chanson, elle promena ses yeux dans le vague pour éviter de rencontrer son regard et surtout pour ne pas voir tous ceux qui devaient être rivés sur eux. Elle imaginait déjà les commères du village commenter sa présence sur la piste de danse. A coup sûr, certains ou certaines ne manqueraient pas de faire remarquer que l'aînée des Jorin allait bientôt quitter le domicile familial. N'était-ce pas ce que souhaitait son père d'ailleurs ?

Le slow terminé, son cavalier lui fit face. Hélène ne put s'empêcher de se sentir troublée. Jamais on ne l'avait regardée aussi intensément. C'était nouveau pour elle, et cela lui plut. Ses épais cheveux châtains contrastaient avec ses yeux clairs, couleur d'un ciel d'été. Sa tête ronde, ses joues légèrement joufflues et son sourire délicat lui donnaient un air gentil. Ses larges épaules et son allure robuste le rendaient rassurant.

— Vous pouvez vous joindre à moi si vous voulez… Je suis avec un copain… Je ne vous oblige pas… c'est juste que vous aviez l'air de vous ennuyer, se justifia-t-il.

— Désolée, je pense que je ne vais pas tarder à rentrer.

Il eut l'air déçu. Mais Hélène n'aurait jamais pris le risque d'aller s'asseoir devant tout le village, devant sa famille, au côté d'un homme qu'elle ne connaissait pas. Certaines choses étaient inenvisageables.

— Vous pensez qu'on pourrait se revoir ?

Hélène sentit une chaleur soudaine monter jusqu'à ses tempes. Elle devait être si rouge qu'elle aurait aimé cacher son visage pour qu'il ne remarque pas à quel point elle était gênée. C'était bien plus agréable de lire ce genre de scènes que de les vivre. Elle était plus à l'aise dans le rôle de la lectrice passionnée que dans celui de l'héroïne stupide !

— Pourquoi pas ? finit-elle par répondre.

— Dans ce cas, est-ce que je peux vous appeler dans la semaine ?

— Oui, prononça Hélène, d'une voix presque inaudible.

Voyant que sa famille se rassemblait pour partir, Hélène s'empressa de lui dévoiler son identité. Elle eut le temps d'entendre le nom de « Bertrand Lemaire » avant de s'éloigner.

Pour la première fois de sa vie, elle rêva d'yeux posés sur elle, elle rêva d'un homme, elle rêva d'amour.

Bertrand tint parole. Il l'invita dès la semaine suivante à sortir, à la plus grande joie de ses parents. Il l'emmena à Epernay, voir *Les héros n'ont pas froid aux oreilles* avec Gérard Jugnot et Daniel Auteuil. Elle ne retint pas grand-chose du film, intimidée de se retrouver avec un homme au Palace, où elle n'était jamais venue. Elle avait été étonnée tout autant par

15

la taille de l'écran que par le fait de sentir qu'elle plaisait à Bertrand. Il avait posé sa main trapue et légèrement rugueuse sur la sienne, et ne l'avait pas lâchée jusqu'à ce que la lumière se rallume.

De retour à Moussy, alors qu'elle s'apprêtait à sortir de la Citroën Visa, il la fixa de ses yeux bleus, puis posa doucement ses lèvres chaudes sur les siennes. C'était nouveau, agréable, si bien qu'Hélène pensa à cet instant qu'elle ne pourrait jamais oublier ce qu'il venait de lui offrir.

Les mois qui suivirent ne firent que confirmer ses premières émotions. Elle était bien en sa compagnie et ils avaient les mêmes projets. Ils souhaitaient tout simplement créer leur propre exploitation et faire bâtir leur maison à Mareuil-sur-Aÿ, d'où était originaire Bertrand, sur un terrain qu'il avait hérité de son grand-père. Alors, quand il pressait peut-être un peu trop avidement sa bouche, ses seins, elle pensait que ce n'était que la fougue du début, comme dans les romans. Au bout de quelques mois, voyant que leur relation était devenue sérieuse et que l'honneur d'Hélène était menacé, on commença à parler « mariage ».

— Ma chérie ! Je peux entrer ?
— Oui, c'est bon. Je suis prête.

Michèle entra dans la chambre, marqua un temps d'arrêt, visiblement émue de voir sa fille aînée dans sa robe de mariée.

— Tu es ravissante !
— Merci.

16

— Je t'ai préparé une petite fleur rose que l'on pourrait épingler sur le côté, là, au niveau de la ceinture.

— Pourquoi tu veux que j'accroche ça à ma robe ?

— Les gens savent que Bertrand et toi vous vous fréquentez depuis un an. Ta robe est d'un blanc immaculé... Tu vois ce que je veux dire...

— Non... pas vraiment.

— Tu sais bien... Les gens peuvent penser que ce blanc est... un peu exagéré, expliqua péniblement Michèle.

— Mais je n'ai rien à me reprocher ! Je n'arrive pas à croire que tu puisses en douter !

Hélène était choquée. Comment sa propre mère osait-elle mettre en cause son honnêteté, son honneur ? A quoi bon alors avoir respecté tous les préceptes qu'on lui avait inculqués si on la croyait incapable de s'y tenir ? L'humiliation lui comprima le cœur si fort qu'elle ne put rien rétorquer lorsque sa mère lui épingla la petite fleur et ajouta :

— Même si tu n'as rien fait de répréhensible, tu ne feras croire à personne que tu es totalement pure.

Elle retint ses larmes car son plus jeune frère et sa sœur, attendrissants dans leurs tenues de fête, cousues sur mesure par sa mère, firent une entrée fracassante. Christian était pour la première fois habillé d'un petit costume noir agrémenté d'un nœud papillon, et Annette portait une longue robe rose en coton, avec, en guise de ceinture, un ruban d'une teinte plus foncée. Un autre servait à attacher ses longs cheveux châtain clair.

— Il faut y aller. Papa attend. Il dit que tu vas finir par être en retard, débita Annette, hors d'haleine.

Touchée de les voir aussi bien apprêtés, Hélène se reprit. Pas question de se gâcher la journée pour une fleur que, finalement, personne ne remarquerait. Annette aida Michèle à prendre la traîne de la robe. Au moment de descendre l'escalier, Christian s'arrêta et se jeta dans les bras de sa grande sœur :

— Je voulais juste que tu saches que tu vas nous manquer. La maison sera vide sans toi. Rien ne sera plus pareil.

A elle aussi, ils allaient lui manquer. Etant l'aînée, naturellement elle s'était beaucoup occupée d'eux, notamment des deux derniers. C'était à la fois excitant, étrange et effrayant de se dire qu'à partir de ce jour, elle allait habiter ailleurs, et qu'elle serait seule avec son mari, loin des chamailleries et des éclats de rire.

Elle prit Christian dans ses bras.

— Ce sera difficile pour moi aussi, tu sais. Mais ça ira, tu verras !

Le petit garçon essuya une larme, puis guida fièrement la mariée jusqu'à la voiture où leur père trépignait d'impatience.

Dès son arrivée sur la place de la mairie, Hélène retrouva toute son innocence lorsqu'elle vit Bertrand dans un beau smoking noir qui éclairait ses yeux bleus. Elle oublia instantanément les derniers instants dans la maison familiale. En raison du froid, tout le monde était déjà calfeutré à l'intérieur de la salle, chaleureusement éclairée par un grand lustre en bronze. Elle ne s'attarda pas sur tous les invités, mais se retourna vers Annette pour lui demander de bien lever la robe, car le parquet était humide et sale. Les joues rosies par la température glaciale et par l'émotion, elle avança vers la grande table recouverte d'une nappe blanche derrière laquelle se tenaient monsieur Collard, le maire, et son adjoint, son propre fils. Le maire commença la cérémonie. En moins de temps qu'il n'en faut pour le dire, elle était mariée. A cause de la neige, ils ne s'attardèrent pas à la sortie de la mairie. Heureusement, ils n'avaient que quelques pas à faire pour parvenir à l'église. En s'avançant vers l'autel au bras de son père, Hélène observa plus attentivement son mari. Jamais elle n'avait eu le loisir de le voir si élégant, lui qui ne connaissait principalement que les cottes kaki, les pantalons en velours et les chemises épaisses. Le noir affinait sa large carrure. Ses mèches rebelles avaient été domptées. Son doux sourire semblait ne plus vouloir disparaître, et accentuait son air enfantin. Dans la faible luminosité de l'église, elle avait l'impression que le bleu de ses yeux irradiait tout autour de lui. Une immensité qui lui donnait confiance, qui l'étourdissait.

Malgré le froid hivernal, la journée avait été douce et lumineuse. Elle avait ri, elle avait été envoûtée par la chaleur de la salle des fêtes et la gaieté des invités, s'était plu à se retrouver dans les bras de son époux pour ouvrir le bal et faire tournoyer sa robe, couleur de neige.

Au petit matin, une fois que les derniers invités étaient allés se coucher, ils se retrouvèrent dans une

19

petite chambre de vendangeoir qu'un vigneron du village leur avait prêtée pour l'occasion. Les trois lits superposés avaient été rassemblés dans un coin de la pièce, et deux matelas recouverts d'une couverture et d'un épais édredon avaient été disposés côte à côte, au centre, sur la moquette bordeaux usée.

En bonne petite fille sage et obéissante, elle n'avait jamais beaucoup flirté et avait encore moins osé s'aventurer plus loin que quelques baisers. La jeune mariée se mit à trembler légèrement. Comment faire ? Ils avaient très peu parlé de cette question avec Bertrand. Une fois qu'elle lui avait révélé qu'elle était vierge et qu'elle comptait le rester jusqu'au mariage, comme le voulait la tradition, ils n'avaient pratiquement plus abordé le sujet. Hélène soupçonnait, à cause de quelques sous-entendus d'un ami de Bertrand concernant des virées aux bals ou les permes de leur service militaire, que son mari n'était pas si chaste. Elle n'avait pas cherché à en savoir davantage. Il avait vingt et un ans, et c'était un homme. Il avait forcément plus vécu qu'elle ! Tout ce qui comptait était qu'il l'attende, elle.

Bertrand la déshabilla un peu maladroitement. Il appréhendait certainement de lui faire l'amour pour la première fois. Ils s'allongèrent côte à côte, dans le noir, sans avoir pris la peine de se découvrir au préalable. Bertrand se mit à l'embrasser et à la caresser, puis comme s'il n'y tenait plus, il oublia de lui demander si elle était prête et s'introduisit au plus profond de son intimité. Hélène laissa échapper un petit cri en réponse à la douleur aiguë qu'elle ressentit. Quelques instants plus tard, elle entendit un grognement sourd juste avant qu'un corps lourd ne s'affale sur le sien. C'était donc ça ! Elle comprenait pourquoi sa mère ne lui en avait presque pas parlé ; il n'y avait finalement que peu à en dire. Ce qu'elle venait de vivre n'avait rien à voir avec ce qu'elle avait lu dans les livres. Où était l'osmose ? Le petit frisson électrique qui aurait dû parcourir sa chair ? Pourtant, lui avait eu l'air d'apprécier.

Ils emménagèrent dès le dimanche soir à Mareuil-sur-Aÿ, à une dizaine de kilomètres de Moussy. Un de ses amis avait accepté de leur louer quelques mois une petite annexe dans son corps de ferme en attendant que la construction de leur maison soit achevée. L'installation était rudimentaire mais les parents d'Hélène avaient veillé à ce que leur fille et leur gendre ne manquent de rien. Quant à la mère de Bertrand, elle donnait l'impression que maintenant que son fils avait quitté le domicile familial tous les aspects logistiques n'étaient plus son affaire.

Depuis qu'elle fréquentait Bertrand, Hélène n'avait vu que peu de fois Lucie, sa belle-mère, qui avait toujours maintenu une sorte de distance. Sans se montrer désagréable, elle lui parlait avec une certaine froideur. Elle l'intimidait et elle ne parvenait pas à la cerner. Lucie avait accueilli leur mariage sans enthousiasme et sans franche réticence, mais Hélène s'était demandé à quelques reprises si elle était heureuse de l'avoir comme belle-fille. Bertrand lui avait assuré que son attitude ne lui était pas destinée. Il n'avait jamais été proche de sa mère.

Les premiers jours, Hélène fut occupée à ranger tous les cadeaux de mariage. Certains étaient restés chez ses parents faute de place dans le petit deux-pièces qu'ils occupaient. Avec un mélange de joie et de nostalgie, elle mit un peu d'âme dans l'habitation qui n'avait pas dû être occupée depuis des années. Elle repeignit en beige l'espace principal et accrocha une tapisserie qu'elle avait faite, représentant un soleil couchant sur des blés. Elle recouvrit la table en chêne d'une toile cirée orangée, et nettoya de fond en comble les trente-cinq mètres carrés qui les accueillaient. Mais les cris et les rires de ses frères et sœur lui manquaient. Elle qui avait passé son temps à rechercher le calme s'aperçut qu'elle ne connaissait pas le silence. Tout était nouveau.

S'allonger tous les soirs au côté de son mari la mettait encore mal à l'aise. Elle aimait la chaleur, qui se dégageait du contact de leur peau, mais elle se sentait un peu gauche dès lors que Bertrand se tournait vers elle. Tandis qu'elle lui rendait maladroitement ses baisers et laissait ses mains glisser vers des parties à explorer, Bertrand se faisait, quant à lui, de plus en plus expert et pressant. Il ne cessait de lui murmurer au creux de l'oreille qu'il avait envie d'elle, qu'il avait imaginé tous ces moments pendant des mois.

Hélène découvrait ainsi sa nouvelle vie à deux et acceptait ce qu'attendait son mari. N'était-ce pas son rôle de bonne épouse ? C'était bien ce que lui avait fait comprendre sa propre mère, juste avant son mariage !

— Tu sais ce que va attendre ton mari la nuit de noces ?

Gênée par cette brutale entrée en matière, Hélène avait simplement hoché la tête en guise de réponse.

— Les hommes ont des besoins que, nous les femmes, n'avons pas. Mais, en tant qu'épouse, on se doit de satisfaire ces besoins. C'est comme ça, c'est la vie. Si tu te refuses trop à ton mari, car soyons claires, ce n'est pas toujours plaisant, il ne faudra pas t'étonner si un jour tu le vois partir avec une autre. Si tu lui donnes ce qu'il veut, il restera.

Michèle quitta la pièce, sans laisser le temps à Hélène de rétorquer quoi que ce soit. Elle se sentit déçue et frustrée. Son éducation sexuelle se limitait à ces quelques phrases, qu'elle avait écoutées avec un intérêt particulier car cela faisait longtemps qu'elle brûlait de poser des questions à sa mère sans jamais oser, de peur de paraître dévergondée. Il n'y avait rien d'autre à en dire ? Jeune, amoureuse et inexpérimentée, elle se consola très vite. Après tout, Bertrand la guiderait, et elle apprendrait avec lui ; ce n'était pas si grave dans le fond.

Deux mois plus tard, alors qu'ils s'étaient arrêtés comme tous les midis à la boulangerie après leur matinée passée aux vignes, Hélène fut prise de vertiges en sortant de la fourgonnette. Elle se dirigea néanmoins vers l'intérieur du commerce. Au moment où la boulangère allait la servir, elle dut s'agripper au comptoir. Ses jambes, comme du coton, ne répondaient plus.

— Vous êtes toute pâle. Vous allez bien ? s'enquit la patronne.

— Pas trop.

— Ne bougez surtout pas, je vais vous chercher de quoi vous asseoir. Madame Bochet, vous voulez bien la soutenir ! cria-t-elle tout en se rendant dans l'arrière-boutique.

La boulangère revint quelques secondes plus tard avec une chaise et un gobelet rempli de jus d'orange.

Une fois assise et après avoir bu quelques gorgées du jus de fruits, Hélène commença à se sentir mieux et à réaliser que le magasin était plein à craquer. Elle n'était pas fière que tout le monde la voie dans cet état. Elle connaissait à peine les habitants du village et allait déjà faire parler d'elle !

Hélène fut soulagée lorsque son mari franchit le seuil de la boulangerie. Tous les clients les fixèrent, l'air soupçonneux. Les imaginations allaient bon train à n'en pas douter.

— Prenez soin de vous, madame Lemaire. Vous nous tiendrez au courant !

Bertrand, visiblement inquiet, interrogea sa femme :

— Tu sais ce que tu as ?

— Je ne suis pas sûre.

— T'avais peut-être faim.

— Oui, un peu. Ça va déjà mieux.

Quand, le lendemain matin, Hélène se leva toute nauséeuse, elle se décida à consulter un médecin qui lui confirma ce dont elle se doutait sans vouloir se l'avouer. Elle était enceinte.

Ils étaient aussi fous de joie l'un que l'autre. Les rires et les cris qui lui manquaient tant ne tarderaient plus à revenir. Etourdie de bonheur, Hélène s'offrit pour la première fois pleinement à son mari.

Les six premières années passèrent comme un souffle. Quand elle ne s'occupait pas de Gaby et de Marc, nés très rapprochés, elle nettoyait la maison et rejoignait Bertrand aux vignes. Son mari était exigeant, et attendait d'elle qu'elle travaille sans relâche. Ils espéraient faire évoluer leur exploitation. Alors, il était normal que tous deux s'y consacrent pleinement.

Ce qui lui pesait réellement au quotidien, ce n'était pas l'agitation de ses enfants, ni tout le travail qui s'accumulait davantage au fil des années, c'était l'appétit insatiable de son mari. Dans l'euphorie des débuts, pour une jeune mariée amoureuse, faire l'amour plusieurs fois par jour n'importe où avec son mari n'avait certainement rien d'exceptionnel. Mais Hélène, tout doucement, avait bien senti qu'elle glissait vers un quotidien plus obscur que banal. Il n'y avait jamais de trêve. Bertrand s'était donné pour rythme de croisière de l'entreprendre à tout moment, tout au long de l'année. Peu importaient les circonstances, il savait toujours la trouver et s'octroyer quelques minutes pour assouvir son envie : dans la salle de bains pour quelques allers-retours en elle sans se préoccuper de ses reins qui cognaient le rebord du lavabo, dans la chambre alors qu'elle rangeait une pile de linge, dans le hangar, dans le fourgon, allongée sur les imperméables encore tout collants de la dernière bataille de raisin... Et quand bien même les enfants se trouvaient à proximité, prêts à ouvrir grande la porte, à les appeler parce qu'ils les cherchaient, ou que l'un des vignerons du coin frappait à la porte du Tube[1], inquiet de ne voir personne dans leurs parcelles.

Elle ne savait pas comment lui dire que, parfois, elle aimerait un peu de répit. Comme ce matin-là, où Michèle et Claude devaient arriver d'une minute à l'autre.

Le pantalon baissé, il avait déjà entrepris de satisfaire sa première envie de la journée, quand la sonnette retentit. Mais au lieu d'interrompre leurs ébats, Bertrand poursuivit ses mouvements de plus en plus rapidement.

— On peut reprendre ce soir. Ils vont se demander ce qu'on fait, fit mollement Hélène, sachant que son mari ne capitulait jamais si facilement.

— Tais-toi ! Ils n'avaient qu'à pas arriver si tôt ! Y en a plus pour longtemps, répliqua Bertrand toujours aussi péremptoire lorsqu'il s'agissait de son plaisir.

Par crainte d'être de nouveau dérangé par la sonnette, il brusqua encore un peu plus ses coups de reins jusqu'à ce qu'un léger gémissement s'échappe de sa gorge.

---

1. Tube : nom populaire donné au type H de Citroën ; célèbre utilitaire produit entre 1948 et 1981.

Bertrand se précipita ensuite pour ouvrir à ses beaux-parents, qui venaient justement pour lui. Claude projetait d'acheter un nouvel enjambeur car le sien avait rendu l'âme. Il tenait à ce que son gendre soit à ses côtés pour la transaction, car il avait toute confiance en Bertrand pour faire le meilleur choix, et parce qu'il ne cessait de lui répéter que cet investissement c'était pour lui aussi.

Lorsque Hélène et Bertrand s'étaient mariés, Claude payait un ouvrier quelques semaines par an pour l'aider dans les périodes les plus chargées, et demandait le reste du temps à Michèle et à ses autres enfants de venir en renfort car Antoine et Christian, encore scolarisés, étaient trop jeunes pour seconder leur père. Claude avait trouvé en Bertrand plus qu'un mari pour sa fille. Il était devenu son plus fidèle ouvrier, permettant à Michèle de se consacrer uniquement à la vente de leur champagne. Il avait pris la place du fils aîné, celui sur qui on pouvait compter, ce qui créait souvent des tensions avec ses beaux-frères.

Hélène sortit de la salle de bains, honteuse de la scène qui venait de se produire à quelques mètres de ses parents. Elle détourna le regard pour les saluer afin de ne pas croiser leurs yeux inquisiteurs.

— Bonjour, ma chérie. Tu as l'air en pleine forme ! Et mes petits trésors ? Ils sont déjà à l'école ?

— Oui, tu les verras tout à l'heure !

Hélène ne sut si elle devait se sentir rassurée par ces propos. Si sa mère n'avait rien remarqué, c'était qu'elle avait réussi à reprendre contenance. N'était-ce pas ce qu'elle avait cherché à faire d'ailleurs ?

Quant à Bertrand, lui aussi avait changé de masque. Il était de nouveau l'homme enjoué et charmant qu'elle aimait. Mais Hélène commençait à douter de plus en plus. Son amour pour le Bertrand courageux, respecté de tous, séduisant, était-il assez fort pour l'aider à supporter le Bertrand de l'intimité, l'inassouvi, celui qui ne cessait de lui marteler qu'elle était sienne, qui s'arrangeait pour la couper des autres, qui attendait d'elle qu'elle soit une « épouse parfaite » en toutes circonstances ?

— Ce n'est pas qu'on s'ennuie, mais le gars de chez Ravillon[1] nous attend ! s'impatienta Claude.

Une fois son mari et ses parents partis, la journée reprit son cours. Elle s'habilla chaudement, prépara le matériel nécessaire pour nettoyer les cabanes à lapins, et affronta le froid pour redonner un peu de confort à toute cette animalerie. Elle plaça une lapine et ses petits dans une grande caisse, puis s'empara de la fourche et vida le clapier pour le regarnir de paille. Une fois de retour dans leur abri, les membres de la petite famille se lovèrent les uns contre les autres au creux d'un petit nid qu'ils avaient formé en quelques secondes. Hélène accomplit la même tâche pour la vingtaine de clapiers qu'ils possédaient. Elle transporta ensuite au fond du jardin, à l'aide d'une brouette, le fumier, qui servirait d'engrais pour les vignes.

L'élevage de lapins n'était pas ce qui la réjouissait le plus, mais il leur apportait un petit plus non négligeable. Elle ne se plaignait pas, leur exploitation

---

1. Ravillon : magasin de tracteurs viticoles.

s'agrandissait peu à peu, mais ils avaient encore parfois besoin d'arrondir les fins de mois. Même si l'an passé, ils avaient pu planter quelques ares, il faudrait patienter plusieurs années avant que les plants atteignent un bon rendement. Ils espéraient donc décrocher un emprunt supplémentaire pour acheter une parcelle de vigne. Alors, ils faisaient le nécessaire pour économiser et encourager leur banquier à leur faire confiance. En attendant, ils vivaient de locations viticoles et agricoles, des heures à aider Claude, de travaux à tâche, de la vente de lapins et de pommes de terre.

Hélène rentra ensuite dans la maison et mit à réchauffer le pot-au-feu. L'heure du repas aurait tôt fait d'arriver, et il n'était pas question que Bertrand, à son retour, constate que rien n'avait été préparé. Souvent, elle cuisinait le soir des plats familiaux qui leur permettaient d'assurer deux ou trois repas. Ainsi, lorsqu'elle quittait les vignes, elle allait rechercher les enfants à l'école et tout le monde pouvait se mettre à table sans trop attendre. Grâce à Michèle, elle avait appris à rentabiliser son temps. Bertrand aimait cela. Dans ses bons jours, il prenait plaisir à lui dire combien elle cuisinait bien et qu'elle l'impressionnait. Il lui racontait que quand sa mère aidait son père aux vignes, c'était la misère pour eux à table.

Quand elle rentra de l'école avec les enfants, Claude, Michèle et Bertrand étaient de retour. Gaby et Marc, à qui elle n'avait rien dit pour leur faire la surprise, étaient aux anges de trouver leurs grands-parents chez eux, en pleine semaine, d'autant plus qu'ils ne les voyaient pas si fréquemment.

Claude et Michèle travaillaient encore beaucoup, et les week-ends, quand Bertrand était à la chasse, Hélène préférait rester chez elle. Elle aimait ces journées où elle profitait de longues séances de lecture entrecoupées de jeux pour enfants. Elle ne pensait plus à rien et oubliait les assauts incessants de Bertrand qui commençaient à marquer sa chair la plus profonde.

Tout le restant de la journée, son mari afficha sa jovialité. Il était aussi heureux qu'un gamin de la nouvelle acquisition de son beau-père. Il était dans le même état que trois ans auparavant lorsqu'ils avaient acheté son tracteur. Si l'enjambeur ne lui appartenait pas, le plaisir de jouir de ce nouveau matériel n'en était pas moins fort.

— Tu n'as pas l'air de te rendre compte à quel point cet engin va nous simplifier la vie ! s'extasiait-il. Avec ça, on va pouvoir arrêter la vente des lapins et de patates, et peut-être même les heures que tu fais à tâche. A la place, je trouverai bien quelques vignerons ayant besoin qu'on rogne leurs parcelles ou qu'on leur fasse des traitements. Ce sera plus rentable !

— Oui, c'est sûr ! Mais tu as pensé aux déplacements ? Ça va être compliqué de circuler entre Moussy et Mareuil, étant donné que ça ne roule vraiment pas vite !

— Pourquoi tu penses tout de suite aux mauvaises choses ? C'est une bonne nouvelle, et toi, au lieu de voir ce que ça peut nous rapporter, tu cherches la petite bête ! tempêta Bertrand.

— Non, je suis contente, mais je voulais juste me montrer réaliste. Et puis, tu en as parlé à mon père ? Après tout, cette machine est à lui !

— Claude est d'accord, c'est même lui qui me l'a proposé. Il sait que ça peut nous aider. Et puis, pour les déplacements, on trouvera des solutions. Nous pourrons toujours le mettre dans notre hangar si nous avons besoin de le garder un certain temps. De toute façon, tu ne devrais même pas te préoccuper de ça, ce ne sont pas des trucs de bonne femme. Tu n'as jamais conduit un enjambeur, donc tu ne peux pas avoir d'avis là-dessus !

Hélène se tut et le laissa vanter tout son soûl les bienfaits de ce nouveau tracteur viticole.

Elle monta de bonne heure ce soir-là, comme tous les autres soirs d'ailleurs. C'était une habitude qu'elle avait prise depuis un bon moment maintenant. Dès qu'elle avait repoussé la porte de la chambre des enfants, elle finissait de ranger la vaisselle, s'attardait quelques minutes au côté de son mari, puis prenait son roman en cours de lecture et s'installait dans le lit. C'était un petit rituel qu'elle s'octroyait pour se couper de son quotidien, comme au temps où elle cherchait un instant de répit pour échapper à ses frères et sœur. Elle se détendait, parfois s'endormait, et très souvent, surtout si l'histoire était passionnante, l'appréhension du moment où Bertrand la rejoignait dans le lit s'atténuait.

Ragaillardi par tous les plans qu'il avait formés au cours de la journée, Bertrand se montra parti-culièrement plein de vitalité lorsqu'il s'allongea près d'elle. Quelques secondes plus tard, son livre était au sol, quelques pages cornées par la chute brutale. Le plaisir de Bertrand n'était jamais patient.

Le lendemain matin, elle se réveilla avec une migraine atroce, de celles qu'elle subissait de plus en plus souvent. Mais cette fois, son corps tremblait de fièvre, incapable de faire un mouvement sans que cela lui soit pénible. Elle s'était empressée d'emmener les enfants à l'école avant d'aller chez le médecin. Elle avait la grippe ; elle devrait se reposer puis tout rentrerait dans l'ordre. D'emblée, elle culpabilisa. Comment Bertrand allait-il s'en sortir si elle devait rester au chaud plusieurs jours ? Non, elle n'avait pas à s'en faire ! Bertrand allait se montrer doux et compréhensif. Si elle avait attrapé ce satané virus c'était peut-être aussi parce qu'elle avait besoin de lever un peu le pied.

Elle était allongée sur le canapé depuis une heure quand il revint à la maison. Hélène eut à peine le temps de se demander pourquoi il rentrait si tôt qu'il était déjà dans le salon à l'assaillir de questions :

— Pourquoi tu es là ? Tu n'as rien à faire ? Tu ne devais pas t'occuper des comptes ce matin ?

— Si, mais j'ai la grippe. J'attendais que les cachets fassent un peu effet et que la fièvre tombe. J'ai encore un peu de temps pour les comptes ; monsieur Baroud vient dans deux jours. Je l'ai appelé pour le prévenir que je n'étais pas en forme aujourd'hui.

— Ça va ! Tu ne te gênes pas ! Je te ferai remarquer que dans deux jours on doit avoir fini de tailler. Je suis censé me démerder tout seul ? s'énerva Bertrand.

— Non, bien sûr.

— Bon, alors lève-toi, et mets-toi aux comptes. Si Baroud ne se pointe pas cet après-midi, tu es libre. Tu viendras avec moi.

— On n'est pas si en retard que ça. Je peux faire les comptes après le déjeuner, et t'aider demain, osa-t-elle lui répondre.

— Tu me fais chier, ce n'est pas ce que j'avais prévu, commença-t-il à hurler. Tu aurais pu me le dire ce matin que tu n'étais pas bien !

— Je n'ai pas eu le temps ; il fallait bien préparer Marc et Gaby.

— Bon, OK pour aujourd'hui, se radoucit-il, mais ne reste pas couchée comme ça, et tâche de faire à manger pour ce midi, et aussi les comptes. Demain, j'ai besoin de toi aux vignes.

Hélène s'apprêtait à lui répondre qu'il n'avait pas à s'inquiéter, qu'elle ferait le nécessaire, comme d'habitude, quand elle le vit s'approcher. Elle remarqua tout de suite ce regard qu'elle connaissait si bien désormais. Une lueur noire, jubilatoire, fit briller ses yeux bleus. Il n'allait pas oser ! Hélène ne savait plus si elle tremblait à cause de la fièvre ou de la peur. Elle sentit ses mains se poser sur ses seins, avant qu'il baisse la braguette de son pantalon. Il la déshabilla à la hâte. Seul son pull resta sur son soutien-gorge dégrafé. Il s'allongea sur elle, et la pénétra sans autre préliminaire. Tout en glissant ses mains sous son pull, il allait et venait en elle. Hélène n'était plus capable de ressentir quoi que ce soit. Elle entendit simplement un râle, et le vit se détacher d'elle pour se rajuster.

— Ne fais pas cette tête, chérie ; ça va aller mieux. Une petite grippe, ce n'est pas le bout du monde ! dit-il tendrement, comme si ce qu'il venait de faire lui plaisait autant à elle qu'à lui, comme s'il venait de lui apporter le seul remède dont elle avait besoin.

— Au fait, tu étais rentré pour quoi ?

— J'avais oublié une pince pour redresser les fils de la vieille vigne.

— Ah ! fut le seul son qu'elle parvint à formuler.

— A tout à l'heure.

Hélène resta plusieurs minutes tétanisée par ce qu'elle venait de subir, quand elle réalisa qu'elle pleurait. Jamais depuis le début de leur mariage elle ne s'était laissée aller à ce genre d'émotions. Elle aimait profondément son mari, mais lui, éprouvait-il les mêmes sentiments pour elle ? La voyait-il seulement comme un objet sexuel, une femme qui devait se soumettre à ses moindres désirs ? Etait-ce normal ce qu'elle vivait, ce qu'elle ressentait ? Un mélange de douleur, à l'idée d'envisager que son mari pourrait ne pas l'aimer comme elle l'avait toujours cru, et de dégoût agita ses pensées. Elle était perdue.

Pour la première fois, elle aurait voulu se confier, qu'on la rassure ; mais elle n'avait personne vers qui se tourner. Pour dire quoi d'ailleurs ? Que son mari avait tout le temps envie d'elle ? Qu'il lui imposait un rythme de vie effréné qu'elle peinait à suivre ? Qu'elle n'aimait pas faire l'amour comme lui ? Qui compatirait ? Bertrand était quelqu'un de connu et respecté dans la région, investi dans la vie du village, un bon mari aux yeux de tous. Il travaillait d'arrache-pied pour leur établir une belle situation, un bel avenir. Elle pensa à ses parents. Son père n'avait pas toujours été facile, surtout avec sa mère. Il exigeait, en plus du travail dans les vignes, des clients à recevoir pour la vente du champagne et des enfants qui couraient partout, que la maison soit parfaitement tenue. Pourtant, elle n'avait jamais entendu sa mère se plaindre. Cela devait faire partie des moments peu « plaisants » qu'elle avait évoqués. Michèle aussi avait dû accepter des compromis pour faire tourner son ménage et donner une enfance paisible à ses enfants. Au final, malgré les tempêtes, ses parents s'aimaient encore profondément. En tant qu'épouse et mère de famille, elle se devait de prendre un peu plus sur elle-même.

Ce jour-là, elle résolut d'enfouir ces instants où elle se sentait humiliée, dégoûtée. Après tout, c'était peut-être elle qui avait un problème. La vie qu'ils menaient, elle l'avait désirée. Certes, le travail était dur, mais ils vivaient confortablement. Ils avaient de quoi se nourrir correctement, et ils étaient les propriétaires d'une modeste maison, qu'ils prévoyaient un jour d'agrandir, bâtie sur un espace de plus de deux mille mètres carrés, en retrait du village. Il fallait qu'elle fasse preuve de davantage de bonne volonté. Bertrand était un homme courageux, et les enfants étaient heureux. Que voulait-elle de plus au juste ?

2

Choquée. Dégoûtée. Etait-ce ainsi lorsque l'on grandissait ? Si ce que Carole venait de me révéler s'avérait, je n'étais vraiment pas pressée de devenir une femme ! Mais s'il y en avait bien une qui ne perdait rien pour attendre, c'était ma mère !

Pour la fin de l'année, et parce que nous, les CM2, passions nos derniers jours à l'école primaire, le maître avait organisé un pique-nique. Nous étions partis au matin par le chemin de halage qui longe le canal en direction de Tours-sur-Marne, et devions rejoindre une petite clairière pour manger nos sandwiches. Cela avait surtout des allures d'une longue journée de promenade, mais moi qui aimais marcher et discuter, je m'en réjouissais.

Toutefois, après avoir entendu les propos de ma meilleure amie, je n'étais plus si sûre de trouver cette sortie formidable.

— T'es sûre de ça ? Qui te l'a dit ? lui demandai-je tout en passant une main nerveuse dans mon épaisse chevelure châtain clair, héritée de ma mère.

Comment était-elle au courant ? Pourquoi n'avais-je jamais rien remarqué ?

— Ma cousine. Ça vient de lui arriver.

La source était fiable. Carole n'était pas une menteuse. Donc, un jour prochain j'en passerais par là ! Une vision affreuse s'imposa à mon esprit : du sang s'écoulant de mes tétons et dégoulinant de mes seins jusqu'à mon ventre. Mais, selon Carole, les femmes mettaient des protections dans leur soutien-gorge pour absorber le sang. C'était pour cette raison que nous, les petites filles innocentes, nous ne voyions rien. Tout s'expliquait. Mais cela restait particulièrement horrible et obscur. Pourquoi cela n'arrivait qu'aux femmes ? Et pourquoi la Nature leur faisait-elle endurer une telle situation ? Carole n'en savait pas davantage.

Peut-être un peu agacée par mes questions incessantes, Carole changea de sujet. Nous passâmes le reste de la journée dans la bonne humeur, mais une part de moi avait hâte d'éclaircir les révélations de mon amie.

Une fois à la maison, j'attendis que mon frère soit parti jouer pour questionner ma mère. Je lui rapportai succinctement les propos de Carole, et lui demandai si c'était réellement cela devenir une femme adulte. Elle me regarda un court instant, visiblement surprise, avant d'exploser :

— Qu'est-ce que c'est que ces âneries, Gaby ? C'est n'importe quoi ! Il ne faut pas que tu croies tout ce qu'on te raconte, s'énerva Hélène.

Elle avait encore démarré au quart de tour ! Dès que je posais certaines questions, plus intimes, ou que je répétais une blague un peu osée, ma mère s'emportait comme si j'avais prononcé la pire des injures. J'avais toujours l'impression d'avoir fait quelque chose de mal, alors que je ne cherchais que des réponses sur la vie. Si je ne pouvais pas me fier à ma famille, alors à qui ?

— Donc, ce n'est pas vrai ? repris-je.

— Non... ce n'est pas ça.

— Dis-moi, insistai-je, alors qu'elle essayait encore une fois de plus d'esquiver. J'ai dix ans, je suis bientôt en sixième, alors si les filles vivent de drôles de choses, je veux savoir !

— Gaby, tu es encore si jeune ! Evite de croire tout ce que les autres te disent ; souvent ils ne savent pas de quoi ils parlent !

— Alors, dans ce cas, explique-moi, toi ! Tu ne me dis rien ! Tu ne m'écoutes jamais ! C'est comme pour ma poitrine. Ça fait plusieurs fois que je te dis qu'elle pousse, qu'il faudrait peut-être que je commence à mettre des soutiens-gorge, et toi, tu penses toujours que j'exagère ! Tu préfères que je m'imagine des choses fausses ?

— Non, bien sûr.

— Je veux savoir ! m'emportai-je.

Je vis passer dans ses yeux une lueur peinée. J'y étais allée peut-être un peu fort, mais j'en avais assez de me taire et de n'obtenir aucune réponse.

Enfin, elle consentit à me révéler ce qui m'attendait. Carole n'était finalement pas loin de la vérité ! Ce n'était guère plus réjouissant, mais maintenant que je savais que mon sang ne coulerait pas le long de mon corps, et que toutes les femmes vivent la même chose depuis la nuit des temps, cela me parut nettement moins terrifiant. Surtout, ma mère n'imaginait pas à quel point elle m'avait rassurée, soulagée. D'ailleurs, notre conversation déclencha une véritable réaction chez mes parents. Le soir, ce fut mon père qui prit les devants :

— Ta mère m'a dit que tu étais en train de devenir une femme. On viendra voir ça !

Je ne saisis pas trop le sens de ses paroles sur le moment, heureuse qu'ils se rendent enfin compte que je grandissais. Je pouvais aborder plus facilement certains sujets avec mon père, mais je n'y tenais pas particulièrement parce que cela me mettait mal à l'aise.

Après le dîner, mes parents entrèrent dans la chambre que je partageais avec mon frère. La présence de mon père était très inhabituelle : il venait rarement nous voir dans notre chambre, encore moins avant le coucher. Ce que je n'avais pas compris à table devint plus clair. Ils avaient réellement l'intention de vérifier si mes seins se développaient. Sans faire cas de mon frère allongé sur son lit, mes parents demandèrent à voir ma poitrine. Machinalement, je soulevai ma chemise de nuit.

— Ah oui, en effet, commenta mon père. Il va falloir qu'on demande aux maçons d'accélérer les travaux, ajouta-t-il.

Ils quittèrent la chambre aussi étrangement qu'ils y étaient entrés. J'essuyai quelques moqueries de Marc, trop content de s'être rincé l'œil. Personne, à part moi, ne semblait avoir trouvé la situation humiliante.

J'éteignis rapidement la lumière, pressée de cacher la honte cuisante d'avoir dû m'exhiber ainsi. Mon père avait raison. Il était temps que j'aie ma propre chambre !

Les travaux d'agrandissement s'achevèrent à la fin de l'été. Quelques jours avant la rentrée, ma mère m'emmena dans un magasin de meubles pour choisir un bureau. J'étais fière. Je portais désormais des soutiens-gorge, j'entrais en sixième dans quelques jours, je ferais mes devoirs, seule dans ma chambre, et, cerise sur le gâteau, je pourrais lire plus longtemps le soir puisqu'il n'y aurait plus Marc pour m'obliger à éteindre.

Le premier jour de la rentrée, le car était quasiment vide car les autres niveaux profitaient d'une journée supplémentaire de vacances, et parce qu'un certain nombre d'élèves se rendaient au collège avec leurs parents. J'avais bien essayé de demander à ma mère si elle serait là, mais sa réponse avait été sans équivoque :

— Les vendanges approchent. On a plein de boulot. Ton père va être furieux, et puis je ne vais pas m'amuser à faire un aller-retour. C'est bien marqué dans la lettre qu'on a reçue : « Les parents qui viendront seront autorisés à rester jusqu'à ce que leur enfant soit appelé. » Vous allez vite regagner vos classes. Et puis, ça m'étonnerait que beaucoup de parents puissent se libérer, à part ceux qui ne travaillent pas.

Je n'insistai pas. Aucun argument ne serait assez convaincant. Les vignes, toujours les vignes, quand ce n'étaient pas les champs ! A croire que dans la bouche de mes parents il n'y avait pas d'autre véritable travail. Je m'en accommodai. Après tout, j'avais toujours eu l'habitude de les voir s'y consacrer. C'était juste que, pour une fois, j'avais envie que ce soit différent.

J'eus l'impression d'être seule au monde dans la cour au milieu de la foule d'élèves. Je ne retrouvai aucune de mes amies, alors je patientai le plus attentivement possible parce que je n'avais qu'une crainte : ne pas entendre mon nom lorsque le principal m'appellerait.

Finalement, j'étais dans la dernière classe. Je me sentis un peu soulagée car j'y retrouvai deux copains de Mareuil. Nous passâmes le reste de la journée avec notre professeur principal, qui nous donna notre emploi du temps et qui nous expliqua en détail le fonctionnement de l'établissement. Certains de nos enseignants vinrent se présenter et nous communiquer les fournitures à acheter pour leur matière.

Je rentrai à la maison, heureuse de ma première journée de collégienne et impatiente de tout raconter. Peut-être un peu influencée par des camarades qui avaient sauté de joie à la lecture de l'emploi du temps, puisque nous terminions deux fois à seize heures, j'imaginai que moi aussi on viendrait me chercher pour que je rentre plus tôt à la maison. Ma mère répliqua aussitôt sèchement :

— Ah, non, ne commence pas ! Je ne vais pas quitter les vignes pour aller te chercher, même si le collège n'est qu'à cinq kilomètres d'ici. Il faut que je sois à cinq heures à l'école pour ton frère !

— Et pour mes devoirs ? tentai-je de poursuivre.

— Tu les feras en heure de permanence, comme les autres ! En ramenant Marc à quatorze heures, je ne peux pas me permettre d'arrêter de travailler à quinze heures trente pour être à quatre heures moins le quart au collège. Si tu crois qu'on peut perdre du temps comme ça...

— C'est bon, j'ai compris, ne t'énerve pas, la coupai-je. Je demandais juste, au cas où.

Je détestais le ton qu'elle prenait parfois pour nous répondre à Marc et moi. Qu'avait-elle à s'emporter ainsi pour des futilités ? Je savais qu'elle avait souvent mal à la tête, et que cet état la fatiguait. Mais était-ce une raison pour se montrer si virulente, si sèche ?

Mon père n'intervint pas. Il ne se mêlait jamais de toutes ces questions. Il s'en remettait toujours à ma mère dès lors qu'il fallait prendre une décision nous concernant. Je n'essayai donc pas de me tourner vers lui pour trouver de l'aide.

Vexée, je sentis mes yeux s'embuer. Finalement, je m'en moquais de reprendre le car tous les jours. J'aurais simplement aimé que ma mère m'explique la même chose mais sans avoir cette sensation que je lui demandais une permission de trop.

Je me réfugiai dans ma chambre pour apaiser ma colère. J'y restai, blottie dans un petit renfoncement, à écouter mes cassettes préférées, jusqu'à l'heure du repas. Ma mère n'était pas du genre à revenir sur ses décisions ni à s'excuser. Elle me posa d'autres questions sur ma journée comme si rien ne s'était passé. Mais l'euphorie était retombée et je ne répondis plus que par monosyllabes.

Le lendemain, nous nous rendîmes au supermarché Continent, sur le quai de la Marne, à Epernay, pour l'achat des fournitures. Ma mère semblait un peu plus détendue que la veille. Je ne sus si c'était parce qu'elle regrettait d'y être allée un peu fort avec moi ou si c'était simplement parce qu'elle se sentait en meilleure forme. Je me dis que je n'avais vraiment pas de quoi me plaindre. Tous les mercredis, ma mère était là pour nous. Elle avait peut-être pensé que je ne me rendais pas compte de tout ce qu'elle faisait. Peut-être...

Je retournai au collège avec plaisir, ayant hâte que les cours commencent. Cela me plaisait de changer de matière et de discipline à chaque heure, d'avoir des cours plus spécifiques. Entre le français, l'histoire-géo, les maths et l'anglais, je ne vis pas la matinée passer.

Pendant la pause de midi, je rejoignis Carole, Ange et quelques autres amies de Mareuil. Comme nous étions dans des classes différentes, nous fûmes encore plus contentes de nous retrouver pour faire le bilan de cette rentrée. Nous étions tranquillement assises sur la pelouse, lorsqu'un groupe de cinquièmes ou de quatrièmes, à en juger par leur taille et leur assurance, s'approcha de nous. L'un d'eux se pencha au-dessus de chacune de nous, faisant mine d'écouter notre conversation. Ses acolytes ricanaient de ses singeries. Quant à nous, nous n'osions ni parler ni les regarder, certaines que si nous ne leur prêtions pas d'intérêt ils se lasseraient de leurs moqueries.

Soudain, celui qui s'amusait à tourner autour de nous s'arrêta à ma hauteur. Il interpella ses copains :

— Eh... Vous avez vu celle-là, c'est Micheline avec ses gros nibards !

Je mis instinctivement mes bras en croix devant ma poitrine, tandis que le groupe me fixait. Chacun semblait me déshabiller avec des yeux vicieux, riant de plus belle. Ils restèrent ainsi quelques instants, puis nous voyant toutes tétanisées, ils finirent par s'éloigner. Une fois qu'ils furent partis, je regardai mon tee-shirt. Peut-être m'étais-je habillée d'une façon qui laissait trop percevoir mes formes ? Personne, jusqu'alors, ne m'avait fait une telle remarque. C'était vrai que j'avais pris un bonnet entre la fin de l'été et la rentrée, mais je n'avais pas réalisé que ma poitrine était devenue si voyante.

— T'inquiète, ils n'en peuvent plus parce qu'ils n'en voient jamais des comme ça, fit remarquer Sophie.

— T'as de la chance ! Regarde-nous, on est plates comme des planches à pain. On aimerait bien avoir les mêmes ! renchérit Carole.

Visiblement, elles ne se rendaient pas compte de ma gêne. Jamais je n'avais été aussi honteuse. Je n'avais pas envie que l'on ne voie en moi qu'une paire de seins proéminents. Elles ne me comprenaient pas. J'avais doublement mal.

Le jour suivant, comble de malchance, je me retrouvai, dans la file qui menait au self, derrière le garçon qui s'était moqué de moi. Quand il me vit, il se mit à chanter sur l'air de *Célimène* : « C'est... c'est... c'est... c'est Mamelle... » Je fis mine de ne pas l'entendre, mais tout à coup, alors que je m'évertuais à lui tourner le dos pour qu'il se lasse de m'enquiquiner, il posa une main sur l'un de mes seins qu'il pressa légèrement. Sans réfléchir, je fis volte-face, et ma main droite alla s'écraser sur l'une de ses joues. Ses yeux brillaient de colère.

— T'es malade ! Monsieur... monsieur ! cria-t-il à l'encontre du surveillant chargé de s'occuper du bon déroulement du passage des élèves à la cantine. Elle m'a mis une claque !

— Si elle t'a giflé, c'est peut-être que tu l'as mérité !

Je ris en moi-même de ce retournement. Lui, me fusilla du regard.

— Alors, Jérémie, tu te laisses dominer par une gonzesse maintenant ! se moqua un autre garçon dans la file. Et par une sixième en plus !

Le fameux Jérémie prit un plateau et, heureusement pour moi, ne se retourna plus. Je rejoignis ensuite Carole et Ange qui m'avaient réservé une place. Je leur rapportai l'incident qui venait de se produire.

— Méfie-toi quand même. J'ai entendu d'autres élèves parler de lui. C'est Jérémie Jobert. Il est en

4ᵉ 3. D'après les bribes de conversation que j'ai perçues, il est super populaire. C'est sûrement un gros con, mais il a aussi l'air d'avoir pas mal de copains ! L'après-midi, je ne pensais déjà plus à ce crétin quand la sonnerie indiqua l'heure de la récréation. Moi qui craignais de m'ennuyer sans mon jeu à l'élastique, je découvrais qu'on s'amusait tout autant en discutant. Nous échangions sur les élèves de nos classes, et nous riions déjà des manies de certains profs comme monsieur Huriez qui avait la réputation de n'envoyer au tableau que les filles en jupe.

La pause ne durait qu'un quart d'heure, ce que je trouvais un peu court. Le dernier cours de la journée avait tôt fait de débuter. Nous avions à peine eu le temps de profiter de la douceur de cette fin d'été que nous dûmes nous relever pour aller nous mettre en rangs. Seulement, j'étais à peine debout, que je fus surprise par deux mains qui me saisirent fermement les poignets derrière le dos. Le temps que je réagisse, deux autres mains surgirent de nulle part et s'écrasèrent sur ma poitrine. La scène ne dura que quelques secondes.

— Et ne t'avise plus jamais de me gifler, menaça Jérémie avant de regagner son rang avec son copain.

Il avait bien préparé son coup. Il avait attendu le moment opportun, où tout le monde, y compris les surveillants, se recentrait vers la cour principale.

J'étais perdue. Tout ce que je voulais, c'était masquer cette partie de mon corps, qu'elle soit aussi invisible que pour toutes les autres filles de sixième. Je regrettais amèrement le temps où je me fabriquais un soutien-gorge de fortune et y mettais ce qui me passait sous la main juste pour voir quelle forme prendrait mon corps. Ce corps maintenant me dégoûtait. Jamais je n'avais envisagé que mes années au collège se transformeraient ainsi en cauchemar. Je devais trouver un moyen pour éloigner Jérémie et ses copains, pour qu'on me fiche la paix.

Le samedi matin, je me réveillai soulagée que ce soit le week-end. Quand j'arrivai dans la cuisine, Marc finissait son petit déjeuner, et ma mère était déjà prête à partir faire les courses pour les vendanges qui débuteraient le lundi, exceptionnellement tôt en cette année 1990. Il lui restait donc peu de temps pour s'assurer, avec ma grand-mère Michèle, que les vendangeurs ne manqueraient de rien. Elles établissaient le menu de chaque repas par avance pour éviter le gaspillage. Elles avaient déjà acheté quelques jours plus tôt tout le gros conditionnement : les boissons, les produits d'hygiène, les pâtes, les bonbons pour offrir un peu de réconfort au bout de chaque route vendangée, les conserves, les produits de première nécessité pour confectionner des gâteaux... Même si avec le champ de pommes de terre que nous cultivions, le verger de mes grands-parents, et le cochon que l'on faisait tuer une fois par an, nous avions des réserves, elles retournaient toujours au supermarché de Pierry pour compléter les vivres de maroilles, de légumes frais pour les soupes du soir, et de quelques pièces de bœuf spécialement préparées en grande quantité pour cette période.

— Ne vous inquiétez pas, j'en ai pour un moment. Quand je reviendrai, il sera peut-être midi passé. Si vous pouviez faire à manger, ce serait bien.

— On s'en occupe, dit Marc.

— Et est-ce qu'on peut aller chercher du pain à vélo ? m'empressai-je de demander avant que ma mère ne quitte la cuisine.

— Oui, mais ne vous attardez pas.

J'avalai rapidement un thé et quelques madeleines, puis remontai dans ma chambre pour m'avancer dans mes devoirs. Avec la préparation des vendanges, le week-end serait chargé.

C'était l'un des moments de l'année que je préférais parce que durant une semaine je pouvais profiter de mes oncles et tantes, et d'instants inégalés de bonne humeur. Mes parents, le reste du temps, recevaient très peu, alors, pour moi, manger avec trente personnes tous les soirs était une véritable fête. J'aimais découvrir de nouveaux vendangeurs qui me laisseraient des souvenirs jusqu'à l'année suivante, et surtout, j'avais hâte de revoir les habitués.

J'adorais entendre mon père rire et participer aux blagues. J'aimais observer les légers sourires que ma mère esquissait lorsqu'elle apportait les plats sur la table. Rarement, j'avais l'occasion de voir mes parents s'amuser. Quand nous reprenions la route après le repas du soir, j'avais déjà envie d'être au lendemain pour retrouver l'ambiance festive du vendangeoir.

Mon grand-père paternel était mort alors que mon père n'était encore qu'un adolescent, si bien que ma grand-mère avait dû mettre leurs vignes en location pour continuer à subsister, elle et ses enfants, et pour garder le domaine familial. En attendant de récupérer une partie de ces vignes, nous organisions des vendanges communes avec mes grands-parents maternels, de Moussy. Cela permettait à mes parents de les aider et de profiter des vendangeurs pour cueillir leurs propres raisins. Autant dire que je n'étais pas pressée de voir arriver le temps où il faudrait reprendre une partie de l'exploitation de Mareuil car mes parents seraient obligés, par commodité, de tout organiser sur place, et cela signerait certainement la fin des vendanges en famille.

Je pouvais toujours me consoler car cela n'arriverait pas de sitôt puisque ma grand-mère avait prolongé le bail de location, deux ans seulement auparavant. Jamais je n'avais vu mon père entrer dans une telle colère. J'avais bien cru qu'elle ne ressortirait pas vivante de notre maison. Il l'avait accusée de ne jamais avoir aimé son mari et de vouloir se venger d'eux qui étaient si proches, pour favoriser Franck, son fils chéri.

Mon père me racontait souvent que son père l'adorait et qu'il avait toujours espéré qu'il reprenne les rênes de l'exploitation. Cela avait été terrible pour lui quand il avait été retrouvé mort d'une crise cardiaque dans ses vignes. Dès lors, il s'était promis de le rendre fier et de se montrer à la hauteur de ce qu'il avait souhaité.

Lorsqu'il s'était marié avec ma mère, il avait été convenu que dès que le premier bail s'achèverait, ils s'occuperaient des vignes. A l'époque, Franck, qui travaillait à Paris dans l'installation d'ascenseurs, n'avait pas manifesté l'envie de s'impliquer dans l'exploitation viticole. Seulement, il était revenu, à la suite d'un licenciement économique, et tout avait changé. Il avait épousé Karine, la fille de monsieur Valois, qui justement s'occupait des vignes de mes grands-parents paternels. Depuis ce temps, les tensions n'avaient fait que croître jusqu'à ce que les relations deviennent glaciales.

Marc et moi ne savions pas trop comment nous positionner. Parfois, nous allions rendre visite à notre grand-mère, qui nous accueillait toujours à bras ouverts. Elle anticipait toujours notre venue en stockant des tonnes de gâteaux au chocolat. Je n'arrivais pas à imaginer qu'elle soit aussi machiavélique et froide que le prétendait mon père. De leur côté, mes parents étaient au courant de nos petites escapades mais il nous était interdit d'en parler.

Marc vint frapper à ma porte vers dix heures.

— T'es prête ?

A le voir avec son jogging usé et sa banane Goldorak autour de la taille il me sembla tellement innocent encore. Ses yeux bleu clair, semblables à ceux de notre mère, ne reflétaient pas de malice ni de perversité. Il n'avait qu'un an de moins que moi, mais j'eus tout à coup l'impression que ce petit écart d'âge était devenu un fossé en l'espace de quelques jours. Lui aussi finirait par changer. Serait-il dans quelque temps un autre Jérémie Jobert ?

Je devais le regarder d'un drôle d'air car il me demanda :

— Qu'est-ce qu'il y a ? Tu n'as plus envie de venir ?

— Si, si... C'est bon, j'arrive.

Puisque notre maison était bâtie en retrait du village, en plein champ, nous avions près d'un kilomètre à parcourir avant d'arriver à la grand-route qui traversait le village. Alors, nous en profitions souvent pour faire la course.

— Allez, le premier arrivé au stop offre des bonbons à l'autre !

J'hésitai un instant. L'envie n'y était pas vraiment. Mais je n'eus pas le cœur de décevoir mon frère et surtout, je ne souhaitais pas entrer dans des explications qu'il ne comprendrait pas. Alors, je m'élançai, comme quelques mois auparavant où je ne me préoccupais pas de l'allure que j'avais. Marc, qui adorait ce jeu entre nous, dévala à toute vitesse la route qui menait au village. Sur le côté, les blés coupés devenus de petites pailles jaunes craquantes, et les maïs, encore bien verts, qui attendaient patiemment leur moisson, défilaient dans mon champ de vision. Bientôt, ils laissèrent place aux premières maisons, toutes simples, construites une vingtaine d'années plus tôt à l'entrée de Mareuil, en extension du vieux bourg.

Je m'arrêtai. Fièrement, Marc annonça :

— Gagné !

J'esquissai un sourire, amusée de son enthousiasme. Nous traversâmes la route nationale pour emprunter la rue d'en face, celle du cimetière. Nous poursuivîmes notre descente jusqu'au canal de la Marne que nous longeâmes sur la gauche. Arrivés au pont tournant, nous dûmes patienter le temps qu'une longue péniche effectue son passage. Nous aurions pu continuer notre chemin et faire le tour par le deuxième pont, mais nous ne nous lassions pas d'observer la plate-forme mouvante se remettre en place. Nous fîmes un petit signe aux navigateurs qui profitaient de la douceur de cette fin d'été. Nous rejoignîmes ensuite la partie centrale de notre petit village, qui ne devait pas compter plus de six cents habitants.

Nous passâmes devant le monument aux morts qui masquait en partie, sur la gauche, une grande maison dans laquelle avaient été aménagés un bar-tabac-presse et une épicerie. Juste après, nous étions sur la grande place bordée de quatre grands tilleuls, avec, en son centre, la route qui la traversait. Tout autour, de grandes bâtisses vieillissantes, aux murs gris, encadraient l'espace. Sur la partie droite, se trouvait la boulangerie.

Comme à son habitude, madame Martins nous servit une grosse baguette, sans oublier de nous demander comment s'était passée notre semaine d'école. La boulangère était toujours agréable, ce qui faisait parfois oublier sa vitrine un peu vide. Mais comme le pain était bon et que nous n'achetions jamais de pâtisseries ou de viennoiseries en dehors du dimanche, nous ne lui en tenions pas rigueur.

J'achetai quelques bonbons à mon frère, récompense que je lui offrais de bon cœur avec l'argent de

ma tirelire, car notre mère nous interdisait formellement de nous servir de son porte-monnaie pour des
dépenses inutiles.

Avant de remonter, nous entrâmes dans le bar.
Le nouveau numéro de mon magazine préféré, *Star
Club*, venait de sortir. Il coûtait trois francs cinquante
que je ne manquais jamais d'économiser sur mes
cinq francs d'argent de poche mensuels. Je le feuille-
tai rapidement. Je ne serais encore pas déçue. Roch
Voisine, que j'adorais, était en vedette.

J'avais demandé à plusieurs reprises à ma mère
qu'elle m'abonne, afin de recevoir directement le
magazine dès sa parution, et m'éviter d'aller jusqu'au
bar où mes lectures se mêlaient à celles des adultes
qui exhibaient des femmes entièrement nues. Hormis
deux ou trois poivrots au comptoir qui semblaient
me regarder d'un drôle d'air lorsque je m'avançais
pour payer, on n'y rencontrait personne, comme
s'il s'agissait d'un lieu privé. La peau épaisse de ces
hommes, leurs dents usées et le rouge qui les infec-
tait jusqu'aux yeux m'effrayaient. Même avec Marc
à mes côtés, cet endroit me mettait mal à l'aise. Le
seul moment de l'année où la convivialité le gagnait
véritablement, c'était le dernier week-end du mois de
mai, à la fête patronale. Là, des tables étaient installées dehors, avec vue sur le canal, et des hommes
de tout âge côtoyaient les familles.

Sur le chemin du retour, nous marchâmes en
tenant nos vélos afin de déguster les bonbons. C'était
ainsi. Peu importait qui arrivait le premier au stop,
nous partagions forcément le gain ! Nous nous cha-

maillions souvent, mais il y avait aussi beaucoup de moments où nous étions les plus heureux du monde d'être ensemble.

A la maison, toujours dans la bonne humeur, nous nous mîmes aux fourneaux.

Quand mon père rentra des vignes, il nous trouva concentrés sur notre préparation de spaghettis à la bolognaise.

— Elle est où, votre mère ? nous demanda-t-il après nous avoir embrassés furtivement.

— Elle n'est pas encore revenue des courses.

— Il est midi quand même !

— Elle a dit qu'elle rentrerait peut-être un peu tard.

— Oui, mais on a encore du boulot cet après-midi. D'ailleurs, vous venez nous donner un coup de main. Il faut que tout soit bien cisaillé.

Adieu, l'après-midi dans la chambre à lire et à écouter de la musique ! A l'approche des vendanges, mon père était toujours un peu stressé que la récolte ne soit pas assez bonne. Mais je ne comprenais tout de même pas pourquoi nous devions cisailler à deux jours du début des vendanges.

— L'enjambeur ne passe pas assez près. La récolte de cette année, avec ce qui a gelé au printemps, ne va pas être terrible et on risque de manquer de raisins. Si on cisaille, on pourra enlever plus de brins gênants et les vendangeurs verront mieux les grappes. Quand on voit parfois ce qu'ils oublient, ça m'énerve. Cette année, chaque kilo vaudra cher !

Ce n'était donc pas la peine d'espérer esquiver l'après-midi aux vignes !

— Bon, votre mère, qu'est-ce qu'elle fout ? s'impatienta-t-il de nouveau. Gaby, tu ne veux pas téléphoner chez Michèle et Claude ?

— Pourquoi ?

— C'est bizarre qu'elle ne soit pas encore là !

— On t'a dit qu'elle rentrerait plus tard. Elle va arriver !

— Je préfère que tu appelles. On saura au moins si elle est déjà partie de Moussy.

Je détestais quand il faisait cela. Dès que ma mère n'était pas à la maison alors qu'elle devait s'y trouver, il m'obligeait à téléphoner à ma grand-mère. Comme il ne voulait pas paraître ridicule à s'impatienter, il me demandait de dire que c'était Marc et moi qui la cherchions. Dans le fond, son attitude me semblait touchante, parce qu'il était toujours aussi inquiet de ce qui pouvait arriver à ma mère, après tant d'années. Toutefois, c'était souvent exagéré, et il n'assumait jamais.

Je me pliai tout de même à sa demande, car je savais qu'il risquait de se fâcher. Comme d'habitude, ma grand-mère crut réellement que mon frère et moi commencions à trouver le temps long. Cinq minutes plus tard ma mère était de retour.

Mon père se précipita au-devant d'elle, laissant la porte d'entrée ouverte.

— T'en as mis du temps ! Je me demandais ce que tu faisais ! lui dit-il avec une pointe de reproche.

— Tu savais où j'étais pourtant !

— Oui, mais tu rentres tard. Il est midi et demi passé.

— On n'a pas chômé avec maman. On voulait que tout soit prêt pour les repas. J'ai fait le plus vite que j'ai pu ! Je ne pouvais pas faire mieux, je t'assure.

— C'est bon, ça va, se radoucit mon père.

Tout le monde se mit à table, mes parents contents de ce que nous avions cuisiné. Nous pensions déjà à l'après-midi qui nous attendait.

Le dimanche, nous allâmes finir les préparatifs des vendanges à Moussy avant l'arrivée des premiers cueilleurs.

— Alors, on a retrouvé maman ! se moqua gentiment ma grand-mère maternelle tout en m'embrassant.

Je ne pris pas la peine de rétorquer quoi que ce soit. Moi, ce qui m'intéressait, c'était de savoir si Christian mangeait avec nous.

— Il est là, Christian ?

— Il arrivera tout à l'heure. Pour le moment, il est encore chez sa copine.

— Ah ! fis-je déçue.

J'aimais beaucoup les frères et sœur de ma mère, mais avec Christian, âgé de dix-neuf ans, j'avais toujours eu un lien particulier. Antoine et Gilles étaient mariés et pères de famille. Je les mettais davantage dans la catégorie « parents » plutôt que « oncles ». Quant à Annette, même si c'était celle qui avait le moins d'écart avec moi, à peine sept ans, elle n'avait jamais manifesté de réelle envie de partager des moments avec ses neveux et nièces. Les enfants, disait-elle, « ça braille de trop ». La distance qu'elle maintenait nous interdisait de nous jeter à son cou ou de la suivre pour passer du temps avec elle. Christian, lui, acceptait qu'on aille dans sa chambre, même s'il était accompagné de copains, il s'intéressait vraiment à nous, et Marc et moi avions la chance qu'il nous emmène parfois dans sa voiture jusqu'à Reims pour manger au McDo ou se faire un ciné. Je sortais rarement en ville, et encore moins dans ce genre d'endroits. Alors, quand je me promenais au côté de mon oncle et qu'on s'arrêtait pour boire un verre à la terrasse d'un café avant la séance de cinéma, je me sentais fière, plus mûre et plus sûre de moi.

Ce jour-là, plus que d'habitude, j'avais envie d'un moment privilégié pour lui raconter ma rentrée, et peut-être lui parler de Jérémie Jobert. Christian finit par arriver alors que nous en étions déjà au fromage. Il nous salua et nous présenta Julie, sa nouvelle copine. Pourquoi l'avait-il amenée ? Comment allais-je m'y prendre maintenant pour être un peu seule avec lui ?

— Vous voulez vous asseoir et manger quelque chose ? proposa ma grand-mère.

— Non, c'est bon, on a déjà bien mangé chez Julie. Et puis Arnaud et Luc nous attendent au vendangeoir pour ranger notre matériel de musique.

Décidément, le sort s'acharnait ! A peine arrivé, il partait déjà. Il fallait que je puisse le rejoindre.

— Je peux venir vous aider ? hurlai-je presque dans le brouhaha familial.

J'eus bien envie de faire taire ma cousine, Manon, âgée de deux ans, qui était en train de chouiner pour avoir un autre morceau de fromage.

— Si tu veux !

— Gaby, tu vas peut-être laisser ton oncle tranquille ! Et puis, on n'a pas fini le repas, s'interposa ma mère.

— Je peux me passer du dessert !

— Tu vas gêner plus qu'autre chose. Reste là.

Qu'est-ce qu'elle pouvait être rabat-joie par moments ! Des larmes commençaient à me piquer les yeux, tellement j'étais déçue de ne pas pouvoir aller m'amuser avec mon oncle et agacée par la réaction de ma mère.

— C'est bon, Hélène, laisse-la venir ! intervint Christian. Marc, tu peux venir aussi si tu veux !

Je n'attendis même pas la réponse de ma mère, j'étais déjà debout, prête à le suivre. Je grimaçai légèrement à la vue de mon frère qui ne se fit pas prier non plus.

Au vendangeoir, un grand bâtiment rectangulaire construit au fond de la cour, nous nous installâmes dans les fauteuils en velours marron usé. On avait encore un peu de temps pour ranger la sono et les spots. La salle principale où on mangeait avec les vendangeurs était, le reste de l'année, le repaire de mon oncle et ma tante qui y retrouvaient régulièrement leurs amis. Je me disais qu'ils avaient de la chance d'avoir un endroit rien que pour eux. Pour me faire plaisir, Christian mit le CD d'Europe, puis il déboucha une bouteille de champagne. L'ambiance était tout de même plus sympa ici ! Pas de conversation politique, pas de pronostics sur la récolte, et surtout pas de cris ni de pleurs. Pour le moment, j'étais comme Annette ! Mes cousins et cousines, je les aimais surtout quand ils dormaient !

Affalée dans l'un des fauteuils, j'écoutais un autre genre de discussion :

— T'étais un peu raide hier soir ! fit remarquer Christian à Arnaud. T'as réussi à retrouver ta chambre, au moins ?

— Ouais, je crois que j'y suis allé un peu fort ! J'ai failli me casser la gueule dans l'escalier ! Ma mère s'est levée et m'a engueulé. Je riais comme un couillon ; elle a fini par me mettre au lit.

— En effet, t'étais vraiment pas clair !

Pendant qu'ils parlaient et riaient, j'observais mon oncle. Je l'avais déjà vu en compagnie d'une fille, mais comme en général ses relations ne duraient pas longtemps, je n'y prêtais pas attention. Là, j'avais l'impression que c'était différent. Il se tenait vraiment très près de sa copine tout en lui serrant la main. A chaque fois qu'il riait, il la regardait comme s'il voulait vérifier qu'elle s'amusait autant que lui et qu'il n'avait pas l'air stupide. Mais ce qui me frappa le plus, c'était cette lueur nouvelle que je n'avais jamais remarquée auparavant dans ses yeux. Un éclat un peu fou, qui s'allumait dès qu'il se tournait vers elle. Christian était-il tombé amoureux ?

Je n'avais jamais envisagé que Christian, comme Gilles et Antoine, aurait un jour une femme. Mais je devais me rendre à l'évidence : il aurait vingt ans le mois prochain, il avait terminé ses études et avait même commencé à travailler dans une banque à Epernay. S'occuperait-il toujours de moi s'il venait à s'installer avec Julie ? Une petite boule se forma en travers de ma gorge. Mon cœur se serra.

Je me sentis laide et ridicule tout à coup face à la copine de mon oncle. Elle portait un jean moulant qui mettait en valeur la finesse de ses jambes, un chemisier rose pâle et un pull bleu marine qu'elle avait déposé sur ses épaules. Avec ses boucles châtain clair et son sourire éclatant, elle avait une grâce naturelle que je n'aurais certainement jamais.

J'eus soudain envie d'aller m'asseoir entre eux, juste pour montrer à cette fille qu'une belle silhouette et de jolies boucles ne suffiraient pas à ravir le cœur de mon oncle.

— Alors, Gaby, cette rentrée ? me demanda soudain Christian.

— Ça va. La classe est sympa. J'aime bien les cours, sauf les maths et la physique. J'y comprends pas grand-chose pour l'instant...

Je m'interrompis. J'avais attendu ce moment tout le week-end. Mais là, devant Arnaud, Luc, Marc et Julie, je n'arriverais jamais à parler de Jérémie Jobert et de ses copains. D'ailleurs y serais-je parvenue même en tête à tête avec Christian ? Ce qui s'était passé ne me semblait plus très important. Julie aussi avait des formes généreuses. Christian avait certainement posé ses mains sur sa poitrine. N'était-ce pas ce que faisaient tous les garçons ? Si je me plaignais de Jérémie, j'allais sûrement déclencher l'hilarité générale, et ils me prendraient pour une petite fille qui ne connaît rien à la vie. Après tout, même mon père le faisait à ma mère. Elle râlait quand il baladait ses mains devant nous, mais il recommençait tout de même dès qu'il en avait l'occasion ! C'était probablement inscrit en chaque garçon. Qu'y pouvais-je ? Le mieux était que je me débrouille pour repousser Jérémie et ses acolytes. Pas de quoi en faire tout un plat après tout !

— On ne peut pas être bon partout ! Allez, c'est pas le tout, mais il va falloir ranger tout ça, ajouta Christian en se levant et en se dirigeant vers l'endroit où il avait installé tout le matériel musical. Si Michèle arrive et qu'on n'a rien débarrassé, ça va être ma fête !

Chacun y mit du sien pour tout transporter dans la voiture d'Arnaud. Christian préférait confier sa sono à son ami plutôt que de l'entreposer dans un coin du vendangeoir au risque qu'une personne, même par inadvertance, abîme quelque chose.

Nous venions à peine de terminer quand nous entendîmes des membres de la famille nous rejoindre.

Comme chaque année, nous nous répartîmes les tâches. Nous laissâmes à Annette le soin du sol de la grande salle. Ma mère et ma grand-mère nettoyèrent de fond en comble les douches et les toilettes à l'eau de Javel, pendant que j'aspirais la moquette du palier et des quatre chambres. Toutes étaient équipées de deux ou trois lits superposés pour rentabiliser l'espace et pouvaient accueillir un maximum de vingt personnes. J'ouvris les fenêtres pour renouveler l'air qui sentait le renfermé. La lumière qui pénétra instantanément accentua l'aspect terni des papiers peints. Celui des chambres des garçons était encore plus verdâtre que l'an passé, et les fleurs roses imprimées de celles des filles étaient de moins en moins visibles. Toutefois, la douceur du soleil rendit un peu de vie à ces pièces qui ne voyaient pas beaucoup le jour le reste du temps.

Selon les instructions de ma grand-mère, je pris un balai que je recouvris d'un torchon. Avec des gestes amples, comme si je peignais, je dépoussiérai les murs et le dessus des armoires.

J'en étais à la dernière chambre, près de la salle de bains, quand ma mère surgit les bras chargés d'une pile de draps blancs, bientôt rejointe par ma grand-mère qui passa l'éponge sur les plinthes et les armatures en fer gris des lits. J'écoutai distraitement leur conversation sur les couples qui étaient obligés de dormir séparément, et sur les drôles de choses qui se produisaient immanquablement, bien que les garçons soient d'un côté du palier et les filles de l'autre.

Je me contentai de mettre toutes les taies d'oreillers, car j'avais beau y mettre du mien, je ne parvenais pas à serrer les draps et les couvertures sous les matelas.

Une fois la corvée des chambres achevée, nous redescendîmes dans la grande salle où nous retrouvâmes Annette en compagnie d'Isabelle, Véronique et des petits qui avaient terminé leur sieste, et qui s'amusaient à courir l'un après l'autre.

Nous enlevâmes du buffet toute la vaisselle dont nous allions avoir besoin. Nous la transportâmes dans la cuisine où nous entreprîmes de tout rincer. Même si je détestais essuyer, sans rechigner, je me mis à l'œuvre, contente de partager la bonne humeur des femmes de ma famille. Aussi gourmandes les unes que les autres, nous ne pûmes nous empêcher d'ouvrir le placard pour grignoter quelques carrés de chocolat.

Alors que nous gloussions, les hommes regroupaient tout ce qui serait indispensable à la cueillette : paniers, brouettes, caisses, sécateurs, bottes et imperméables. La remorque et les deux fourgons n'attendaient plus que leurs occupants.

Ils finissaient leurs préparatifs par la remise en marche du pressoir qui se trouvait dans un autre bâtiment, plus petit, qui fermait l'enceinte de la propriété sur la droite. C'était généralement à ce moment qu'on entendait la grosse voix de mon grand-père retentir, car il veillait à son engin comme sur un être de grande valeur. Gare à celui qui n'appuyait pas sur le bon bouton ou qui ne se mettait pas à la place qui lui avait été attribuée.

Alors qu'il nous restait encore à éplucher les légumes pour la soupe, nous vîmes tous les garçons apparaître sur le quai, devant le pressoir, signe que les vendangeurs n'allaient pas tarder. Pour ouvrir officiellement les festivités, ils débouchèrent un jéroboam de champagne, et remplirent leurs blidas. Nous accélérâmes nos mouvements afin de ne pas être laissées pour compte.

Quelques minutes plus tard, des klaxons retentirent. Nous nous précipitâmes toutes à l'extérieur pour accueillir les Savoyards Patrick, Myriam et leur fils Vincent, qu'ils avaient appelé ainsi pour honorer le saint patron des vignerons puisqu'il avait été conçu une vingtaine d'années auparavant par une nuit de vendanges. Ils aimaient raconter cette anecdote chaque année aux nouveaux venus. Le fameux Vincent fut d'ailleurs acclamé comme le messie parce qu'il venait pour la première fois. Leur arrivée, comme un feu vert, provoqua celle des autres. En l'espace d'une heure, tout le monde était là, déjà confortablement installé dans le salon, un blida de champagne à la main.

La soirée fut trop courte à mon goût. Après la vaisselle, ma mère nous pressa pour partir. Dans la voiture, c'était étrangement silencieux, ce qui détonnait avec le remue-ménage des dernières heures.

— Les nouveaux ont l'air bien. On va voir comment ils vont avancer demain, dit mon père, comme pour redonner un peu de vie dans l'habitacle.

— Oui.

— En tout cas, Patrick et Myriam ne changent pas ! Ils sont toujours aussi contents de venir. Ça fait plaisir !

— Hum, articula ma mère, comme si mon père l'ennuyait profondément.

— Qu'est-ce qu'il y a ? T'as un truc qui va pas ?

— Non.

— Dis-le alors si je te fais chier !

— J'ai juste mal au crâne. J'ai hâte d'arriver à la maison et de me coucher.

— Il va peut-être falloir que Deslandes te trouve un bon traitement, car c'est de pire en pire ! Ça me gonfle !

— Qu'est-ce que j'y peux !

— J'sais pas, mais c'est pénible à la longue ! On a l'impression que tu fais tout le temps la gueule !

— J'irai voir Deslandes après les vendanges. Il aura peut-être un truc plus efficace à me donner.

A l'arrière, je n'avais pas perdu une miette de la conversation. Moi aussi, j'espérais que ses migraines s'estompent pour qu'on n'ait plus la sensation quasi permanente qu'elle nous en voulait, pour peut-être lui parler de Jérémie Jobert et des garçons du collège.

3

Un bombardement. Ça explosait. De douleur.

Hélène jeta un œil au réveil qui se trouvait sur la table de chevet. Sept heures ! Elle avait si mal dormi à cause de ses crampes au bras, qui la torturaient dès les premiers jours de taille, qu'elle ne s'était assoupie qu'au petit matin. Et maintenant qu'elle était réveillée, elle avait si mal à la tête qu'elle avait l'impression que son crâne était coincé dans un étau. Allongée sur le dos, Hélène referma les yeux. Si elle se laissait aller... la souffrance n'existerait plus. Elle aurait la paix...

Mais il y avait Gaby et Marc... Elle devait se lever. Trouver la force. Encore. Encore...

Le docteur Deslandes. Elle avait prévu de se rendre à son cabinet ce matin. Il aurait bien un nouveau traitement à lui donner. Il en avait toujours un, qui la soulageait... pour un temps.

Il fallait se réjouir. Cet après-midi, avec Bertrand, ils allaient tailler dans leurs nouvelles parcelles. Ils étaient officiellement propriétaires à compter de ce jour, mardi 29 novembre 1994. Tant d'années de travail récompensées. Dès les prochaines vendanges, ils auraient de nouveaux revenus. Bertrand avait promis de vendre une partie des champs, et de prendre un peu plus de vacances.

Les deux parcelles de vingt-cinq ares de blancs qu'ils avaient dénichées étaient une véritable aubaine. Les vignes à vendre étaient très rares, car chaque famille protégeait son patrimoine, souvent acquis depuis de très nombreuses décennies, et les grandes maisons de champagne, toujours à l'affût d'augmenter leur production, avaient davantage les moyens de faire des offres alléchantes.

Monsieur Pouillard avait hérité de ces vignes et n'était plus physiquement capable de s'en occuper. Après réflexion, il avait choisi de les céder pour aider ses trois enfants et profiter de sa retraite. Un de ses neveux avait bien été intéressé, mais il n'avait pas pu réunir les fonds suffisants, et Pouillard ne voulait pas voir une grosse maison comme Duval-Leroy, qui avait suffisamment le monopole sur le vignoble de Vertus, s'en emparer. Il tenait à ce que son patrimoine reste aux mains de petits récoltants qui préserveraient une certaine tradition familiale. La viticulture, c'était avant tout une affaire d'amour de la terre, de la nature, et non une course au rendement pour enrichir des hommes qui ne mettent jamais les pieds dans les vignes, et qui pensent que leurs connaissances théoriques prévalent sur le savoir-faire ancestral.

Hélène était fière. Des années à économiser, à se charger toujours plus de locations agricoles et viticoles. Une acquisition réussie à la sueur de leur front et à la force de leurs bras. Pour Bertrand, c'était une revanche, car il avait compris que sa mère, de son vivant, ne lui donnerait rien, qu'elle privilégierait son frère et sa belle-famille.

Même si elle était plus habituée au pinot meunier de Moussy, et au pinot noir des sols crayeux de Mareuil qui permettaient aux maîtres de chai de chez Roederer l'élaboration du champagne blanc de noirs, sa préférence allait au blanc de blancs, exclusivement assemblé avec différentes récoltes de chardonnay, donnant un vin à la fois plus sec et plus subtil. Pour elle, entrer dans la caste des vignerons cultivant les raisins de ces prestigieux crus qui faisaient le tour du monde justifiait toutes ses douleurs liées à la rudesse du travail.

Elle n'en était pas arrivée jusque-là pour lâcher maintenant !

Gaby, Marc... ils avaient besoin d'elle.

Gaby, Marc... ils étaient sa force.

Hélène se leva avec peine. Debout, elle chancela jusqu'aux toilettes où elle fut prise de haut-le-cœur. De la bile jaillit de sa gorge. Ces migraines étaient décidément de plus en plus insupportables.

— Ça va ? demanda Bertrand, qui se tenait derrière la porte. J'étais venu voir ce que tu faisais. Je commençais à m'inquiéter. D'habitude, t'es toujours levée avant moi. Je viens d'accompagner Gaby au bus et Marc m'a dit que tu étais encore au lit.

— C'est encore ces satanés maux de tête. Quand je te dis que je n'en peux plus !

— C'est bon, j'ai compris ! Habille-toi, et va chez Deslandes.

Hélène se dirigea jusqu'à la salle de bains où elle prit une douche fraîche. L'estomac un peu moins noué, elle avala ensuite un petit cocktail de médicaments dont elle avait désormais l'habitude. Cela endormirait provisoirement le mal, le dégoût.

Heureusement que le cabinet du médecin, à Tours-sur-Marne, n'était qu'à dix minutes de chez elle. Elle s'y rendait de plus en plus fréquemment ces quatre dernières années. Oserait-elle cette fois-ci lui parler de la véritable raison de sa venue ? Ses crampes n'avaient pas été la seule cause de cette insomnie.

La veille au soir, alors que Bertrand s'apprêtait à se satisfaire une nouvelle fois, elle se rendit compte que sa porte intime était asséchée, brûlée par les assauts trop intenses. Jusqu'à présent, son corps avait tenu. Des larmes s'étaient mises à couler, des larmes qu'elle ne maîtrisait plus. Bertrand voulut forcer mais pour une fois il s'aperçut qu'il y avait un problème :

— Qu'est-ce qui ne va pas, t'as pas envie ?

— Je crois que c'est trop.

— Qu'est-ce qui est « trop » ? Explique-toi.

Si elle lui disait la vérité, il allait certainement se mettre en colère, mais d'un autre côté elle ne savait pas quel mensonge inventer.

— Je n'en peux plus, Bertrand. Je ne peux plus faire l'amour, je n'y arrive plus.

— Tu n'as plus envie de moi, c'est ça ? T'as quelqu'un d'autre ? s'énerva-t-il.

— Mais non ! C'est juste que je suis fatiguée, que tu me demandes trop souvent. Tu n'as jamais songé que je n'étais pas qu'un objet sexuel ?

— Je ne te considère pas comme un objet sexuel ! Tu es ma femme ; j'ai envie de toi, c'est normal ! fulmina-t-il.

— Je ne dis pas le contraire ; je dis juste que je ne peux plus satisfaire tes envies à chaque fois. Mon corps ne suit plus. Tu ne te rends pas compte que je suis épuisée. J'ai mal partout, je suis à bout ! explosa-t-elle. J'ai l'impression qu'il n'y a que mon corps qui t'intéresse.

Hélène avait été étonnée de la rage qui avait émané d'elle. Elle avait attendu la réaction de son mari avec crainte.

— Demain, t'iras voir Deslandes, et tu lui demanderas de te donner quelque chose qui te requinque. Après ça ira mieux. C'est pas normal de ne plus vouloir faire l'amour à son mari. Habituellement tu manques déjà d'ardeur, mais là on se retrouve carrément au pôle Nord !

— Si tu le dis.

Hélène avait tourné le dos à un Bertrand mécontent d'en rester là mais elle n'avait pas eu envie de continuer cette conversation qui ne mènerait à rien. Il se montrait si sûr de lui qu'elle finissait par penser qu'il avait raison, que c'était elle qui devait avoir un problème. Une femme qui aime son mari devrait le désirer ou du moins ne devrait pas se refuser à lui ! Mais elle, elle n'avait jamais envie de faire l'amour. Quand elle pensait à tous leurs rapports, ça la dégoûtait. Elle avait passé la nuit à se convaincre qu'il fallait qu'elle en parle au médecin. Il aurait peut-être une solution. Pour qu'elle devienne normale. Jusqu'à présent, elle n'avait jamais osé aborder le sujet car elle ne voyait pas comment présenter la situation, et elle avait peur du jugement du docteur. N'allait-il pas la prendre pour une folle ?

Elle pensa à François. S'il savait, il l'obligerait à parler. Elle en était sûre. François, qui lui faisait tant de bien rien que par son sourire. La première fois qu'elle l'avait vu, un peu plus d'un an auparavant, elle avait ressenti en elle une sorte d'apaisement qui l'avait enveloppée. François était le chef de son frère aîné Gilles, qui venait de se faire embaucher en cuverie dans une grosse maison de champagne, chez Vranken, à Epernay. Il avait accepté, par sympathie pour Gilles, de venir les dépanner pour les vendanges car ils manquaient de personnel. François s'était tout de suite bien entendu avec les habitués, et plus particulièrement avec Patrick et Myriam. La bonne humeur avait régné toute la semaine. Ce qu'Hélène gardait aussi en mémoire, c'étaient les rires de ses enfants et le calme de Bertrand. François avait fait souffler un vent nouveau au-dessus d'eux.

Après les vendanges, ils étaient restés en contact. Il venait parfois le dimanche pour partager le plaisir de la chasse avec Bertrand. De temps en temps, il passait même à l'improviste pour prendre le café.

Lorsqu'elle avait ouvert la porte ce matin-là, elle avait été tentée de lui dire qu'elle s'apprêtait à partir. Elle était mal à l'aise à l'idée de se retrouver en tête à tête avec lui, et cela ne plairait certainement pas à Bertrand. Elle ne voulait pas mettre leur amitié en péril.

— Tu ne me laisses pas entrer ? avait-il demandé, rieur.

— Si... si. Je ne m'attendais pas à te voir, c'est tout, se reprit Hélène.

Pourquoi être sur la défensive ? Bertrand adorait François. Ils étaient aussi complices que de vieux copains d'école. Elle n'avait pas besoin de voir le mal partout !

— Bertrand est déjà dans les vignes ?

Elle fit réchauffer le café et lui expliqua que son mari était parti avec son tracteur, sa caisse à outils et des câbles, pour désembourber la fourgonnette d'un agriculteur du village.

— Et toi, tu vas faire quoi ?

— Ce matin, je vais m'occuper de la maison, et cet après-midi, on va tailler.

— J'espère que Bertrand sait la chance qu'il a de t'avoir ! Ce n'est pas ma femme qui serait si courageuse !

Hélène resta interdite. Jamais on ne lui avait parlé de son courage. Comme tout le monde, elle travaillait. C'était dans l'ordre des choses. Sa mère et sa grand-mère l'avaient fait bien avant elle.

— C'est normal. On ne peut pas faire autrement. Bertrand ne pourrait jamais s'occuper de l'intégralité des parcelles tout seul.

— Je sais bien, mais je t'admire. Vraiment. Contrairement à ce que tu penses, toutes les femmes n'en seraient pas capables.

Il marqua une légère pause, hésitant à poursuivre :

— Es-tu heureuse ?

Qu'est-ce que c'était que cette question ? Qu'est-ce qui lui prenait ? Personne ne s'était jamais enquis de ce qui la rendait heureuse ou pas.

— Pourquoi tu me demandes ça ?

— Bertrand est content avec ses vignes, ses champs, sa chasse... et sa femme. Mais toi, ça te plaît tout ça ? A part travailler, prendre soin de ta maison et t'occuper de tes enfants, tu fais quoi ?

Hélène était gênée et ne savait que répondre. Toutes ces interrogations, elle les étouffait depuis des années ! Elle avait toujours vécu ainsi ! C'était sa vie, c'était comme ça ! Elle ne se plaignait pas. Tout basculait seulement quand Bertrand s'approchait d'elle... Mais ça, jamais elle n'en parlerait. C'était si personnel, intime, honteux...

— Tu sais, je suis bien ici, avec mes enfants... et mes bouquins. Ça me suffit. C'est sûr que j'aimerais qu'on prenne un ouvrier, mais on y viendra.

— Il faudrait que ma femme t'entende, elle qui n'est jamais contente de ce qu'elle a, qui passe son temps à se plaindre.

Jamais il n'avait parlé ainsi de son épouse devant elle. Hélène savait qu'ils vivaient toujours ensemble, mais comme deux compagnons, chacun de son côté. Il leur avait dit une fois qu'un divorce était difficile à envisager mais Hélène était perplexe. Un couple pouvait-il réellement vivre de cette façon ? Elle ne comprenait pas comment. En observant François, elle se demanda pour la première fois si elle vivrait différemment en compagnie d'un autre homme. Aurait-elle davantage envie de faire l'amour ? Serait-elle moins fatiguée, moins dégoûtée ? Serait-elle plus heureuse ?

Depuis cet épisode, ils s'étaient retrouvés seulement deux ou trois fois, seuls, autour d'un café. Mais il lui arrivait de l'appeler quelques minutes de temps en temps. Leurs conversations lui faisaient autant de bien qu'elles semaient le doute en elle. Jamais son mari ou qui que ce soit d'autre ne s'étaient interrogés sur ses sentiments, sur ses besoins. Elle n'était plus sûre de rien.

Quand elle s'assit face au médecin, ce fut à peine si elle parvint à le regarder. Elle était tétanisée par la honte et eut bien envie de se raviser. Mais elle avait besoin de réponses. Pour vivre. Alors, elle se lança, fixant la fenêtre derrière le docteur, et raconta tout, ou presque, comme si elle se parlait plutôt à elle-même.

Quand Hélène osa enfin poser ses yeux sur le visage du médecin, elle vit qu'il avait une drôle d'expression. Il la prenait certainement pour une dingue ! Il fallait s'y attendre ; elle n'aurait jamais dû venir ici, déballer ainsi son intimité.

Le docteur Deslandes prit une profonde inspiration, pour préparer ce qu'il allait dire :

— Vous savez, pour commencer, vous ne devriez jamais avoir à vous forcer. Ça, ce n'est pas normal.

L'amour doit être un plaisir partagé. Et vous êtes étonnée que votre corps ne réagisse plus à toutes ces sollicitations ! C'est votre époux, et non vous, qui devrait être là. Vous avez essayé de lui parler ?

Hélène était surprise, elle ne s'attendait pas à ce que le médecin la soutienne.

— Un peu, mais il me dit toujours que j'ai un problème, qu'une femme doit désirer son mari.

— Vous lui direz qu'on a le droit de ne pas avoir envie de faire l'amour.

— Je ne pense pas qu'il va apprécier. Bertrand ne prend pas beaucoup mon avis en compte, surtout en ce qui concerne les rapports sexuels.

— Je crois qu'il y a en effet un réel souci, mais qui ne vient pas de vous. Je vais vous donner le nom d'un thérapeute conjugal. Vous allez essayer de parler à votre mari, il en va de votre santé. Vous ne pourrez pas vivre ainsi éternellement.

— Vous pensez vraiment qu'il faut entreprendre une thérapie ?

— C'est une solution que je vous propose pour vous sortir d'une situation que vous ne devez plus supporter. Ça fait un bon moment maintenant que je vois votre état physique se dégrader. Je me doutais qu'il y avait une autre cause que le travail. Ce dont je suis sûr, c'est que l'intimité que vous partagez avec votre mari n'est pas normale et qu'un professionnel saura vous aider à lui faire comprendre qu'il a un comportement addictif et le mettre face à la réalité de ses actes.

75

— Ce que vous me dites me soulage, mais l'idée d'une thérapie va mettre Bertrand hors de lui ; vous ne vous rendez pas compte, paniqua Hélène.

— Vous avez peur de lui ? S'est-il déjà montré violent ?

— J'ai peur de ses réactions car il peut être très dur. Il ne tolère pas que je m'oppose à lui, répondit Hélène, taisant les injures que Bertrand était capable de proférer jusqu'à ce qu'elle abdique.

— Dans ce cas, je vous propose de venir en consultation avec lui. Je lui expliquerai en quoi c'est capital qu'il réagisse et se remette en question. Je vous soigne depuis de très nombreuses années. Votre santé n'ira pas mieux si vous n'osez pas entreprendre quelque chose. Vous ne pourrez pas indéfiniment tirer sur la corde. Elle finira par lâcher !

— Je vais essayer de lui parler, répondit Hélène pas vraiment rassurée par ces dernières paroles.

La discussion serait difficile et lui demanderait une énergie qu'elle n'avait pas. Mais elle ne pourrait y échapper, car Bertrand aurait tôt fait de lui demander des comptes.

Hélène sortit du cabinet étrangement bouleversée. La seule chose qui la consolait, c'était que pour la première fois, elle avait eu la confirmation qu'elle n'était pas détraquée. Depuis tout ce temps, elle pensait que c'était elle la fautive, qu'elle était une sorte de sous-femme.

Elle reprit le volant de sa R19, s'arrêta à la pharmacie, en bordure de la départementale qui rejoignait Mareuil, et quitta Tours-sur-Marne. Elle roula un peu vite dans les virages qui serpentaient jusqu'au silo s'élevant au-dessus des toitures des maisons. Elle connaissait par cœur ces trois kilomètres de route si bien qu'elle ne prêtait plus attention à sa vitesse ni aux champs qui avaient été entaillés par le goudron, comme s'il avait fallu coûte que coûte traverser la nature pour permettre aux hommes de relier les différents villages entre Epernay et Châlons-sur-Marne !

Le midi, Bertrand revint des champs tout guilleret. Il lui annonça qu'il avait invité trois viticulteurs pour l'apéritif, afin de fêter l'acquisition de leurs nouvelles vignes à Vertus. Il ne pensait plus à la scène de la veille, ni à l'état dans lequel il avait trouvé sa femme au matin. Hélène n'osait pas l'interrompre pour gagner du temps.

Peu après le repas, ils prirent la route en direction de Vertus. En une vingtaine de minutes ils y étaient, après avoir traversé Avize et Le Mesnil-sur-Oger, qui délimitaient une frontière entre une mer de terres agricoles et le vignoble de la Côte des Blancs à flanc de colline. Un trajet finalement bienvenu pour Hélène, qui pourrait profiter d'un moment d'apaisement à voir défiler, en silence, les routes de vigne, qui se déployaient tel un grand éventail. Bertrand, lui, avait tout d'abord craint une grosse perte de temps dans les déplacements entre leurs différentes parcelles, notamment lorsqu'il faudrait vendanger et changer de lieu au cours de la journée. Il avait ainsi chronométré les itinéraires qu'ils emprunteraient pour s'assurer qu'en longeant la voie sinueuse qui remontait vers Epernay,

77

et qui permettait de rejoindre Moussy, le chemin ne soit pas plus long qu'au départ de Mareuil. Par là, on traversait des petits villages enclavés au cœur du vignoble, découvrant, collées les unes aux autres, les vieilles demeures familiales aux grandes fenêtres bordées de volets en bois.

Tout était calme. Une émotion particulière s'empara d'eux lorsqu'ils commencèrent à tailler les premiers brins. Ces vignes ne provenaient pas d'une location ou d'un héritage. C'était l'aboutissement de quinze années de travail. Une odeur de bois brûlé et d'humidité s'élevait. Des sarments crépitaient ici ou là dans les brouettes, constituées de gros bidons métalliques rouillés, fendus sur la longueur, pour y placer les brins à brûler. En dessous, des petits trous, espacés comme les trayons d'une vache, évacuaient les cendres qui nourrissaient la terre. Une armature en fer avec une roue et deux manches servait à transporter le brûlot au fur et à mesure de l'avancée de la route.

La plaine de Champagne s'étendait autour d'eux, revêtue de sa robe marron foncé, elle dévoilait ses plants aux formes squelettiques qui s'appuyaient aux fils qui serviraient à les attacher d'ici quelques mois. Au loin, en hauteur, dominait la butte arborée du mont Aimé, qui avait jadis accueilli un château, dont il ne restait plus désormais que quelques ruines, et un panorama imprenable sur la Côte des Blancs.

— L'année prochaine, je pourrai prendre un gars.
Ça te soulagera. T'auras peut-être moins mal au bras,
dit Bertrand tout en jetant les brins qu'il venait de
couper dans le feu.

Les sarments étaient parfois très difficiles à couper,
si bien qu'Hélène devait serrer de toutes ses forces
le sécateur pour les faire céder. Tous ces efforts
finissaient par engourdir sa main crevassée, jusqu'à
son coude. Hélène se détendait : Bertrand semblait
de bonne humeur, si bien que la conversation tant
redoutée n'aurait peut-être pas lieu. S'il prenait enfin
conscience de ce qu'elle endurait, ce serait déjà un
grand pas ! Mais, comme un coup de canon détonant
dans l'air, Bertrand lança :

— Alors, que t'a dit Deslandes ? Il t'a donné
quelque chose ? C'est quoi ton problème au juste ?

— Je n'ai pas de problème.

— Comment ça, pas de problème ? Tu ne veux
plus faire l'amour avec moi, et il te fait croire que
tu vas bien ? s'énerva Bertrand.

— Oui, il pense que c'est toi qui as peut-être
quelque chose qui ne tourne pas rond, risqua Hélène.

— Qu'est-ce que c'est que ces conneries ! Il t'a
vraiment dit ça ? Ce n'est pas plutôt toi qui inventes
une histoire à dormir debout pour rejeter la faute sur
moi parce que tu ne veux pas avouer que tu ne veux
plus coucher avec moi ?

— Je me doutais que tu ne me croirais pas. Justement, le docteur Deslandes propose qu'on aille le
voir ensemble, répondit Hélène, essayant de garder
son calme.

79

— Je n'irai nulle part ! Tout va bien pour moi.

— Il pense qu'on devrait consulter un thérapeute conjugal, continua Hélène.

— T'en as encore d'autres, des conneries comme ça ? Je vais aller le voir, Deslandes, et lui dire ce que je pense ! C'est le monde à l'envers. Je ne peux plus te toucher et il faudrait que j'aille donner des explications ! Qu'est-ce que c'est que ce médecin de merde !

Haussant le ton, Bertrand était devenu rouge, signe que la bombe était sous pression. Hélène savait qu'elle avait intérêt à l'apaiser si elle ne voulait pas subir l'un de ses accès de colère qui la terrorisaient. Il pouvait casser ce qui lui passait sous la main et la rabaisser, pour lui rappeler qui avait le pouvoir.

— Pas la peine de te montrer grossier ! C'est bon, j'ai compris. On n'ira pas. Calme-toi, on va finir par t'entendre.

Il ne manquerait plus que leurs nouveaux voisins les prennent pour des cinglés !

— J'en ai rien à foutre ! Tu te rends compte de ce que tu me dis ! C'est toi qui devrais te faire soigner ! Va voir le thérapeute si ça te chante !

— T'énerve pas ; c'était seulement une idée du docteur Deslandes pour qu'on puisse comprendre ce qui nous arrive, et trouver une solution.

— Rectifie, ce qui « t'arrive » !

— Bref, je retournerai chez le docteur Deslandes, et je verrai bien ce qu'il me propose d'autre, temporisa Hélène qui n'avait pas envie d'attiser la fureur de Bertrand.

— Si c'est pour te mettre un tas de conneries dans la tête, c'est pas la peine. De toute façon, si tu m'aimes, tu devrais arriver à refaire l'amour avec moi, non ?

— Oui, certainement, capitula Hélène.

Une fois de plus, il avait eu le dessus. Ils taillèrent jusqu'à la tombée de la nuit avec, pour seule compagnie, le son de la radio qu'Hélène portait dans une sacoche autour de la taille.

Bertrand retrouva sa gaieté lorsqu'il déboucha une bouteille d'un champagne millésimé pour trinquer avec Jacques, René et Thomas. Comment parvenait-il à rire comme si de rien n'était ?

A 21 h 30, puisque les hommes n'avaient pas l'air de vouloir rentrer chez eux, Hélène monta se coucher. Exténuée par les émotions de la journée, elle s'endormit aussitôt.

Elle sursauta quand Bertrand ouvrit la porte de la chambre.

— Merde !

— Qu'est-ce qu'il y a ?

— Rien, je me suis cogné.

Dès qu'il fut à ses côtés, il tenta de lui faire l'amour. Hélène s'en voulait de ne pas être capable de le repousser. Elle était si molle, si lasse ! Mais son corps ne le laissa pas la pénétrer ; il restait obstinément fermé. Hélène sentait Bertrand qui essayait de forcer et qui commençait à lui faire mal, au point qu'elle ne put retenir un cri de douleur.

— Qu'est-ce qu'il y a encore ? grommela Bertrand.

— Tu ne vois donc pas que tu me fais mal !

— Il faut que t'arrêtes de t'écouter et que tu t'obliges un peu, rétorqua-t-il.

— C'est bon, pour une fois, tu peux me laisser tranquille.

— Ça va durer encore longtemps tes caprices ? Je commence à en avoir par-dessus la tête de tes jérémiades.

— Ce ne sont pas des caprices, je suis juste fa-ti-guée !

— Fatiguée, fatiguée ; dis plutôt que tu t'es trouvé un autre mec !

— Qu'est-ce que tu t'imagines encore !

— Vu ton attitude en ce moment, je me pose des questions. Avoue que tu n'agis pas en femme amoureuse de son mari ! C'est sûrement que tu couches avec un autre !

Si cela lui chantait, il pouvait bien croire qu'elle avait tous les amants du monde, elle, elle voulait juste dormir, mais encore fallait-il mettre fin à la conversation !

— Ecoute, il est tard, on fera tout ce que tu veux demain, mais là, laisse-moi dormir, le supplia Hélène.

— Tu ne t'en tireras pas aussi facilement ! Demain, t'as intérêt à me prouver que t'as personne d'autre.

Certainement épuisé par sa journée, il renonça à aller plus loin. Hélène poussa un soupir de soulagement, mais cette nuit-là, malgré la lassitude, le sommeil ne revint pas.

Hélène parvint tant bien que mal à tenir Bertrand à distance les jours qui suivirent. Elle consentait à le laisser la toucher pour conserver un minimum de tranquillité. Elle craignait que Marc et Gaby finissent par s'apercevoir de son mal-être de plus en plus difficile à cacher. C'était pour eux qu'elle avait tenu, pour eux qu'elle continuait de se lever tous les matins, pour les préserver, pour qu'ils puissent grandir dans un cadre familial rassurant. Elle s'était évertuée à leur offrir la meilleure vie qui soit. Seule avec eux, quel genre d'existence mèneraient-ils ?

Si Bertrand n'y mettait pas du sien, qu'adviendrait-il ? Pourrait-elle arranger la situation ? Pourrait-elle éprouver autre chose que du dégoût pour son mari ?

Quelques jours après la visite d'Hélène chez le docteur Deslandes, Bertrand devait s'absenter pour la journée ; il était invité à une battue dans les bois de Louvois, dans la Montagne de Reims, à une dizaine de kilomètres de chez eux. Avant de s'en aller, il rejoignit Hélène qui se trouvait dans la buanderie. Elle se tenait de dos et s'affairait à étendre du linge. Etant donné qu'ils n'allaient pas aux vignes, elle ne s'était pas pressée pour s'habiller. Elle avait prévu de se faire couler un bain une fois qu'ils seraient tous partis. Elle avait peu de moments pour se détendre : elle comptait bien en profiter.

Perdue dans ses pensées, elle ne l'entendit pas arriver. Hélène se crispa dès qu'elle sentit les mains de Bertrand se poser sur sa taille. Elle se retourna précipitamment et voulut l'embrasser furtivement, espérant qu'il s'en irait aussitôt. Mais à la vue de sa femme encore en robe de chambre, Bertrand eut envie de s'attarder un peu plus. Il la lui ôta pour pouvoir plus aisément soulever sa chemise de nuit et trouver ses seins qu'il commença à caresser. Hélène tenta de le repousser, de lui dire qu'elle avait autre chose à faire et qu'elle n'en avait pas envie ; il semblait sourd à toutes ses supplications. Dès qu'elle faisait un mouvement pour se dégager, il la serrait davantage et continuait à pétrir son corps de ses mains rugueuses. Il était devenu incontrôlable.

Il s'arrangea pour refermer la porte et bloquer sa femme contre le meuble qui lui servait de table à repasser. Il lui enleva à toute vitesse sa culotte et sortit son pénis en érection. Sans lui donner la possibilité de s'échapper, Bertrand retourna Hélène, la força à se courber et voulut la pénétrer. Dans un dernier réflexe d'autodéfense, Hélène hurla :

— Non, ne fais pas ça, non !

Mais Bertrand était comme fou et entra en elle violemment. Il ignora complètement le cri de douleur qu'elle poussa. Elle avait envie de vomir à l'entendre gémir de satisfaction. A chaque à-coup, elle sentait qu'il forçait un peu plus, mais tout à son envie, cela ne le dérangeait pas. L'acte ne dura que quelques minutes mais anéantit Hélène.

— Tu vois que tu peux !

N'attendant aucune réponse, il lui souhaita une bonne journée et sortit. Les chiens Youky et Micky, des épagneuls bretons, poussèrent de petits aboiements, heureux de suivre leur maître à sa partie de chasse.

Hélène resta prostrée un long moment dans un coin de la buanderie. Elle finit par se lever comme un automate et se diriger vers la salle de bains où se trouvait l'armoire à pharmacie. Elle ne réfléchissait plus, son cerveau était anesthésié. Elle ouvrit le petit meuble accroché en hauteur, près du lavabo, et en sortit ce qui lui permettrait d'en finir avec ce mariage qui la brisait un peu plus chaque jour. Elle passa par la cuisine prendre une bouteille d'eau et alla s'installer à la table de la salle à manger sur laquelle elle étala tous les cachets qu'elle avait trouvés.

Hélène était dans un état second ; elle ne ressentait plus qu'un immense et insupportable dégoût. Pendant ces seize années de mariage, elle pensait avoir tout vécu en matière de brimades, de colères et d'exigences sexuelles ; elle n'avait jamais imaginé qu'il irait jusqu'à la contraindre par la force à faire l'amour.

Hélène se tenait toujours face aux médicaments quand François arriva. Elle ne l'avait pas entendu sonner. Il ne fallut que quelques minutes à son ami pour réaliser qu'il y avait quelque chose d'anormal. Il était sûr qu'elle était là et que Bertrand était sorti. Il avait appelé deux jours auparavant et Hélène lui avait confirmé qu'elle serait seule. La porte de la maison n'était pas fermée à clé ; François décida alors d'entrer. Il se précipita dans la salle à manger et la vit là, l'œil hagard, en chemise de nuit. Elle ne l'entendait pas, ne le voyait pas.

— Hélène, c'est François ; regarde-moi ! Hélène ! répéta-t-il fou d'inquiétude, tout en la levant de sa chaise et la prenant dans ses bras. Que s'est-il passé ? C'est Bertrand ?

La jeune femme était inerte ; il peinait à la maintenir debout. Rien ne semblait pouvoir la faire revenir à elle.

— C'est Marc ? Gaby ?

Aux noms de ses enfants, Hélène commença à sortir de sa torpeur et se mit à pleurer.

— Bon sang, Hélène, tu me fous la trouille, parle !

— Je... je ne peux... peux pas, sanglota-t-elle.

— Pourquoi ? C'est grave ? Qu'est-ce qu'ils ont ?

Ses larmes intarissables secouaient tout son corps.

— Parle-moi ! Bon sang !

François avait hurlé si fort que, de surprise, Hélène cessa de hoqueter.

— Ce n'est pas les enfants, ne t'inquiète pas, se calma-t-elle.

— Raconte, on ne s'apprête pas à avaler des dizaines de cachetons, sans raison, en pleine matinée !

— C'est juste que j'en ai ras-le-bol. Je suis épuisée ! Je ne peux plus faire tout ce que me demande Bertrand. Je ne le supporte plus.

— Et tes enfants ? Tu y as pensé ?

— Je ne fais que ça, depuis tant de temps ! Ils seraient peut-être mieux sans moi. Je ne suis plus capable de rien de toute façon.

— Tu te rends compte de ce que tu dis ! Ils ont besoin de toi ! Tu ne peux pas les laisser !

Même si Hélène reprenait de l'assurance, des larmes sillonnaient toujours ses joues. Un mal indicible parcourait tout son corps, un mal insoutenable. Toutefois, François avait raison ; elle devait penser à ses enfants.

— Tu sais, si tu ne veux plus de cette vie-là, il y a d'autres solutions.

— Je sais, mais on ne claque pas la porte en un claquement de doigts, répondit Hélène.

— Je peux t'aider !

— Avec l'exploitation, c'est trop compliqué ; je n'ai pas les moyens de partir. Tu ne te rends pas compte.

— Je tiens vraiment beaucoup à toi, beaucoup plus que tu ne l'imagines, continua François. Tu mérites mieux, et surtout, tu mérites d'être heureuse. Tu m'as toujours fait croire que tout allait bien, mais dans tes yeux, j'ai toujours lu autre chose.

Hélène ne savait pas quoi répondre. Elle était perdue. François était-il réellement en mesure de l'arracher à cette vie ?

— Je ne sais plus où j'en suis. Tout ce que je sais, c'est que je ne peux plus vivre de cette façon. J'ai envie de disparaître, tu comprends.

— Tu devrais peut-être partir quelques jours, prendre un peu de recul, proposa François.

— Parce que tu crois que Bertrand va me laisser partir ! Et puis, où pourrais-je aller ? Avec qui ?

— Il va bien falloir que tu trouves le courage d'imposer ce que tu veux à Bertrand. Si tu ne le fais pas, il n'y aura certainement personne la prochaine fois pour te sauver. Si tu es encore là, c'est qu'il y a une raison. Bats-toi ! Réagis ! Demande à ta mère si elle ne pourrait pas passer quelques jours avec toi, l'encouragea-t-il. Je crois que dans un premier temps il est primordial que tu puisses faire le point pour te couper de ton quotidien et surtout de ton mari.

— Tu es sérieux, tu penses vraiment que Michèle est la meilleure personne vers qui me tourner, elle qui m'a toujours dit d'obéir bien sagement à mon mari ?

— Bertrand ne te laissera jamais partir avec n'importe qui. Ce sera certainement plus simple à accepter pour lui si c'est ta mère. Et puis, par son expérience, elle pourrait peut-être comprendre et te conseiller. Essaie ! Il va bien falloir que tu trouves du soutien. Alors, autant commencer par les gens qui t'aiment. Et je crois savoir que tu n'as pas beaucoup d'amis autour de toi !

Hélène était stupéfaite. Personne n'avait jamais posé de constat sur la manière dont elle vivait. Personne ne s'était jamais étonné de la savoir seule, pas même elle.

— Ma mère adore Bertrand, elle pense que c'est le mari idéal, aimant et courageux. Evoquer l'éventualité d'un divorce va la rendre dingue ! Je vais être le déshonneur de la famille. Ça va la détruire !

— Cesse de trouver des excuses pour éviter d'affronter la réalité et tes peurs. Appelle Michèle et tu réfléchiras à la suite plus tard. Vas-y étape par étape. Une fois en tête à tête avec elle, tu prendras le temps de lui parler.

Hélène savait qu'elle avait atteint le point de non-retour et qu'elle devait agir au plus vite. Encore une fois, François avait raison ; il fallait qu'elle se tourne vers une personne fiable. Sa mère allait être choquée, effondrée, mais elle avait confiance en elle. Elle n'avait guère le choix. Bertrand s'était toujours arrangé pour qu'elle n'ait pas trop de fréquentations. Ses crises de jalousie étaient si terribles qu'elles la dissuadaient d'entretenir des relations amicales. Si elle voulait que sa vie change, Michèle était la seule personne qu'elle pouvait appeler ou bien il ne lui restait plus qu'à avaler ces cachets !

Hélène tremblait de tous ses membres. Peu à peu, elle prenait conscience que c'était le moment de mettre fin à ce calvaire, mais une fois qu'elle romprait le silence dans lequel elle s'était murée et prendrait les premières décisions, elle devrait vivre encore de longs mois difficiles avant de voir le bout du tunnel. Elle n'était pas sûre d'avoir le courage et la force d'en assumer les conséquences. Il lui faudrait beaucoup de détermination pour affronter Bertrand et le regard des autres. Etait-elle de taille face à tant d'obstacles ?

— J'ai besoin de réfléchir à tout ça.

— Je ne suis pas rassuré de te laisser seule. Tu ne m'as pas raconté. Bertrand a dû aller très loin pour que tu sois dans cet état ? Tu n'es pas le genre de femme à te laisser abattre, il a dû faire quelque chose de très grave !

— Je préfère ne pas en parler. Ne m'en veux pas, mais c'est trop difficile. Ne t'inquiète pas. Je vais me reprendre, mais il faut que je mette mes idées au clair après tout ce qui vient de se passer.

— Si ça ne va pas, tu m'appelles tout de suite. N'oublie pas que je suis là pour toi, et que je ne te laisserai pas... jamais, insista François.

— Tu as déjà fait beaucoup ce matin.

— J'espère seulement qu'une fois que je serai parti, tu ne vas pas reprendre ta vie comme si de rien n'était et continuer à faire semblant. Je crains qu'une fois que les enfants et Bertrand seront rentrés tu ne replonges dans ta routine en niant l'état dans lequel tu étais tout à l'heure, comme tu l'as toujours fait.

— Non, je ne peux plus jouer la comédie.

Hélène n'en dit pas plus. La honte était si incrustée en elle que jamais elle ne parviendrait à lui dévoiler les détails les plus intimes et les plus douloureux. Il avait déjà perçu trop de choses.

François l'enlaça un long moment. Une fois seule, Hélène jeta tous les médicaments qui jonchaient encore la table, et s'assit dans un fauteuil pour reprendre ses esprits. Elle ne sut combien de temps elle resta immobile, les yeux dans le vide, avant d'être capable de rassembler tout son courage pour appeler sa mère.

Michèle fut très étonnée par la demande de sa fille, mais Hélène se montra si insistante qu'elle accepta sans broncher. Elle lui promit de leur trouver une location pour quelques jours dans le Jura, car c'était un endroit qu'elle connaissait bien pour s'y rendre depuis de nombreuses années. C'était une première victoire !

Elle profita de l'après-midi pour aller consulter le docteur Deslandes. Elle se contenta de lui expliquer que la situation s'était encore détériorée et que Bertrand ne lui avait pas vraiment laissé de répit. Elle était à bout, avait des idées noires, et ne se sentait pas prête à se dévoiler davantage. Le médecin lui prescrivit des antidépresseurs et l'exhorta à reprendre rendez-vous la semaine suivante pour faire le point.

A son retour, elle reçut un appel de sa mère qui avait trouvé un petit appartement à Morteau... Elles étaient attendues dès le lendemain. Pour la première fois de la journée, Hélène était soulagée, même si elle appréhendait terriblement d'annoncer la nouvelle à son mari... Mais après la manière dont il l'avait traitée, elle était déterminée à s'imposer, enfin.

Ce soir-là, Bertrand était rentré tard, ravi de sa journée de chasse. Il semblait avoir complètement occulté la scène du matin, et ne se lassait pas de raconter comment il avait failli tuer le plus gros sanglier qu'il eût jamais vu. Hélène le laissait parler sans l'écouter, car non seulement elle connaissait par cœur ces histoires qui ne l'intéressaient plus depuis longtemps, mais elle cherchait surtout le moyen de lui annoncer qu'il allait devoir se débrouiller seul pendant une semaine.

— Tu m'écoutes ? demanda Bertrand qui venait de s'apercevoir qu'Hélène ne lui avait toujours pas adressé la parole.

— Hum...

— Ça ne va pas ?

— Ah, parce que ça te préoccupe ?

— Qu'est-ce qui te prend ?

— Ce qui me prend, c'est que je ne supporte plus que tu ne penses qu'à toi et que tu me traites comme un objet, s'énerva Hélène.

— C'est quoi cette scène ? Tu me fais la gueule parce que je suis rentré tard et que je ne t'ai pas prévenue ?

— Et ce qui s'est passé ce matin, tu y songes ?

— Je ne vois pas ce que tu veux dire, explique-toi.

— Violer sa femme, c'est tout à fait normal pour toi ? fulmina Hélène.

— Qu'est-ce que tu racontes ? Qu'est-ce que tu es allée te mettre dans le crâne ? Tu es ma femme, je ne t'ai pas violée. Tu te rends compte de quoi tu m'accuses ? Tu es cinglée ou quoi ?

— Cinglée ? Alors quel est le mot que tu utilises pour dire que tu as forcé ta femme à faire l'amour ?

— Je ne t'ai pas forcée ! Ça ne va pas ! On est mariés ! T'es devenue folle ? Pour qui tu veux me faire passer ? Je ne suis pas l'un de ces tarés qui violent les femmes ! Qu'est-ce qui te prend ? Qui t'a mis des conneries pareilles dans la tête ?

Bien évidemment ! Qu'avait-elle cru encore ? Qu'il reconnaîtrait ses torts ? Qu'il essaierait de la comprendre ? Qu'il s'excuserait pour l'avoir traitée comme un objet avec lequel on joue à sa guise ?

— Je pars demain avec Michèle dans le Jura. Je dois réfléchir, lâcha Hélène.

— Je vois que tu as bien préparé ton coup !

Ils se toisèrent. Les yeux de Bertrand brûlaient de colère. Hélène recula de quelques pas.

— C'est ça, va te reposer ! hurla-t-il. Et quand tu reviendras, je ne veux plus t'entendre débiter toutes ces conneries !

Mécontent, Bertrand monta le premier et ne tenta rien ce soir-là. Il était probablement persuadé qu'après une semaine de repos, elle reviendrait dans de meilleures dispositions. Que jamais elle n'oserait aller plus loin.

Hélène fixait par la fenêtre de la cuisine l'allée gravillonnée. Sur les côtés, les champs labourés avaient l'air tristes avec leurs grosses mottes retournées par les charrues qui formaient des vagues marron. Des corbeaux y faisaient halte, plantaient leur bec dans la terre durcie par le gel, puis s'envolaient, plongeant dans la grisaille, dense, qui effaçait l'horizon, si bien qu'on ne voyait plus l'entrée du village, au loin. Que la campagne ait revêtu sa belle robe à fleurs de printemps ou son air morose, elle dégageait toujours des ondes apaisantes. Hormis les thuyas qu'ils avaient plantés pour délimiter une terrasse devant les portes-fenêtres de la salle à manger, ils n'avaient rien installé d'autre, ni grillage, ni barrières, ni portail, pour garder l'espace totalement ouvert sur les étendues cultivées, auxquelles elle allait devoir renoncer.

Hélène avait peine à croire qu'une semaine déjà s'était écoulée. En quelques jours un gouffre l'avait séparée de Bertrand. Elle observait désormais avec distance tout ce qu'elle avait vécu. Elle se demandait comment elle était parvenue à s'accrocher à la vie, à croire malgré tout que son mariage était solide, qu'elle aimait suffisamment son mari pour s'oublier totalement.

Partir avait été une bonne solution, même si cela n'avait pas été simple. La saveur des sapins enneigés et le calme de la vallée de Morteau n'avaient pas suffi à mettre sa mère dans des conditions favorables pour entendre ce qu'elle avait à lui dire. Elles n'avaient jamais partagé ce genre de complicité. Se retrouver ainsi seule à seule n'était pas naturel. Hélène avait peiné pendant presque deux jours pour entrer dans le vif du sujet. Elle avait d'abord éprouvé le besoin de décompresser, d'être sûre que Bertrand ne déciderait pas de venir la chercher.

Elles s'étaient promenées le long de la route du défilé d'Entre-Roches, entre Pontarlier et Morteau. Les falaises de calcaire, en partie masquées par des épicéas blanchis, dessinaient de tendres arabesques au bord du Doubs, qui coulait paisiblement au milieu d'une nature foisonnante, préservée. La neige n'était pas encore tombée en abondance si bien que sa blancheur se mêlait délicatement aux herbes qui s'étendaient sur les rives.

Lorsqu'elles avaient marché jusqu'en haut du mont Vouillot, et qu'Hélène avait contemplé la ville de Morteau qui émergeait, en bas, dans la vallée, tel un bijou dans un écrin vert et blanc, elle avait ressenti une forme de puissance à dominer l'agglomération, qui semblait presque fragile, et un véritable apaisement à se dire que personne ne viendrait la trouver, là, en ce lieu.

Ce fut ce soir du deuxième jour, au chaud, devant le poêle de la salle de séjour, qu'elle commença à donner davantage d'explications à sa mère sur les raisons pour lesquelles elle avait tenu à s'éloigner de son mari. La réaction de Michèle avait été si virulente qu'elle avait bien failli renoncer à lui demander de l'aide.

— Il est dur, et alors ? Ton père l'a été aussi !

— Non, maman, pas comme ça !

— Qu'est-ce que t'en sais ?

— Je le sais, c'est tout.

— Si ta vie est si difficile que ça, pourquoi on n'aurait rien vu ? T'as toujours semblé heureuse. Je ne comprends rien à ce que tu me dis. Rien !

— J'étais heureuse, et puis après, pendant des années, je me suis convaincue que la situation s'arrangerait, que c'était le travail qui me pesait. Mais tout n'a fait qu'empirer. Je ne supporte plus d'être sa bonne, son esclave.

— Je suis sous le choc. Je n'arrive pas y croire ! Je pense surtout que tu fais partie de cette nouvelle génération de femmes qui demandent le divorce dès la première tempête, qui sont persuadées que l'herbe est plus verte ailleurs, et qui refusent de se battre pour ce qu'elles ont.

— Je t'assure que ce n'est pas ça ! Si tu me crois capable de divorcer sans avoir longuement réfléchi, c'est que tu me connais vraiment mal.

— Après ce que tu viens de me raconter, je ne sais plus rien.

— Je n'ai pas d'autre solution. Je suis à bout.

Profiter du temps sec délicatement ensoleillé, déambuler dans la vallée et respirer l'odeur de pin prêtait davantage aux confidences. Face au refus de sa mère de voir la situation dans laquelle elle se trouvait, Hélène avait consenti à lui livrer quelques détails sur son mal-être, sa fatigue, mais avait atténué l'horreur de son intimité.

A la fin du séjour, Michèle lui avait assuré qu'elle serait là pour elle, qu'elle avait compris sa décision même si elle ne l'avait pas encore acceptée. Elle avait proposé d'en parler à Claude, qu'elle ne voulait pas brusquer. Que sa fille divorce de Bertrand, qu'il chérissait comme l'un de ses propres enfants, allait l'anéantir.

Le divorce, il faudrait aussi l'annoncer aux enfants. Hélène se sentait confiante ; Marc et Gaby étaient maintenant suffisamment grands pour comprendre un certain nombre de choses. Ils pourraient choisir de vivre où ils voudraient, et feraient les allées et venues qu'ils souhaiteraient. Les dégâts psychologiques seraient moins importants que pour tous ces jeunes enfants à qui on imposait de suivre la mère et de ne voir le père qu'un week-end sur deux et une partie des vacances. A quatorze et quinze ans, Marc et Gaby apprenaient l'indépendance ; ils menaient déjà leur vie sans se soucier de ce que faisaient leurs parents. Bientôt, ils voleraient de leurs propres ailes.

Alors, que leurs parents soient séparés, est-ce que cela ferait une différence pour eux ?

Hélène en était là de ses réflexions quand elle tressaillit : elle venait d'apercevoir le fourgon remonter l'allée. Même si à présent la peur envahissait tout son corps, elle ne reculerait pas. Durant la semaine, les épisodes les plus douloureux qu'elle avait subis et tus par honte, par culpabilité, depuis seize ans, étaient revenus à la surface sous un autre jour : Bertrand l'avait écrasée physiquement, psychologiquement, pour asseoir sa prétendue suprématie masculine. Elle ne voulait plus de cet amour possessif et tyrannique. Elle rêvait d'une autre vie : une vie pour elle, une vie de femme respectée.

Bertrand entra précipitamment dans la maison. Hélène l'entendit enlever sa veste et ses chaussures à la hâte, puis il surgit derrière elle, qui faisait tout son possible pour rester sereine et impassible.

— Tu es rentrée il y a longtemps ?

— Ça doit faire deux ou trois heures, répondit Hélène, toujours face à la fenêtre.

— Tu aurais pu me prévenir que tu revenais si tôt.

— Ça aurait changé quoi ? Au moins, j'ai pu ranger tranquillement mes affaires et passer quelques coups de fil.

— J'avais hâte de te retrouver. On ne s'est pas vus depuis une semaine, et on ne s'est presque pas parlé au téléphone, dit-il avec une pointe de reproche.

En effet, Hélène avait cherché à l'esquiver. A chaque coup de fil, elle avait discuté quelques minutes

97

avec chacun de ses enfants puis s'était empressée de raccrocher avant que Bertrand ne s'empare du combiné. Elle n'avait pas voulu, de quelque manière que ce soit, lui donner la possibilité de la culpabiliser de son absence ou d'influencer ses réflexions. Il savait toujours profiter de sa vulnérabilité.

— Tu as peut-être des choses à me dire, non ? reprit Bertrand.

Hélène fit volte-face et regarda enfin son mari dans les yeux.

— Oui : je veux qu'on divorce, dit-elle d'un ton assuré.

— J'en étais sûr ! Tu as bien calculé ton coup, sale garce. Ton petit jeu du « j'ai besoin d'une semaine pour faire le point ; je n'en peux plus, je suis fatiguée, tu m'en demandes trop » a bien failli marcher. J'y ai presque cru. Mais hier, quand on m'a demandé si François avait tué une bête à la battue, j'ai été surpris. J'ai répondu qu'il n'avait rien pu tuer puisqu'il n'y était pas allé. La personne était étonnée parce qu'il lui avait semblé avoir vu sa voiture garée devant chez nous ce jour-là. Sur le moment je n'ai pas fait le rapprochement, et le soir tout s'est éclairé. C'est pour lui que tu veux partir. Tu l'as dit à ta mère, ça ?

Un instant déstabilisée par ce que venait de lui dire Bertrand, Hélène ne sut pas quoi répondre. Cela mettait à mal tout ce qu'elle avait préparé et allait rendre la discussion encore plus houleuse, car de toute évidence Bertrand avait trouvé le prétexte idéal pour éviter de se confronter à la réalité.

— Si tu crois que je vais accepter de divorcer pour que tu claques tout ce que j'ai gagné avec un autre gars, tu rêves !

— Tu peux penser ce que tu veux, je m'en moque. Je la connais par cœur ta jalousie maladive. Dès qu'un homme m'approche, tu imagines que je vais coucher avec lui, mais tout le monde n'a pas l'esprit placé en dessous de la ceinture !

— Je ne t'ai jamais trompée ! Je n'ai jamais eu de rancard en cachette avec une autre femme, moi !

— Moi non plus, contrairement à ce que tu crois. C'est vrai que François est venu ce jour-là, mais si je te dis que c'est parce qu'il s'inquiétait pour moi et qu'il avait envie que l'on discute, ça te dépasse complètement !

— Tu te fous vraiment de ma gueule ! Je ne vais pas gober des conneries pareilles ! Un homme qui vient voir une femme mariée en cachette a forcément un truc en tête. De toute façon, il n'a pas intérêt à remettre les pieds ici, et toi, t'as pas intérêt non plus à le revoir ou je vous fais la peau, s'énerva Bertrand.

Hélène était depuis longtemps habituée à ce genre de menaces. Même si elle en frémissait toujours, sa détermination n'avait pas failli, au contraire.

— Très bien, nous ne le verrons plus. Ce n'est pas un problème ! mentit-elle tout en réalisant qu'il lui faudrait se débrouiller sans l'aide de François. Imagine ce que bon te semble mais ma demande de divorce reste d'actualité car ce que tu n'as toujours pas compris, c'est que je ne veux plus vivre avec toi et supporter tout ce que tu me fais endurer. C'est fini.

— Tu ne m'enlèveras pas l'idée que c'est forcément quelqu'un qui t'a dit de divorcer.

— Ah bon, pourquoi ? Je ne suis pas capable de réfléchir toute seule, de prendre des décisions ?

— T'as rien. Tu vas vivre où, avec quoi ? Il y a obligatoirement quelqu'un qui te dit que tu peux alors que ce n'est pas le cas. Sans moi, t'as rien.

— On est mariés, non ? Alors j'ai droit à la moitié des biens. Tu appelles ça rien ? répliqua Hélène, déterminée à ne pas se laisser intimider.

— Parce qu'en plus tu veux me foutre sur la paille !

— Si tu y tiens, garde tout, ça m'est égal ! Ce qui compte, c'est qu'on en finisse, s'emporta Hélène.

— On est mariés depuis seize ans, et soudainement tu as envie de divorcer. Tu avoueras que c'est bizarre quand même ! Il a bien caché son jeu, cet enfoiré de François !

— Laisse-le en dehors de tout ça ! Ne te sers pas de lui pour refuser de voir la réalité en face !

Bertrand sembla interdit un instant, frappé par la fermeté de sa femme.

— Qu'est-ce que je vais devenir sans toi, tout seul ? larmoya-t-il, essayant, avec une nouvelle stratégie, de l'attendrir.

— C'est sûr qu'il va falloir que tu apprennes à vivre sans bonniche à la maison ! Mais tu ne seras pas complètement seul. Les enfants ne comptent pas ?

— Qu'est-ce que tu veux que je fasse seul avec eux ? C'est de toi que j'ai besoin, de ma femme, tu comprends ! Je veux que tu restes. Je vais faire des efforts, tu verras. Tu ne peux pas balayer seize ans de mariage aussi rapidement !

— Tu ne crois pas que c'est un peu tard pour te réveiller ? Ça fait des années que j'attends que tu changes, que tu me laisses un peu plus de liberté, et que tu cesses de me harceler sexuellement.

— Mais tu ne m'as pas vraiment encore donné la possibilité de te prouver que je pouvais m'améliorer, la supplia Bertrand. Je vais trouver une personne dès cet hiver pour nous aider aux vignes pour que tu en fasses moins, et que tu récupères physiquement. Je me contiendrai un peu plus aussi : si tu ne veux pas, je n'insisterai pas.

Ces promesses, Hélène aurait aimé les entendre plus tôt. Maintenant, après tout ce qu'il avait été capable de lui faire subir, elle peinait à y croire.

— De toute façon, j'ai déjà pris rendez-vous avec un avocat pour la semaine prochaine. Quoi qu'il se passe, je compte bien m'y rendre et débuter la procédure. J'espère que tu viendras avec moi, et qu'on pourra s'entendre à l'amiable.

— Si je viens, tu prendras en compte les efforts que je ferai ?

— Peut-être.

Hélène regrettait déjà ce qu'elle venait de lui concéder, mais l'avocat qu'elle avait contacté dès qu'elle était rentrée avait été clair : puisqu'ils possédaient tout en commun, notamment l'exploitation viticole-agricole, elle ne pourrait pas partir de sitôt. Il faudrait probablement qu'elle attende l'accord d'un juge pour quitter le domicile conjugal si elle voulait obtenir un minimum. La procédure risquait d'être encore plus longue si son mari ne se montrait pas conciliant. Sans pour autant abandonner sa démarche, il lui avait conseillé d'y aller progressivement, de faire accepter petit à petit la situation à Bertrand. Le but, selon l'expérience de l'avocat, était de ne pas le braquer. Elle devrait se montrer patiente. S'il s'obstinait à refuser le divorce, le combat par avocats interposés pourrait durer des années. Le mieux était d'obtenir un divorce par consentement mutuel, mais pour cela il fallait qu'elle trouve le moyen de convaincre son mari de la suivre jusqu'au cabinet de l'avocat.

Tout à son illusion de penser qu'il réussirait à faire changer d'avis Hélène, Bertrand l'embrassa furtivement sur la bouche et lui demanda dans combien de temps le repas serait prêt.

4

Des cris. Je m'éveillai l'esprit embrumé : deux heures du matin ! J'avais forcément rêvé. De nouveau des cris. De femme. Dans la maison, là, tout près. De la chambre d'à côté. Bizarre ; ce n'était pas le genre de ma mère de hurler en pleine nuit. Sans doute un cauchemar. Au moment où j'étais à nouveau gagnée par le sommeil, mes yeux captèrent de la lumière : le couloir s'était allumé. J'entendis cette fois distinctement la voix de ma mère qui appelait. Plus de doute, il se passait quelque chose.

Effrayée par ses cris, je sortis du lit et me précipitai dans le couloir. Là, je vis ma mère, affolée, qui tentait de m'expliquer ce qui venait d'arriver. Je mis un certain temps à comprendre : elle avait refusé à mon père de faire l'amour et il l'avait giflée. Il venait de rentrer de la moisson un peu éméché et n'avait pas supporté que ma mère le repousse.

J'étais abasourdie. Mon père hurlait aussi fort que ma mère : elle l'avait bien cherché, c'était sa faute. Je sentis un liquide chaud couler le long de ma cuisse. La peur m'avait fait perdre tout contrôle. Avant que je puisse contracter ma vessie, l'urine s'était répandue à mes pieds. Glacée par la honte et la peur, je restai figée et ne parvins pas à trouver de mots pour apaiser la colère de mon père ou rassurer ma mère.

Alors que ma mère nous avait annoncé il y avait six mois de cela qu'elle souhaitait divorcer, elle continuait à dormir dans le même lit que mon père. Pourquoi ? cela m'échappait, et ce soir-là, la première réflexion qui me vint à l'esprit fut : « Pour quelle raison avait-elle pris le risque ? Ne s'était-elle jamais dit qu'un jour il péterait les plombs ? »

Je n'avais toujours pas bougé d'un pouce. La colère de mes parents s'amplifiait : ils ne cessaient de se lancer des reproches de plus en plus acerbes, et mon père semblait à chaque instant vouloir s'en prendre physiquement à sa femme pour la faire taire. Ma mère me suppliait d'appeler les gendarmes mais je ne savais pas comment réagir. J'étais terrifiée à l'idée que cela aggrave la situation. Je réalisai soudain que mon frère n'était pas dans le couloir. C'était impossible qu'il dorme encore ! Il devait être mort de trouille et se terrer dans sa chambre. Pourtant, on avait terriblement besoin de lui. Même s'il n'était âgé que de quatorze ans, il mesurait déjà presque un mètre quatre-vingt, et lui seul pouvait s'interposer par sa carrure. Comment trouvai-je la force de me rendre dans la chambre de Marc ? Mystère. C'était comme si on m'y avait poussée malgré moi. Je le trouvai assis au bord du lit, dans le même état de torpeur que moi quelques minutes plus tôt.

— Qu'est-ce que tu fous ? lui dis-je. Papa a frappé maman et est prêt à recommencer. Il faut que tu viennes.

— Laisse-les ; ils vont bien finir par se calmer.

— Tu plaisantes ou quoi ! Tu ne l'as pas vu ! Il est hors de lui. Tu ne l'entends pas ? Si jamais il tente de s'en prendre encore à maman, tu pourrais intervenir.

Mon frère, d'un naturel réservé et d'un caractère pacifique, n'avait manifestement pas envie, ou avait trop peur, de se mesurer à notre père. Je me demandai même s'il réalisait vraiment ce qui venait de se passer ou si par une espèce de solidarité masculine il ne donnait pas raison à notre père.

Pendant que je parlais à mon frère, ma mère avait réussi à s'approcher de l'escalier. Je compris qu'elle avait l'intention de descendre. Mon père la suivrait, et j'aurais ainsi le champ libre pour prendre le téléphone qui se trouvait dans leur chambre.

Dès qu'ils furent descendus, escortés par Marc qui avait fini par sortir de sa tanière et accepter de soutenir, mollement, notre mère, je me dépêchai d'aller composer le numéro de la gendarmerie. Un instant inquiète d'avoir confondu les numéros d'urgence, je poussai un soupir de soulagement quand j'entendis une voix d'homme au bout du fil prononcer :

— Gendarmerie nationale, je vous écoute.

— Je suis Gaby Lemaire ; mon père est devenu fou, il a frappé ma mère et nous ne savons pas comment le calmer.

— Où habitez-vous ?

— A Mareuil.

— Quel âge avez-vous ?

— J'ai quinze ans, répondis-je, craignant que le gendarme, qui devait vérifier ces informations, ne me croie pas.

On était au mois de juillet ; il prenait certainement mon appel pour un canular d'ados qui s'amusaient à des jeux débiles en l'absence de leurs parents. Je me dis que s'ils ne venaient pas, on était fichus. On habitait à près d'un kilomètre du village, il n'y avait aucun éclairage entre notre maison et la première habitation. Personne ne pouvait nous entendre. Je me sentais complètement paniquée.

Le gendarme à l'autre bout du fil continuait son interrogatoire :

— C'est la première fois que votre père se comporte de cette façon ?

— Oui, et je ne l'ai jamais vu dans une telle colère. J'ai très peur.

— A-t-il frappé de nouveau votre mère ?

— Non. Mon frère tente de le maîtriser et de l'empêcher de s'approcher d'elle.

— Bon, ne vous inquiétez pas, nous allons passer d'ici quelques minutes et nous allons raisonner votre père.

— Merci, répondis-je, soulagée.

En raccrochant, je m'aperçus que je n'avais pas donné notre adresse précise. Comment avais-je pu manquer d'esprit à ce point ? Certes, pour des gendarmes cela ne devait pas poser de problème, d'autant plus que mon père était relativement connu, mais ils n'étaient jamais venus ici. Comment feraient-ils pour trouver la maison au milieu des champs ? J'imaginais le pire. Je devais aller voir où en était la situation, et chercher à me rassurer : ils m'avaient dit qu'ils passeraient ; il n'y avait aucune raison de ne pas leur faire confiance.

J'appréhendais de retourner dans l'arène. Du haut de l'escalier, je percevais très distinctement leurs voix. Il me semblait également entendre des objets tomber, des portes claquer. Je ne devais pas me montrer lâche. Je pris une profonde inspiration avant de me décider à descendre.

En bas, je découvris, effarée, que mon père avait littéralement fracassé un vase sur le carrelage. Il hurlait et parcourait la salle à manger à la recherche d'objets auxquels ma mère tenait. Ainsi, d'un revers de main, il balaya tout un tas de babioles souvenirs alignées sur une étagère. Tout à sa fureur, il ne nous regardait pas et continuait à se défouler. Il se dirigea ensuite vers la chaîne hi-fi qu'il avait offerte à ma mère et à laquelle nous tenions mon frère et moi. Il s'apprêtait à la soulever quand nous criâmes en chœur :

— Non, papa, pas la chaîne hi-fi !

Sensible à notre supplication, il s'en prit finalement au vase rempli de glaïeuls, posé à côté, et le projeta devant lui.

Pendant ce temps, j'attendais désespérément que les gendarmes arrivent. Les « quelques minutes » dont on m'avait parlé me semblaient infiniment longues. Je regardais à intervalles réguliers l'horloge accrochée au mur, et à chaque coup d'œil je me sentais pâlir un peu plus. Pourquoi n'étaient-ils pas encore là ? Cela faisait presque une heure que j'avais appelé ! Il pouvait se passer n'importe quoi ; ils s'en fichaient pas mal. Pourtant, ils devaient savoir que nous avions des armes de chasse. Qui sait ce qui pouvait traverser l'esprit de mon père ? Prétendaient-ils suffisamment le connaître pour être assurés que la situation ne dégénérerait pas davantage ?

Alors que je ne comprenais pas pourquoi ils n'étaient toujours pas intervenus, la sonnerie du téléphone retentit vers quatre heures du matin. Mon père, qui n'avait pas entendu les quelques échanges que j'avais eus avec ma mère, ne savait pas que j'avais appelé de l'aide :

— Qui c'est qui appelle à cette heure-là ? hurla-t-il.

Je compris tout de suite que c'était la gendarmerie, et me précipitai dans le bureau pour répondre avant lui. La colère m'envahit. Ainsi, ils ne m'avaient pas vraiment crue, et peut-être que dans le doute ou par acquit de conscience ils appelaient pour vérifier que je n'avais pas raconté n'importe quoi. Au lieu de nous aider, cela allait probablement aggraver notre situation. Quand mon père réaliserait ce que j'avais fait, il s'en prendrait peut-être à moi aussi.

— Allô, articulai-je, tout en regardant du coin de l'œil si mon père m'avait suivie.

— C'est vous qui avez appelé tout à l'heure ?

— Oui...

Je n'eus pas le temps de répondre quoi que ce soit d'autre : mon père s'empara du combiné. Je l'entendis expliquer au gendarme qu'il avait effectivement giflé sa femme mais que ce n'était pas dramatique et qu'une petite claque de temps en temps remettait les choses en place. Choquée par ce qu'il venait de dire, je retournai auprès de ma mère pour l'informer de ce qui se passait et j'attendis toute tremblante que mon père ait terminé la conversation.

Il revint quelques minutes plus tard et demanda agressivement :

— Qui a appelé les flics ?

Je m'efforçais de ne pas fondre en larmes, m'attendant à ce qu'il déchaîne sa colère sur moi vu mon audace.

— C'est moi, pourquoi ?

— Ce n'était pas la peine, ce n'est qu'une simple dispute, répondit-il d'une voix enfin redevenue normale.

— Peut-être pour toi, mais on a eu peur.

Il ne rétorqua rien, et il se calma peu à peu, probablement grâce à la discussion qu'il avait eue avec le gendarme, mais peut-être aussi qu'il réalisait que mon frère et moi étions là, que nous n'y étions pour rien, et que, pourtant, on en payait le prix fort.

L'atmosphère de la maison apaisée, j'aidai ma mère à balayer et à ramasser le plus gros du désastre, sous le regard larmoyant de mon père. A la vue du carrelage ébréché, ma gorge se noua : on avait frôlé le drame... Et personne ne serait venu nous secourir. Tout le monde finit par regagner sa chambre. A partir de ce soir-là, ma mère s'installa dans une autre pièce de la maison, loin de la chambre conjugale. Je pris réellement conscience à ce moment-là que les derniers liens entre mes parents étaient définitivement rompus, que nous ne reviendrions jamais à notre vie d'avant, que le divorce, que j'avais appréhendé jusqu'alors comme une simple menace, n'en ayant même pas parlé autour de moi, serait inéluctable. Tout mon univers s'était écroulé en l'espace de quelques heures.

Ce qui resta gravé en moi de cette nuit-là, ce n'était pas les mots, que je n'avais pas vraiment écoutés, mais la violence des actes. Dès lors, quand mon regard parcourrait la salle à manger, tout me reviendrait. Ces marques témoigneraient des blessures que mon père venait de nous infliger, et qui ne cicatriseraient pas.

Quand je me levai plus tard ce matin-là, ma mère était déjà sortie. Je décidai de me vider l'esprit en regardant la télévision mais aucune des images qui défilaient devant mes yeux ne parvint à effacer le cauchemar de la nuit qui passait en boucle dans ma tête.

Sans que je l'aie entendu approcher, mon père vint s'asseoir à mes côtés. Visiblement, il avait attendu que je me lève et que ma mère et mon frère soient sortis pour venir faire son mea culpa. Je fis semblant de ne pas le voir, hypnotisée par l'écran, espérant qu'il renoncerait à me déballer son discours de repentir.

Il ne prêta aucune attention à mon attitude glaciale et, le regard brillant d'humidité, il commença par s'excuser de son comportement :

— Je suis désolé ; je n'aurais pas dû m'emporter. Je ne sais pas ce qui m'a pris, mais ça me rend dingue que ta mère ne veuille plus de moi.

Il était pathétique ; il ressemblait à un petit garçon qui vient chercher du réconfort après une grosse bêtise. Je n'avais absolument pas l'intention de me laisser entraîner sur ce terrain-là.

— Tu nous as fait vraiment peur cette nuit, lui dis-je calmement mais fermement.

— Tu crois que ta mère va pouvoir me pardonner et qu'il y a encore un espoir ?

Il me dégoûtait : tout ce qu'il cherchait était que j'intervienne auprès de ma mère. Il ne se rendait pas compte que j'étais encore sous le choc, traumatisée par sa violence, et il osait croire que je pardonnerais son coup de folie, que je pourrais être une alliée ! C'était trop facile ! Je ne parvenais même plus à le regarder dans les yeux : je ne voulais pas voir poindre les larmes qui menaçaient de couler le long de ses joues. Il avait l'air de penser que son malheur lui donnait des droits et excusait forcément ses agissements.

De colère, je me décidai à lui répondre franchement :

— Ça me paraît difficile après cette nuit. Je pense que tu dois arrêter de lui mettre la pression et nous laisser tranquilles un moment. Je crois qu'on va tous avoir besoin de temps pour se remettre de ce qui s'est passé. On ne peut plus vivre dans les disputes, les cris. On a besoin de retrouver du calme. Il faut peut-être que tu commences à accepter le divorce.

— Mais je l'aime ; je ne veux pas qu'elle parte. Qu'est-ce que je vais faire sans elle ? Je suis malheureux.

— Tu referas ta vie.

Je fis mine ensuite de me concentrer sur l'écran. Quant à lui, il comprit qu'il n'obtiendrait pas de soutien de ma part et me dit qu'il était attendu pour moissonner. Contente de ne pas le revoir de la journée, je me détendis un peu et m'assoupis quelques minutes.

Quand ma mère revint peu avant midi, je n'avais toujours pas vu mon frère. Il se terrait probablement dans l'une de ses cachettes. Dès qu'un événement le marquait, il se repliait sur lui-même.

Je fus frappée par sa pâleur, et par la manière dont elle se tenait. Elle était légèrement courbée. Un poids semblait écraser son corps.

— Où étais-tu ? lui demandai-je.

— Je suis allée voir le docteur Deslandes, avec qui j'ai beaucoup discuté.

— Qu'est-ce qu'il t'a dit ?

— Il m'a rassurée, m'a expliqué que je ne suis pas responsable du comportement de ton père, qu'il ne changerait certainement jamais. Il m'a conseillé d'aller porter plainte pour lui faire un peu peur et me protéger.

— C'est ce que tu as fait ?

— Oui.

— Et alors ? enchaînai-je pour en savoir plus.

— Pas grand-chose. Les gendarmes ont enregistré ma plainte, mais ils m'ont dit que pour le moment ils ne pouvaient rien faire : je n'ai pas de traces de coups. Je ne peux donc rien prouver.

— Si je comprends bien, il aurait fallu qu'il te tabasse au point de mettre ta vie en danger pour qu'ils puissent agir ! dis-je, révoltée. C'est quoi ce monde où on laisse les maris traiter leur femme comme bon leur semble ?

— S'il recommence, ils m'ont promis qu'ils se déplaceraient.

— C'est la moindre des choses ! Mais c'est peut-être un peu tard !

— Et toi, ça va ? me demanda ma mère, pour éviter le sujet, qui semblait trop pénible à évoquer.

— Bof. Papa est venu me voir.

— Qu'est-ce qu'il te voulait ?

Je rapportai brièvement la conversation que j'avais eue avec lui.

— C'est sûr qu'après ce qu'il a fait, je ne resterai pas, et que je vais secouer l'avocat pour qu'il fasse avancer la procédure, m'informa ma mère.

— Tu sais quand nous pourrons partir ? l'interrogeai-je, tout en réaffirmant le choix que j'avais fait quelques mois plus tôt d'aller m'installer avec elle.

Après cette nuit, c'était plus qu'une évidence. Il avait beau être mon père, cet homme m'était devenu un inconnu.

— Je ne sais pas : le juge n'a pas l'air pressé de donner son autorisation, et il y a toujours quelque chose qui déplaît à ton père, ce qui ralentit le dossier.

Nous nous lançâmes un regard entendu : la route serait longue avant de retrouver une certaine sérénité.

— Promets-moi une chose, ajouta-t-elle.

— Quoi ?

— Ne parle à personne de ce qui s'est passé, même pas à tes grand-mères.

— Pourquoi ?

— Parce que je n'ai pas envie que ça se sache. T'imagines la réaction de tes oncles ? Et dans quel état ça mettrait Michèle et Claude ! Ils ont déjà assez de mal à accepter l'idée du divorce. Je ne veux pas qu'ils s'en mêlent. Ça compliquerait encore plus la situation.

— Et mamie Lucie ?

— Je crois qu'elle ne sait même pas pour le divorce. Laisse-la en dehors de tout ça. Ton père se débrouillera avec elle.

Ce silence me pesait de plus en plus. Depuis que ma mère était revenue du Jura et qu'elle nous avait fait part de sa décision, nous ne voyions plus personne. Toute la famille était devenue *persona non grata* à la maison. Pour ne pas mettre ma mère davantage dans l'embarras, je ne dirais rien à la famille, mais il fallait que je me libère un peu de cette terrible nuit.

Je pris mon vélo et dévalai la route jusque chez mon ami Steph. Il habitait une vieille demeure au crépi beige défraîchi qui donnait sur la rive gauche du canal de la Marne, à mi-chemin entre les deux ponts. Le long du cours d'eau, des arbres et des buissons touffus reprenaient leurs droits au bord d'un étroit chemin de terre qui permettait de rejoindre à pied d'autres villages. Profitant de l'humidité, les herbes et les orties croissaient plus que de raison dès le printemps jusqu'à être suffisamment grandes pour picoter les jambes nues des promeneurs en été.

J'ouvris le portail en bois blanchi par les intempéries. Dans la cour, recouverte de gravillons, tout était calme. Le tracteur et la benne avaient quitté la grange. La charrue, la herse, la déchaumeuse et le semoir avaient été laissés en évidence. Le Citroën C15 gris, garé face à la dépendance où la famille de Steph élevait des poules et des lapins, signalait la présence de Nadine, la mère de mon copain.

Après avoir déposé mon vélo contre la façade de la maison, je frappai deux coups à la porte, et entrai. Dana, une chienne corniaud de taille moyenne, les poils ras noirs, se jeta sur moi pour réclamer quelques caresses. Nadine était assise à la table de la cuisine, en train de lire *L'Union*, le journal régional. L'intérieur de la maison était démodé. Les parents de Steph n'avaient pas refait la décoration à la mort de sa grand-mère. Ils avaient ainsi gardé le même papier peint à petites fleurs marron jauni par les années et noirci en pointillé sur le haut par l'humidité. La table et le buffet en chêne massif trônaient dans la salle à manger qui jouxtait la cuisine dans laquelle on se suffisait d'un petit réfrigérateur, d'une vieille gazinière, d'un grand évier en grès blanc, d'une armoire brinquebalante pour ranger la vaisselle et d'une planche pourvue de pieds en fer, recouverte d'une toile cirée écru, qui servait aux repas quotidiens.

— Bonjour, ma grande. Monte. S'il dort encore, secoue-le ! me dit la mère de mon ami.

C'était une femme simple, petite, les cheveux au carré, de couleur châtain foncé, les yeux bleu-vert. Jamais de maquillage, souvent vêtue de sa tenue de travail, un jean mal taillé surmonté d'un pull épais ou d'un débardeur, selon la saison.

La famille Morel vivait très modestement. En plus des céréales, Alain, le père de Steph, récoltait du colza, du maïs et des petits pois, mais les prix de vente, peu élevés, ne permettaient pas de s'enrichir véritablement. Pour s'assurer des revenus complémentaires, sa mère s'occupait des lapins, des poules, et travaillait à tâche pour des vignerons. Elle ne voulait pas d'un contrat d'embauche fixe qui l'aurait obligée à respecter des horaires imposés par un patron et qui aurait rendu plus difficile son désir de concilier ses diverses activités. Sans compter qu'elle avait trois fils à éduquer.

Le cœur toujours aussi serré par la nuit précédente, je me dirigeai vers l'escalier en bois, qui craqua dès que j'eus posé un pied sur la première marche. Mais si Steph dormait, cela ne suffirait pas à le réveiller. L'été, il passait une partie de la nuit à regarder des films et ne se pressait donc pas le lendemain pour se lever.

Je le trouvai bien dans sa chambre, mais assis à côté de son lit, dos à la porte. Il triait ses cassettes et ses CD par terre. J'adorais observer son imposante carrure, si rassurante, celle-là même qui m'avait sortie d'une situation devenue insupportable.

Comme moi, Steph était originaire de Mareuil. Plus vieux de deux ans, nous n'avions fait que nous croiser lorsqu'il était encore à l'école primaire. De plus, mon père n'avait pas beaucoup d'estime pour sa famille pour des raisons ancestrales si bien que de mon côté je n'avais jamais éprouvé l'envie de le connaître. Jusqu'au jour où il était venu à ma rescousse.

Malgré les gifles que je leur mettais, ou les ongles que je leur enfonçais là où je pouvais, Jérémie Jobert et ses copains ne me lâchaient pas et profitaient de la moindre occasion pour me toucher. Je m'évertuais à penser que j'étais assez grande pour me débrouiller, que je n'avais pas besoin d'aller jouer les pleurnicheuses auprès des surveillants pour les affronter. Seulement, au milieu de l'année scolaire, rien n'avait évolué. Mais un jour, après la récréation, Steph était intervenu :

— Connards, foutez-lui la paix ! Vous n'avez pas assez de couilles pour draguer les filles de votre âge, alors vous vous en prenez aux sixièmes.

— De quoi tu t'occupes, Morel ! Tu t'y connais en gonzesses, toi peut-être ! avait répliqué Jérémie.

— Fais pas trop le malin, Jobert, si tu veux pas que j'te casse la gueule à la sortie. Tu crois que tu feras le poids ? avait menacé Steph en s'approchant du groupe.

Alerté par cet attroupement d'élèves, un surveillant intervint pour nous rappeler à l'ordre.

— Qu'est-ce que vous faites ? Dépêchez-vous de rejoindre vos classes ou je vous prends vos carnets.

De peur de me prendre mon premier avertissement, je déguerpis. Tout en m'éloignant, j'entendis
Steph dire au surveillant :

— Vous feriez mieux de les surveiller de plus près,
ceux-là ! Ils font des trucs dégueulasses aux sixièmes.

A la fin des cours, j'avais couru jusqu'à la sortie
du collège pour être sûre de ne pas manquer Steph
avant de monter dans le bus. Je le remerciai pour
son intervention.

— C'est un gros con. J'en peux plus de sa tronche
de faux cul, et ça m'énerve parce qu'il ne se fait pas
assez punir.

J'avais ainsi appris qu'ils étaient dans la même
classe, et que Steph ne supportait plus les coups en
douce de Jérémie. Depuis près de cinq ans, Steph
et moi étions inséparables.

Je frappai doucement à la porte de sa chambre,
laissée entrouverte, pour l'avertir de ma présence.

— Ah ! C'est toi. Tu tombes bien. J'ai retrouvé des
vieilles cassettes. Tu sais, quand on s'était enregistrés
à ton anniversaire ! Tu vas te marrer ! Les conneries
qu'on a racontées...

Il s'interrompit un instant. Des larmes ruisselaient
le long de mes joues.

— Qu'est-ce qu'il y a ?

Il se leva et, sans attendre ma réponse, me prit
dans ses bras. C'était tout ce dont j'avais besoin.
Appuyée contre sa large poitrine, je retrouvai un peu
d'apaisement. Nous nous assîmes ensuite sur son
lit, ce que nous faisions toujours pour commencer

une longue conversation. Je lui rapportai les terribles événements de la nuit.

— Tu ne m'avais pas dit que c'était à ce point entre tes parents !

— Je me disais qu'ils traversaient une crise, comme doivent en traverser plein de couples. Je crois que je ne voulais pas réaliser. Mais là, je suis bien obligée de voir les choses en face.

— Je suis sous le choc ! Je n'aurais jamais cru ça !

— Comme tout le monde !

— Je n'arrive pas à me dire que tu vas partir de Mareuil ! Il n'y a vraiment plus d'espoir ?

— Franchement non ! C'est horrible, mais je pense que ma mère n'aime plus mon père. Je l'ai vu cette nuit dans son regard.

Mes yeux s'embuèrent de nouveau.

— Si tu veux on peut appeler Carole et Ange et leur demander ce qu'elles font cet après-midi. On pourrait faire une balade à vélo. Ça te ferait du bien.

— Je ne suis pas sûre d'avoir envie de voir qui que ce soit d'autre.

— Tu vas pas rester dans ta chambre à ruminer, insista Steph.

— T'as raison.

L'après-midi nous allâmes chercher nos amies qui habitaient dans le même lotissement, aux Arpents, dans le haut de Mareuil. Nous enfourchâmes nos vélos jusqu'au pont de la Marne en passant par la grand-rue qui traversait, telle une longue saignée bien tracée, tout le village. Tout était calme. Une partie des habitants était en vacances tandis que l'autre fauchait les blés. Nous nous arrêtâmes, nous demandant si nous aurions le courage de pédaler les quatre kilomètres jusqu'à Plivot. La route, étroite, qui bordait rivière, champs et bois, était agréable car on ne voyait aucune habitation. Elle offrait un vrai plaisir des saveurs, mêlant les odeurs des cultures céréalières à celle de l'humidité provenant de la terre abritée par les parties arborées. En raison du temps menaçant, nous décidâmes de nous promener uniquement dans les rues de Mareuil. Nous restâmes un instant accoudés au pont. L'été, la Marne, à son plus bas niveau, laissait apparaître quelques îlots de grève. Les deux rives protégées par des hêtres, des frênes et des tilleuls n'étaient pas très éloignées l'une de l'autre. Cela suffisait à faire penser que profiter de l'eau à cet endroit était sans danger, mais des lames de fond pouvaient aspirer n'importe qui sans crier gare. Aucun habitant de Mareuil ne s'y aventurait. Nous reprîmes notre chemin, mais nous ne savions plus trop où aller, car le ciel s'était encore obscurci. Le tonnerre commençait à gronder, et je n'avais pas envie de remonter vers le haut du village, vers les champs, vers chez moi.

Percevant ma détresse, Steph proposa que l'on se retrouve chez lui, puisque nous étions à côté, et que l'on se fasse un gâteau au chocolat. Je souris au travers des larmes qui me brûlaient les yeux. Dans quelque temps, je ne serais plus là, avec eux. A quoi ressemblerait alors ma vie loin de Mareuil ?

Le soir, ma mère et Marc se couchèrent de bonne heure. J'en profitai pour regarder un peu plus longtemps que d'habitude la télévision. En vérité, j'avais peur. L'angoisse de revivre une autre nuit cauchemardesque ne me quittait pas. J'attendais mon père ; je voulais être bien éveillée quand il rentrerait pour m'assurer qu'il ne profiterait pas de notre sommeil pour tenter d'approcher ma mère. Dès que j'entendis le tracteur, je m'empressai de regagner ma chambre. Il monta quelques minutes plus tard. Par crainte qu'il entre dans la pièce où ma mère dormait, j'étais à l'affût du moindre bruit. Je me laissai un instant bercer par le bruit de l'eau, puis je retins mon souffle, totalement immobile sous ma couette, quand la porte de la salle de bains s'ouvrit. Je guettais le danger tel un animal apeuré. Je perçus enfin le grincement de son lit, signe qu'il laisserait ma mère tranquille, au moins pour cette fois...

J'expulsai d'un coup tout l'air que j'avais comprimé dans mes poumons et relâchai mon corps crispé de la tête aux pieds. Jamais je n'avais autant redouté de m'endormir, même au temps où je dévorais les enquêtes d'Hercule Poirot et que je ne pouvais pas me coucher sans avoir examiné le moindre recoin de ma chambre pour m'assurer que personne ne s'y cachait. Désormais, la peur n'était plus simplement en surface, elle s'était nichée au plus profond de moi, là où la sérénité se brise. Je me demandais si un jour je retrouverais le sommeil sans appréhender la nuit, sans me dire que tout risquait d'exploser.

121

Les étés précédents, nous accompagnions toujours notre mère au moins une fois dans la journée dans les champs, pour apporter à notre père des sandwiches et des boissons. Même lorsque nous n'avions pas très envie de nous faire déloger de notre chambre, du jardin ou du canapé, elle insistait toujours pour que nous venions, pour passer un moment avec lui. Les journées étaient longues. Il partait tôt pour vérifier le matériel de fauche, rentrait déjeuner en fin de matinée et se couchait en plein milieu de la nuit. Alors, pour nous convaincre, elle nous disait qu'il était content de nous voir.

Je devais admettre qu'une fois sur place, j'aimais l'atmosphère qui se dégageait : la chaleur de l'été, l'étendue de liberté qui surplombait le vignoble, la douce tranquillité de la moissonneuse-batteuse, les grains se déversant dans la benne. Parfois, je montais dans la machine pour un aller-retour. J'étais captivée par les tiges de blé ou d'orge se rabattant dans la barre de coupe avant d'être broyées par le rabatteur à griffes. A chaque fois, je m'étonnais qu'un engin si gros, si lourd, si pataud, accomplisse un travail d'une si grande subtilité lorsqu'on voyait ensuite de si petits grains sortir de la trémie.

J'étais impressionnée par mon père qui manœuvrait une telle machine avec facilité, supportant la poussière qui volait et se collait sur sa peau.

Mais cet été-là, ma mère se contenta de ravitailler mon père une seule fois par jour et nous laissa libres de l'accompagner ou non. Les moissons s'achevèrent dans une atmosphère morne. Je fus donc particulièrement surprise quand mon père nous parla de vacances. Il avait réservé une maison à Etretat et imaginait que nous partirions tous les quatre comme les années précédentes. C'était la seule semaine que mes parents s'octroyaient, oubliant les vignes et les champs, une toute petite semaine par an où ils se permettaient des repas au restaurant et nous offraient quelques attractions.

Malgré l'insistance de mon père, ma mère refusa catégoriquement de partir. De mon côté, je craignais qu'il renonce à ses projets et que je ne voie s'envoler les rêves de trêve. Finalement, mon frère accepta de l'accompagner. Cela avait au moins le mérite d'éloigner mon père pour quelques jours, mais sa décision m'atterra. Que cherchait Marc au juste ? A retrouver celui qu'on croyait aimant, attentionné ? A se persuader que notre père n'était pas obnubilé que par notre mère et qu'il y avait encore de la place pour lui ? Malgré mes efforts pour comprendre ce qui motivait mon frère pour rester en tête à tête avec lui, je n'y arrivais pas, et lui en voulais. Comment faisait-il ? Rien qu'à l'idée de me retrouver seule à côté de mon père, ne serait-ce que cinq minutes, j'en aurais débordé de colère. Non, vraiment, je ne comprenais pas. Moi, je ne parvenais pas à oublier, à pardonner...

Un mois s'était écoulé depuis la nuit de juillet et ni Marc ni moi n'avions osé aborder le sujet l'un avec l'autre. Je m'arrêtai devant sa chambre alors qu'il bouclait ses valises. Je ne pus m'empêcher d'entrer.

— Ça y est, t'es prêt ?

— Oui, je pense.

— T'es sûr que c'est une bonne chose de partir avec papa ? Vous allez faire quoi ? Tu ne crois pas qu'il va chercher à te harceler avec ses problèmes avec maman ?

— Pourquoi tu me poses toutes ces questions ? s'agaça-t-il.

— A ton avis ? Avec ce qui s'est passé...

— Ce n'était pas contre nous. Il n'y a pas de mal à partir en vacances, non ?

— Non. Dans ce cas... amuse-toi bien.

C'était pire que ce que je m'étais imaginé. Mon frère n'avait visiblement pas réalisé la gravité des actes de mon père. Il semblait tout simplement avoir envie de poursuivre sa petite vie bien tranquille. A ce moment, je ne sus si je devais l'envier d'être capable de nier tout ce qui s'écroulait autour de nous ou le détester pour préférer, même inconsciemment, fermer les yeux.

Avant de monter en voiture, mon père tenta d'embrasser ma mère sur la bouche, pour se donner l'espoir qu'après une semaine de vacances toutes les disputes, tous les verres brisés, tous les mots jetés s'effaceraient. Nous les regardâmes s'éloigner. J'entendais les soupirs de soulagement de ma mère à côté de moi. Nos yeux se croisèrent et nous sourîmes pour la première fois depuis quatre semaines.

Dès l'après-midi même, Steph, Carole et Ange avaient réinvesti la maison. Les fenêtres ouvertes laissaient un souffle d'air frais galvaniser l'atmosphère. Comme c'était bon de retrouver un peu de sérénité ! De s'affaler dans les fauteuils devant un bon film !

Nos rires qui résonnaient chassaient peu à peu les cris et la peur. Le lendemain, après sept mois sans avoir partagé un repas avec mes grands-parents de Moussy, nous nous rendîmes chez eux. J'étais impatiente de les revoir, eux qui avaient toujours été un point d'ancrage dans ma vie. J'éprouvais presque de l'appréhension à les retrouver après tout ce temps. Je ne comprenais toujours pas pourquoi mon père les rendait responsables du naufrage de son mariage alors qu'ils l'avaient considéré comme un fils. Ils me manquaient beaucoup, en même temps que je préférais qu'ils se tiennent à l'écart. Ma mère avait raison. Après les disputes quasi quotidiennes des derniers mois, je n'aurais pas voulu qu'ils soient affectés par ce que nous vivions. Trop honteux.

Quand nous arrivâmes, tout le monde était là : mes trois oncles, leurs femmes, ma tante, et toute la ribambelle de cousins. La joie d'être tous ensemble était partagée, ce qui me fit chaud au cœur. Passé les grandes embrassades, chacun raconta ses vacances, les dernières prouesses de mes cousins et cousines, et ses petits tracas. J'avais l'impression d'avoir tant manqué ! Alors que notre vie s'était figée dans un univers parallèle, les leurs avaient évolué, avancé. J'avais envie d'en pleurer. Je ne reconnaissais plus rien.

— Alors, Gaby, bientôt la première L ? demanda Christian.

— Oui. Enfin ! J'en aurai presque fini des maths et des sciences. Ça fait des années que j'attends ça !

— Tu commences à savoir ce que tu veux faire ? enchaîna Julie.

125

— Oui, ça se dessine. J'attends de voir ce que les deux prochaines années vont donner, mais je pense faire une fac d'histoire.

— Ah ! C'est cool !

« Cool », je n'en savais rien. Tout ce que je voyais pour le moment, c'était que tout le monde essayait de se montrer prévenant, mais il y avait un parfum de gêne dans les instants de silence. Etait-ce moi qui me faisais des idées, ou chacun prenait soin d'esquiver les questions qu'il mourait d'envie de poser ? Le prénom interdit, tabou, restait coincé dans la gorge des uns et des autres.

— En tout cas, quoi que tu fasses, pense à toi ! intervint Annette.

— C'est ce que je lui répète, approuva ma mère. Il faut qu'elle ait un métier...

Toutes les conversations s'arrêtèrent subitement. Toute l'assemblée était pendue aux lèvres de ma mère qui avait jusqu'alors peu parlé. Toute la famille semblait attendre qu'elle dévoile enfin un peu de ses pensées, mais sa voix resta en suspens.

Les pleurs tonitruants d'Amélie, la fille de Christian et de Julie, qui ne maîtrisait pas encore complètement la marche, retentirent soudainement. Julie se précipita pour relever ma cousine, affalée de tout son long sur le carrelage. Toutes les paroles de réconfort pour la consoler de sa chute effacèrent brutalement ce moment de flottement où tant de maux s'étaient figés.

Chacun des membres de la famille ne tarda pas à prendre congé ; les plus petits étaient fatigués, et d'autres travaillaient le lendemain. Nous n'étions déjà plus que toutes les deux lorsque nous décidâmes de rentrer. Ma grand-mère nous raccompagna jusqu'à notre voiture, jeta un coup d'œil derrière elle, pour vérifier que mon grand-père ne nous avait pas suivies.

— C'est insupportable tout ça ! Ton père en est malade ! On n'arrive pas à croire que Bertrand ne veuille plus nous voir, que vous allez réellement divorcer !

— Maman, s'il te plaît ! C'est dur pour tout le monde. Et nous ne sommes pas venues ce soir pour mettre tout ça sur le tapis. Il faut que vous vous fassiez une raison.

— Mais après tout ce qu'on a fait pour vous, pour lui ! Tu te rends compte ?

— Qu'est-ce que tu veux que je te dise ? répliqua ma mère qui semblait de plus en plus agacée par les atermoiements de ma grand-mère.

Laissant Michèle au bord des larmes, nous montâmes en voiture et reprîmes le chemin de Mareuil. Au bout de quelques minutes, ma mère me demanda :

— Ça va ?

— Oui, je crois, répondis-je. Et toi ?

— ... Je crois aussi.

Sans comprendre pourquoi, nous nous mîmes à rire, d'un rire de soulagement, libérateur, qui éclata dans l'habitacle avec toute la force d'un feu d'artifice. Jamais nous n'avions ri ainsi ensemble.

Après une semaine passée seule avec ma mère, j'appréhendais terriblement le retour de mon père. Tout avait été si calme. Alors reprendre le rythme des disputes, des heures prostrée sous la couette ou dans un coin de ma chambre avec la trouille disséminée dans tout le corps qu'il ne se produise quelque chose de terrible, me désespérait d'avance.

Mais contre toute attente, mon père revint particulièrement détendu. Il nous offrit les quelques souvenirs qu'il nous avait achetés, et il nous raconta tout ce qu'ils avaient fait avec Marc, qui semblait tout aussi ravi de ce séjour. Je m'étonnais tout de même de le voir tenir soigneusement ses distances avec ma mère. J'interrogeai d'ailleurs mon frère à ce sujet, qui ne me livra aucun détail supplémentaire. Cette semaine de séparation avait donc peut-être été bénéfique.

Dans une atmosphère relativement tranquille, la vie reprit son cours. Mes parents retournèrent aux vignes et commencèrent à préparer les premières vendanges à la maison, tandis que Marc et moi reprenions le chemin du lycée. Malgré des allures de vie normale, peu à peu tout changeait. Les vendanges familiales auxquelles j'étais particulièrement attachée n'étaient déjà plus qu'un vieux souvenir.

Mon père avait catégoriquement refusé de retourner à Moussy. Il ne voulait pas que les gens apprennent que leur couple était au bord du gouffre. Pour appuyer son refus, il avait invoqué le fait qu'avec leurs nouvelles parcelles il valait mieux qu'ils les fassent de leur côté. Mes parents engagèrent donc une douzaine de vendangeurs sur le même critère : n'avoir jamais fait les vendanges à Moussy. Parce que nous manquions de place pour loger tout le monde, ils employèrent un maximum de personnes du coin qui repartiraient après chaque journée de cueillette.

Pour la première fois, l'impatience de rentrer de l'école pour retrouver la joyeuse ambiance des vendanges n'était pas là. Certes, les rires, les blagues et les chansons paillardes avaient gardé leur place, mais moi, je ne pouvais m'empêcher de penser à l'atmosphère du vendangeoir de Moussy : les rires devaient être plus forts, les blagues plus drôles et les chansons entonnées avec plus de conviction. Tout me manquait terriblement : la soupe aux vermicelles de ma grand-mère, les grandes tablées, les petits recoins du vendangeoir, les habitués, les anecdotes des cueilleurs sur leur cohabitation, et être tous ensemble tout simplement.

Seules quatre personnes dormaient chez nous, deux couples d'amis qui venaient de la Creuse. Alors que nous étions habituellement une trentaine à Moussy, nous n'étions plus que huit à table le soir. Des vendanges sabrées, qui ne seraient plus jamais pareilles...

Non, décidément plus les mêmes puisque ma mère, pour donner le change, faisait mine d'aller se coucher dans la chambre conjugale alors qu'en réalité elle dormait dans la salle de bains, à même le sol. Chaque soir, je l'entendais tourner la clé dans la serrure.

Sauf le dernier soir. J'eus beau attendre, attendre, et encore attendre, je ne perçus pas le cliquetis de la clé. A la place, il me sembla distinguer de drôles de bruits, étouffés. Puis une respiration entrecoupée. Des frottements. Un « chut » peut-être, mais de là où je me trouvais, je n'étais sûre de rien. De mon lit, j'ouvris un peu plus la porte de ma chambre, mais je ne vis rien. Le noir complet. Ma mère avait peut-être eu plus de mal à s'installer cette fois-ci.

Cela faisait presque une semaine qu'elle dormait dans ces conditions. J'imaginais combien elle devait être courbaturée de partout. Je lui avais pourtant proposé de partager ma chambre, mais elle avait refusé.

Alors que je me raisonnais pour chasser de mon esprit le danger, j'entendis la porte de la salle de bains s'ouvrir tout doucement. Tout était parfaitement obscur, et je ne compris l'origine des bruits que lorsque le grincement du lit de mon père se fit entendre cruellement quelques secondes plus tard.

Qu'avait-il fait ? C'était impossible ! Il n'avait tout de même pas profité que des invités se trouvent à quelques mètres pour abuser de ma mère ! Il n'avait pas fait ça ! Et comment était-il entré ? A quel moment ?

Mais plus j'essayais de me convaincre que j'avais mal interprété ce que j'avais perçu, plus je songeais au pire. Je me recouvris intégralement de ma couette et pleurai de honte, de culpabilité, de dégoût... de haine. Tant d'horreurs se mélangeaient que cela en était insupportable. Je ne voulais pas voir au grand jour les traces d'une telle abomination.

Le lendemain, les vendangeurs qui logeaient chez nous repartirent, le cœur joyeux, contents de la semaine passée :

— Bon ! A l'année prochaine !

Je les regardai s'éloigner en klaxonnant, le cœur encore serré d'épouvante par ce que j'avais entendu dans la nuit. Je me jurai à cet instant-là qu'aucun homme ne me traiterait d'une telle manière. Une seule chose m'importerait jamais : être une femme libre.

5

Cette porte vitrée. Là, devant elle. Un nouvel espoir. C'était la première fois depuis sa prise de décision qu'Hélène avait véritablement le sentiment que sa situation allait évoluer. Elle attendait beaucoup de ce rendez-vous à l'ANPE, gage d'un emploi pour elle seule. Après de longs mois particulièrement pénibles, elle avait besoin que les choses bougent. Autrement, elle ne tiendrait pas. Pas après tout ce qu'elle avait enduré...

De crainte de lutter vainement si elle se montrait trop catégorique avec son mari, elle avait accepté de vivre dans une sorte d'entre-deux, en le laissant croire qu'elle pourrait revenir sur sa décision, s'il se montrait à l'écoute. S'était alors engagé un jeu de manipulation sous haute tension. Elle avait ainsi réussi à amener Bertrand malgré lui chez l'avocat, qui leur expliqua la procédure qui serait longue et difficile : partager l'exploitation viticole-agricole prendrait des mois. Hélène n'aurait pas l'autorisation de quitter le domicile conjugal avant la liquidation des biens qui devrait se faire devant notaire, et la conciliation devant un juge chargé de donner son accord sur la dissolution du mariage, au risque d'avoir les torts exclusifs et de tout perdre.

De son côté, Bertrand, qui lui avait promis de faire plus attention à elle, avait surtout entendu dans le discours de l'avocat qu'elle ne pourrait pas déménager de sitôt. Il accepta de lancer la procédure, mais il pensait probablement que, face aux difficultés, Hélène renoncerait. En échange, il lui fit comprendre qu'elle était encore sa femme jusqu'à nouvel ordre :

— Tu as entendu ce qu'a dit l'avocat. Nous sommes toujours mariés. Je n'ai pas envie d'être la risée de tout le village, qu'on croie que ma femme se paye ma tête alors qu'elle habite encore sous mon toit.

— Je n'ai pas l'intention de te ridiculiser, rassure-toi. J'ai juste envie que tu me fiches la paix !

— Je t'ai promis que je ferais des efforts. Mais ne me prends pas pour un con non plus, la menaça Bertrand.

Hélène avait bien compris le message : elle ne pourrait pas le repousser indéfiniment. Elle devrait accomplir son devoir conjugal : une clause à respecter avant que le contrat ne soit rompu. Si c'était le prix à payer pour faire avancer la procédure de divorce, elle s'y plierait.

Elle fermait les yeux et tentait de faire affluer quantité d'images de sa future vie durant les quelques minutes dont Bertrand avait besoin pour se soulager. Le fait qu'elle soit inerte dans ses bras ne lui posait pas de problème, car il ne cherchait même plus à savoir s'il lui avait donné du plaisir.

Hélène avait bien conscience de souiller son corps, mais elle ne voyait pas d'autre solution pour faire capituler Bertrand petit à petit. Elle n'était pas de taille à lutter contre lui perpétuellement.

Bertrand tint parole. Son attitude à la maison, face aux enfants, changea durant un temps. Lui qui n'avait jamais levé le petit doigt pour participer aux tâches ménagères qu'il considérait comme exclusivement féminines, aidait à mettre la table et à la débarrasser. Un tout petit rien qui devait lui coûter, qui allait à l'encontre de ses préceptes. Aussi, il se montra moins entreprenant, s'efforçant de maintenir une certaine distance physique.

Cependant, ces efforts le rendaient chaque jour un peu plus exécrable. Aux vignes, alors qu'ils donnaient l'impression de travailler comme tous les autres couples de vignerons, Bertrand ne cessait de proférer le même discours, tel un policier harcelant un suspect par tous les moyens pourvu qu'il avoue le crime.

— Dis-le que tu veux tout le fric pour aller t'envoyer en l'air avec ton amant !

— T'en as pas marre d'imaginer n'importe quoi ! cherchait-elle encore à se défendre.

— N'empêche que si François n'a jamais remis les pieds chez nous, c'est qu'il y a bien un truc entre vous !

— Tu m'as bien fait comprendre que tu ne voulais plus le revoir. Avec ce que tu penses de lui, je ne vois pas pourquoi il reviendrait.

— Mais oui, c'est ça ! Je réfléchis, moi aussi ! Tu crois que je n'ai pas remarqué ton comportement depuis que tu l'as rencontré ? Je suis sûr que dès le premier jour, tu as eu envie de te le faire !

— J'allais déjà mal bien avant, mais tu as toujours été trop préoccupé par ta petite personne pour le voir. Ce que tu ne supportes pas, c'est que lui a vu que j'étais au plus bas.

— Tu t'es conduite comme une salope ! C'est surtout ça qu'il a remarqué et qui l'a excité !

Hélène finissait par se taire. Elle n'avait aucune chance de lui faire entendre raison : seule sa vision des choses avait du crédit. Après tout, c'était ainsi depuis qu'ils étaient mariés ! Combien de fois elle avait espéré qu'un vigneron voisin vienne les saluer ou leur demander un service pour interrompre les crises de Bertrand ! Mais elle avait beau jeter un œil aux alentours, elle ne voyait que quelques silhouettes disséminées ici et là. Même si elle criait, elle doutait qu'on l'entende, surtout en plein hiver où, pour se protéger du froid, les viticulteurs s'engonçaient dans une parka épaisse et recouvraient leur tête d'un bonnet en laine qui les coupait encore un peu plus de ce qui se passait autour d'eux.

Au bout de ces terribles journées, Hélène se sentait laminée, mais renforcée dans sa détermination. Parce qu'il n'était pas concevable de vivre ainsi jusqu'à ce qu'il accepte le divorce et la décision du juge, elle consentait avec un profond dégoût envers lui, mais aussi envers elle, à le laisser assouvir ses envies.

Les premiers mois avaient passé ainsi, entre colères de frustration et pulsions sexuelles assouvies. Hélène attendait d'être vraiment abattue par les discours dégradants de Bertrand avant de lui abandonner son corps. C'était toujours mieux que les rapports incessants auxquels elle avait consenti durant des années. Elle savait qu'elle jouait à un jeu dangereux, mais elle tentait simplement de trouver le juste milieu entre respecter ce que lui disaient son corps et son âme, et s'acheter une paix pour obtenir sa liberté.

Cet équilibre infernal finit par éclater violemment au cours de l'été, un soir de juillet. Hélène dormait déjà depuis quelques heures quand Bertrand rentra de la moisson.

Dès qu'il fut couché, elle sentit son torse nu se coller à elle et sa main se glisser dans sa culotte, à la recherche de l'excitation. A demi consciente, Hélène essaya de se dégager de ces doigts qui s'aventuraient de plus en plus loin, mais Bertrand la fit basculer sur le dos et se positionna sur elle ; elle commença à gesticuler pour le repousser, à lui dire qu'il était tard, qu'elle dormait. Hélène sentait son souffle acide : il avait dû boire quelques verres avant de revenir à la maison, ce qui allait déchaîner ses pulsions.

Dans l'année, il y avait deux moments où il s'enivrait plus que de coutume. Pendant la période des moissons, après avoir remis la machine à faucher dans le hangar d'Yvon Lebrun, il s'attablait avec son compagnon qui ne le laissait pas rentrer avant d'avoir terminé la bouteille de champagne qu'il avait débouchée. Avec la fatigue et les bières qu'ils avaient bues tout au long de la journée, ils perdaient vite le contrôle.

Lors de la fête patronale, il passait l'après-midi du dimanche avec Claude, Gilles et Antoine, attablé à la buvette, comme la plupart des hommes du village. Ils enchaînaient les tournées jusqu'au soir, parce qu'il y en avait toujours un pour aller rechercher une bouteille au bar, et pour croiser des copains qu'ils invitaient à trinquer. Pendant ce temps où ils s'amusaient comme des adolescents, Hélène et ses belles-sœurs emmenaient les plus jeunes enfants au manège, ou géraient la bourse des plus grands qui revenaient régulièrement réclamer dix francs supplémentaires pour acheter une nouvelle série de jetons pour les autos tamponneuses. Au coucher, Bertrand, qui ne retenait plus ni ses paroles déplacées ni ses gestes exacerbés, imaginait que les adultes avaient droit à une fête foraine spéciale qui s'éternisait jusque tard dans la nuit...

Toutefois, ce soir-là, elle n'était pas disposée à céder à son caprice sexuel. D'un ton ferme, elle lui demanda de la laisser dormir. Bertrand ne l'écoutait pas, il lui avait déjà enlevé sa culotte, écarté ses cuisses de force, et s'apprêtait à faire pénétrer en elle son pénis en érection, qu'elle le veuille ou non.

— Ah non, tu ne vas pas recommencer ! Je t'ai dit non ! hurla Hélène.

Elle ne vit pas les yeux de Bertrand dans le noir ; elle ne pouvait qu'écouter le silence inquiétant qui s'était installé. Paralysée par la peur, Hélène ne bougeait plus. Soudain, sans percevoir d'où cela venait, elle sentit un coup s'abattre sur sa joue. Des cris de bête s'échappèrent de sa gorge : des cris remplis d'angoisse et de rage.

Surpris par ses cris, Bertrand relâcha la pression qu'il exerçait sur elle, ce qui permit à Hélène de se précipiter hors du lit et de se diriger vers le couloir. Là, elle alluma la lumière et appela ses enfants. Comme cela avait été souvent le cas, son cerveau n'était plus capable de rassembler des pensées cohérentes. Son cœur battait à tout rompre. Tout ce qui comptait, c'était qu'on l'aide, peu importait comment.

Cette nuit-là lui fit comprendre que non seulement elle jouait avec sa santé mentale en restant sous le même toit que cet homme, mais aussi avec sa vie et peut-être même avec celle de ses enfants.

Définitivement installée dans une autre chambre, Hélène pleura le restant de cette nuit de juillet : elle pleura parce que sa vie dépendait de l'accord d'un juge qui se moquait bien de son quotidien ; elle pleura de culpabilité : elle aurait dû être plus ferme avec Bertrand bien avant, des années plus tôt ; elle pleura de ne pas avoir su préserver ses enfants.

A partir de là, les jours se suivirent : vides.

Machinalement, mécaniquement, parce que cela avait toujours été son rôle, elle apportait encore des sandwiches et des bières fraîches aux moissonneurs. Quand elle repensait aux années précédentes, une vague de tristesse la submergeait. C'était tout un pan de sa vie qui partait en lambeaux.

Début juillet marquait la fin du plus gros du travail dans les vignes, et par conséquent, cela signifiait pour Hélène qu'elle aurait, pendant deux bons mois, un peu plus de liberté.

Les jours où il faisait beau et chaud, elle se levait à cinq heures pour se rendre dans les parcelles avant que le soleil devienne brûlant. Elle coupait à la cisaille les petits brins feuillus, car si on n'entretenait pas, la vigne avait tôt fait de se transformer en petit buisson et les grappes de raisin étaient privées de lumière.

Lorsqu'elle revenait vers dix heures, les enfants étaient habillés et jouaient dans le jardin avec les chiens ou s'apprêtaient déjà à prendre leur vélo pour rejoindre leurs amis. Bertrand était allé faire les dernières vérifications de la moissonneuse-batteuse chez Yvon, ou était parti inspecter la couleur des pailles de colza qui devaient être parfaitement sèches, et goûter la maturité des grains de céréales. A leur texture sous la dent, il était capable de déterminer si les amandes étaient suffisamment dures. Une fois qu'il avait terminé les tests, il repassait à la maison pour manger en vitesse.

Même si elle n'était jamais à l'abri qu'il surgisse derrière elle, puisqu'il était généralement pressé, elle l'esquivait plus facilement. Elle bénissait ces longues journées où elle avait l'assurance de vivre plus de douze heures sans craindre qu'une main se pose sur elle.

En milieu d'après-midi, elle se rendait une première fois dans les champs pour recharger la glacière. Bertrand travaillait avec Yvon depuis une dizaine d'années. En vieillissant, la santé de ce dernier s'était fortement fragilisée à cause de problèmes de dos. Il avait alors proposé aux Lemaire de leur louer une partie de ses terres. Cette association leur avait permis d'obtenir de nouvelles rentrées d'argent pour leur projet d'achat de vignes.

C'était toujours Bertrand qui prenait les commandes de la machine, à son grand plaisir. Il avait toujours aimé manœuvrer les engins viticoles et agricoles, comme on peut se passionner pour la conduite de voitures prestigieuses. Même lorsqu'il descendait de la moissonneuse, noir de poussière, des copeaux de paille dans les cheveux et collés à sa peau, il souriait.

Hélène se demandait comment il parvenait à supporter de rester pendant des heures sous un soleil écrasant, ne respirant qu'une nuée grise qui volait tout autour de la faucheuse.

Le soir, elle apportait de quoi manger. Elle garait la voiture en retrait, suffisamment loin des passages de la machine pour ne pas être infestée par la poussière. Marc et Gaby l'accompagnaient. Ils observaient les épis se faire avaler. Ils dégageaient peu à peu la vue sur les chemins de terre, et reformaient ainsi le quadrillage hivernal. Pour Hélène, au fur et à mesure que les champs se dénudaient, c'était l'été qui s'en allait.

Arrivés au bord du chemin, les hommes les rejoignaient, heureux de se poser quelques minutes, et de partager les anecdotes du silo. Avec le soleil qui tombait, la chaleur se transformait en une douceur veloutée qui les envahissait de bien-être, bercés par le lent ronronnement des autres moissonneuses. A l'ouest, le vignoble, nappé de vert, semblait suspendu dans le temps.

Au retour, ils aimaient s'attarder sur les hauteurs de la campagne, dans ces couleurs mêlées de rose, d'or et de bleu qui enveloppaient les arbres, les hautes herbes et les étendues de terre cultivées qui dévalaient doucement vers le village. Là où colzas, blés et escourgeons avaient été coupés, des chevreuils pouvaient, un bref instant, se laisser contempler avant de bondir avec grâce vers les bois.

Désormais, elle se contentait de déposer la glacière. Elle ne se préoccupait plus de savoir si ce qu'elle avait apporté satisfaisait son mari. Tout comme elle, Bertrand l'évitait. Ils n'échangeaient que quelques paroles de politesse lorsqu'ils se croisaient, sous le regard interrogateur d'Yvon.

C'était étrange. Après avoir appréhendé chaque mot, chaque geste, chaque pas, chaque bruit, même le plus infime, tout s'était éteint et était plongé dans l'obscurité la plus profonde. Cela en était presque effrayant.

Elle ne savait pas exactement ce que lui avait dit Gaby quand il était venu s'assurer qu'elle ne lui en voudrait pas pour son éclat de fureur, mais visiblement ses paroles avaient fait mouche. Ou acceptait-il la fin de leur mariage ? Ou bien peut-être qu'enfin... ENFIN... Bertrand avait commencé à réaliser le mal qu'il avait commis !

Aussi fut-elle surprise quand, à la fin des moissons, Bertrand lui parla de vacances en famille.

— Il est hors de question que j'aille quelque part avec toi !

— Fais-le pour les enfants alors !

— Les enfants ? Tu te moques de qui ? On ne va tout de même pas leur faire croire qu'il peut y avoir encore un espoir après l'été qu'on vient de passer ! s'énerva-t-elle.

— Justement, j'ai pensé que ça nous ferait du bien d'être loin de la maison, dans un autre contexte. Ça nous permettrait de prendre du recul ! Je te promets de ne pas te toucher.

Evidemment ! Elle aurait dû s'en douter. Cette distance qu'il avait soigneusement respectée pendant un mois n'était qu'un leurre. Jamais il ne renoncerait !

— C'est fini entre nous, Bertrand ! Je ne t'aime plus ! Tu devrais surtout profiter de ta semaine de vacances pour te le mettre dans le crâne ! rétorqua Hélène, sarcastique. Souviens-toi d'ailleurs qu'on a rendez-vous avec le notaire le 30 août. Et n'essaie pas de trouver une excuse bidon !

Jusqu'alors, Bertrand avait fait tout son possible pour ralentir la procédure en refusant de signer quoi que ce soit, en s'absentant les jours où ils avaient rendez-vous.

— On parlera de tout ça à mon retour.

Hélène était abasourdie. Bertrand partait ! Il la laissait seule !

Elle n'était pas dupe. Il n'avait pas pour autant dit son dernier mot. Il cherchait simplement à lui prouver qu'il était capable de lui laisser plus de liberté. Mais rien de ce qu'il ferait n'entacherait sa détermination.

Malgré le soulagement de vivre une semaine sans son mari, Hélène ne pouvait s'empêcher de penser à Marc qui s'accrochait désespérément à son père. Elle ne lui en voulait pas de son choix ; elle comprenait même plutôt bien qu'il n'ait pas envie de se déraciner pour une vie incertaine. Mais pour elle, le laisser avec Bertrand sans savoir comment il allait s'en occuper, lui qui n'avait jamais vraiment géré l'éducation des enfants, était un terrible déchirement car elle craignait plus que tout de voir Marc s'éloigner d'elle. Si tous ses efforts pour divorcer de Bertrand aboutissaient, pourrait-elle survivre au cas où l'un de ses enfants en vienne à lui faire payer sa décision ?

Cela paraissait tellement évident lorsque son mari s'approchait d'elle, qu'elle sentait son odeur de sulfate envahir l'atmosphère, lorsqu'elle se souvenait de tout ce qu'elle avait subi. Mais là, seule avec Gaby, elle ne savait plus où elle allait.

Elle passa la semaine à lire et à faire du rangement pour remettre de l'ordre dans son esprit. Elle était épuisée : de tout. Elle avait l'impression qu'il lui faudrait pas moins d'une éternité pour laver son corps, pour réapprendre à vivre.

Elle commençait à peine à se sentir plus détendue que Bertrand était de retour. Hélène l'écouta d'une oreille distraite raconter ses vacances avec Marc. Seule l'entrevue avec le notaire qui devait avoir lieu trois jours plus tard avait de l'importance pour elle. Il fallait que la répartition avance. Impérativement. Elle était si lasse de lutter. Elle ne chercha donc pas à savoir ce qui le rendait si gai. Ses yeux pétillaient comme... comme au temps où elle croyait l'aimer. Une idée effleura son esprit, furtive, impossible. Avait-il croisé la route d'une autre femme ? C'était certainement pure fantaisie de sa part, mais cette intensité dans son regard...

Mais peu importait tant qu'elle n'apprenait pas qu'il avait laissé Marc seul pour s'adonner à son activité favorite. Si sa bonne humeur persistait les prochains jours, ce serait bon signe pour elle.

Trois jours plus tard, le mardi, ils étaient face au notaire. Bertrand ne voulait toujours rien céder. Pour en finir au plus vite, Hélène avait déjà fait de nombreuses concessions : elle avait accepté de sous-estimer le prix de la maison pour qu'il puisse la garder, elle lui laissait pratiquement la totalité de l'exploitation viticole parce qu'il était impossible que les propriétaires cassent les baux de location, l'intégralité des champs, et une partie des meubles qu'elle ne pourrait, de toute façon, pas emporter.

Une fois de plus, il jouait son meilleur rôle face au notaire.

— Si tu veux garder les vignes de Vertus, tu me devras ma part.

— Je ne pourrai jamais te reverser une somme pareille en plus de ce que je vais déjà te donner pour la maison ! se plaignit Bertrand.

— J'm'en fiche ! Autrement, on les vend !

Hélène savait qu'il n'accepterait jamais de se séparer de leurs parcelles de la Côte des Blancs. On ne se débarrassait pas facilement d'une culture qui valait des milliers, surtout si liquider signifiait rendre une partie de l'argent à la banque et partager le reste avec sa femme.

— Voilà ! Vous l'entendez, maître Frayet ! s'énerva Bertrand, prenant à partie le notaire. Pour récupérer du fric, elle se fout de mettre mon exploitation sur la paille ! C'est mon boulot ! Je ne vais quand même pas revendre des biens pour que Madame refasse sa vie bien tranquillement. C'est pas moi qui veux divorcer ! Il faut bien, en plus, que je paye les crédits.

— Bon, bon... On se calme, prononça maître Frayet de son éternelle voix nonchalante.

Hélène avait compris depuis longtemps que le notaire ne serait pas un soutien. Il les laissait se déchirer, et rien n'avançait, sauf quand elle finissait par bluffer ou renoncer.

— Il faudra que vous vous mettiez d'accord. Après cela, il reste un point à éclaircir : vous avez une parcelle à Moussy qui est une donation faite par monsieur Jorin au moment de sa retraite. Cette donation est au nom de monsieur Lemaire. Vous avez réfléchi à cette question ?

— C'est tout réfléchi, non ? rétorqua Bertrand.

— Certainement pas ! Tu ne vas tout de même pas t'octroyer des vignes qui ne te reviennent pas de droit ! Que mon père a plantées quand il partait de rien, qu'il a cultivées toute sa vie avec fierté parce qu'il se disait que ses raisins feraient vivre ses enfants et ses petits-enfants ! Mes parents sont prêts à engager des poursuites si tu persistes à vouloir me les prendre.

Même si les coteaux de Moussy étaient un peu moins recherchés, le champagne produit avait lui aussi tout un prestige. Il offrait une palette de saveurs un peu plus suaves et sucrées que le blanc de blancs. Tout vignoble champenois constituait une manne qu'aucun viticulteur n'aurait aimé voir filer entre ses doigts.

Si rien ne bougeait, il faudrait bien avoir recours à d'autres stratégies. A défaut de faire peur à Bertrand, elle espérait que le notaire ne complique pas davantage le dossier.

— Sauf qu'au moment de la donation, ce qu'oublie de dire ma femme, c'est que mes beaux-parents espéraient me voir reprendre une partie de leur exploitation. Maintenant, forcément, ça a changé parce qu'elle m'a décrit comme le pire des hommes !

— N'importe...

— S'il vous plaît, madame Lemaire ! l'interrompit le notaire. Je vous laisse en rediscuter et on statue au prochain rendez-vous sur les deux derniers points.

Qui allait « statuer » au juste ? Hélène se tut. Décidément, jamais elle ne verrait le bout du tunnel ! Plus le temps s'écoulait, plus elle doutait. A ce rythme, elle finirait par y laisser sa peau. Comment avait-elle pu croire qu'elle serait de taille à résister à Bertrand ?

Résister à Bertrand... Parfois, elle n'en avait plus le courage, la force, le cran.

En septembre, elle le laissa décider de l'organisation des vendanges : trouver de nouveaux vendangeurs et une nouvelle table pour les repas du midi qui se dérouleraient dans leur grange, puisqu'il avait décrété que la récolte ne pouvait plus se faire avec Claude et Michèle. Il avait ainsi dû engager des frais pour acheter le matériel qu'ils empruntaient habituellement à ses beaux-parents : sécateurs, paniers, imperméables, caisses. Hélène agit comme un automate, avec pour seule consolation la certitude que cela ne durerait pas plus d'une semaine. Elle s'occupa de la cuisine sans plaisir, et chaque soir, secrètement, elle regagnait la salle de bains pour y dormir. Privée de toute énergie, et tétanisée par la peur qu'il entre dans une terrible rage sous le regard des quelques vendangeurs qui logeaient chez eux, elle ne put empêcher Bertrand de se satisfaire en elle un soir où elle avait eu le malheur d'oublier de fermer la porte de sa chambre de fortune.

Sur l'instant, elle avait pensé qu'elle supporterait ce nouvel outrage. Elle s'était dit qu'elle avait déjà subi tant de souffrances et d'humiliations qu'elle ferait face encore une fois. Mais les jours qui suivirent, tout souffle de vie avait quitté son corps. Elle respirait, elle sentait le sucre fermenté des raisins écrasés sur le chemin, entendait le bruit, au loin, des allées et venues des tracteurs transportant des caisses remplies à ras bord. Pourtant, il n'y avait plus rien d'autre que du froid en elle.

Elle ne pleurait plus. Elle avait simplement l'impression que quelque chose au plus profond de son être s'était dédoublé et qu'elle observait son enveloppe charnelle de l'extérieur. Elle regardait avec compassion ce corps bouger, exécuter péniblement les gestes du quotidien, impuissante à lui venir en aide, à l'extraire de sa prison.

Comment trouver l'air qui lui manquait tant ? Se contenter d'attendre désespérément que la procédure de divorce avance anéantissait le temps. Elle finissait par croire qu'il n'y aurait jamais rien d'autre que cette existence de torpeur.

Quelques semaines après les vendanges, elle ne cessait de se répéter qu'elle ne voulait plus jamais revivre pareille récolte, seule dans sa cuisine, à écouter les rires de Bertrand qui se vantait d'être désormais l'unique chef sans sa belle-famille, et obligée de se cacher dans sa propre maison pour essayer de dormir en paix. Sans rien dire, elle prit rendez-vous à l'ANPE. Se taire serait peut-être son meilleur allié. Eviter les confrontations qui avaient épuisé ses forces.

Un peu anxieuse, Hélène franchit le seuil de l'établissement, et se dirigea vers le comptoir d'accueil. L'hôtesse lui tendit un formulaire d'inscription qu'elle dut remplir avant d'être reçue par une employée. Celle-ci examina la feuille tout en lui jetant de temps à autre des coups d'œil en coin, sans lui sourire. A la fin de la lecture, tout ce qu'elle trouva à lui dire ce fut « dommage ! » d'un air condescendant. A ses yeux elle n'était rien de plus qu'une autre paumée sans intérêt.

Pour empêcher la honte de marquer son visage, Hélène fixa les mains de l'employée. Elles étaient fines, lisses, sans crevasses ni coupures, les ongles vernis d'un rose tendre, sans une once de résidu de terre. Des mains qui ne connaissaient pas le travail physique, qui semblaient si jeunes... Elles étaient tout simplement belles. Hélène resserra ses propres mains sur ses cuisses pour les dissimuler non pas à la personne qui se tenait face à elle, mais à elle-même qui se sentait vieille, dévastée par le temps et l'usure de sa vie avec Bertrand, à seulement trente-six ans.

« Dommage », en effet ! Mais comment expliquer à cette femme qu'on ne lui avait pas vraiment laissé le choix. De peur qu'elle ne vive dans le péché, on avait préféré qu'elle se marie le plus rapidement possible, et puis, en épousant un vigneron, elle se devait d'être vigneronne, alors à quoi bon terminer ses études de secrétariat ! A l'époque, cela n'avait été une préoccupation pour personne, même pas pour elle. Maintenant, elle savait combien ces études inachevées étaient un solide maillon qui l'enchaînait encore à Bertrand.

Hélène tenta de se justifier en racontant qu'elle avait toujours travaillé au côté de son mari en tant que « conjoint d'exploitant ».

— C'est déjà ça ! s'exclama la femme. Mais vous devez certainement savoir que c'est une cotisation dérisoire, c'est-à-dire que si vous vous séparez de votre mari, alors que vous n'avez pour ainsi dire aucun diplôme, vous risquez au moment de la retraite de ne pas avoir cotisé assez pour vivre décemment jusqu'à la fin de vos jours.

Hélène était aussi sonnée qu'une boxeuse qui vient d'être mise K.-O. Ils avaient pensé à sa retraite en faisant le choix de payer une cotisation pour qu'elle touche quelque chose plus tard, mais elle devait admettre qu'elle ne s'était jamais préoccupée de savoir à combien ce revenu s'élèverait. Ainsi, parce qu'elle était « femme d'exploitant », elle n'avait pas de réalité aux yeux de la société, comme si c'était évident que son mari, le « chef d'exploitation », avait seul le mérite, et que son travail ne valait rien. Pourquoi était-elle là ? Juste pour croquer les bénéfices de l'exploitation peut-être ? Rien n'avait donc de valeur ? Tout comme elle-même n'avait aucune valeur en tant que femme dans l'esprit de Bertrand ! Et tout ce temps où elle avait courbé l'échine, pour tailler les sarments qui lui opposaient souvent une féroce rigidité ? Et toutes les fois où elle s'était broyé les omoplates et les lombaires à porter le pulvérisateur à dos pour différents traitements des plants ? Et lorsque sa main s'engourdissait à force d'avoir tiré mécaniquement la pince à lier pendant des semaines, jusqu'à ce que tous les brins soient attachés efficacement au fil de fer ? Et que dire du froid, de la pluie, qui s'abattaient sur ses épaules, transperçaient ses vêtements pour atteindre sa peau, alors qu'elle devait continuer à s'occuper de la vigne coûte que coûte ? Rien ne comptait-il donc ?

Il faudrait repartir de zéro, y compris pour sa carrière professionnelle ! Combien de fois Bertrand lui avait-il répété qu'elle n'avait rien, qu'elle ne pourrait pas vivre sans lui ! Savait-il à quel point il la maintenait prisonnière ?

Hélène, découragée, regarda la femme qui se tenait face à elle sans rien oser rétorquer. Elle se mordit les lèvres pour ne pas se mettre à pleurer et accroître la honte qui la tenaillait.

— Vous n'êtes pas la seule dans ce cas. Face à tous les crédits et à la somme de travail qu'une exploitation viticole ou agricole impose, les gens ne pensent pas à préparer la retraite de la femme. Vous avez encore de la chance par rapport à certaines que les maris refusent de déclarer comme « conjoint travaillant » afin de ne pas alourdir leurs charges, et parce qu'ils considèrent que c'est inutile de payer une cotisation supplémentaire alors que tout l'argent va au foyer. La plupart de ces chefs d'exploitation n'envisagent pas que leur femme puisse être amenée un jour à rêver d'autre chose.

Hélène l'avait appris à ses dépens, mais que d'autres femmes soient dans sa situation ou que ce soit pire pour d'autres ne la rassurait aucunement ; cela ne lui donnait pas de solution pour son avenir.

— Ne vous découragez pas, et ne considérez pas non plus toutes ces années perdues. Je ne vous cache pas que si vous voulez une retraite plus importante, vous n'avez pas fini de travailler, mais vous êtes encore jeune, vous avez encore du temps devant vous pour arranger la situation. De notre côté, nous allons faire le nécessaire pour vous trouver un emploi qui puisse vous convenir. Sachez toutefois que vous n'avez, pour ainsi dire, pas de qualification. Ne vous attendez pas à quelque chose de mirobolant ! Je peux commencer par vous inscrire à un stage en informatique. Vous apprendrez les bases. De grosses entreprises s'équipent de plus en plus, et commencent à rechercher des personnes qui ont quelques connaissances dans la gestion de données.

Face à la mine soupçonneuse d'Hélène, l'employée ne put s'empêcher d'ajouter, d'un air supérieur :

— Madame, nous sommes en 1995, le monde évolue !

Sans relever la pique, Hélène accepta cette formation. Elle ne pouvait pas se payer le luxe de faire la fine bouche, même si elle ne voyait pas en quoi débuter l'informatique allait lui être utile, car les ordinateurs, pour elle, s'apparentaient à de gros gadgets pour les grands enfants. Elle ressortit de cet entretien dépitée, réalisant qu'il lui faudrait compter d'abord sur elle-même avant d'espérer que la société lui vienne en aide.

Elle débuta le stage quelques jours plus tard pour une durée de trois semaines. Elle informa Bertrand à la dernière minute afin qu'il ait le moins de latitude possible pour s'immiscer dans ses projets. Il n'avait pas été ravi d'apprendre qu'elle s'absenterait le mardi et le jeudi pour ne rentrer qu'à dix-neuf heures, mais il retint tout commentaire, certainement parce qu'il se réjouissait que l'ANPE ne lui ait rien proposé d'autre.

A l'issue de la première séance, même si elle avait plutôt bien exécuté les premières manipulations sur l'ordinateur, elle se sentait encore dépassée par ce monde qu'elle ne connaissait pas, qui avait évolué sans qu'elle s'en rende compte. On concentrait désormais des textes, des chiffres, virtuellement, alors qu'elle avait effectué manuellement ces mêmes tâches pendant des années. Saurait-elle rattraper le temps perdu ? S'acclimater à ces nouveautés ?

151

Perdue dans ses réflexions, elle mit un certain temps avant de comprendre ce qu'était en train de raconter Bertrand lorsqu'ils se mirent à table ce soir-là. Il parlait d'une certaine Laurence, qu'il avait rencontrée à un apéritif chez le maire, après un conseil municipal, deux semaines auparavant.

Bertrand, volubile, ne tarissait pas d'éloges au sujet de cette femme. Il semblait avoir trouvé la perle rare. Il finit par s'interrompre pour demander à Hélène :

— Tu ne dis rien ? Ça ne te gêne pas ?

— Qu'est-ce que tu veux que ça me fasse ? Tant mieux pour toi !

— C'est tout ce que ça t'inspire ? insista Bertrand.

— Dans quelques mois, je serai partie, alors oui. Tu vas peut-être me laisser tranquille maintenant ! répondit Hélène, qui retrouva tout à coup un peu de piquant.

Bertrand ne sut quoi répliquer. Face à l'indifférence de sa femme, son enthousiasme retomba comme un soufflé.

— Je croyais que tu ne voulais pas que les gens sachent pour nous. Si tu as une maîtresse, tout le monde va se poser des questions, reprit Hélène.

— Tant pis, de toute façon, ça jase déjà depuis quelque temps. Les gens commencent à se poser des questions, avec la tête que tu faisais face à Yvon aux moissons, et les vendanges que nous avons faites intégralement chez nous !

— Finalement, tu te préoccupes de la réaction des gens seulement quand ça t'arrange. Maintenant que tu as trouvé quelqu'un, ça t'est égal. Tu n'es pas croyable ! ne put s'empêcher de faire remarquer Hélène.

Habituellement, quand sa femme se montrait incisive, Bertrand rétorquait aussitôt, ne tolérant pas son impertinence, mais ce soir-là, tout à son aventure, il avait perdu son mordant. Pendant ce temps, les enfants continuaient à manger en silence, tout en regardant la télévision, ne prêtant qu'une oreille distraite à la discussion. Cela faisait longtemps qu'ils avaient appris à se blinder contre les horreurs que leurs parents échangeaient.

— Et ça va, elle ne te trouve pas un peu trop pressant au lit ?

Hélène ne put résister à la tentation de lui signifier que sa maîtresse ne tarderait pas à s'apercevoir de ses besoins impérieux.

— Non, pas du tout. Elle, elle aime ça. Ça prouve surtout que c'est toi qui avais un problème de ce côté-là. T'as toujours détesté ça de toute façon.

Cette fois, ce fut Hélène qui se tut. Elle se retint de rétorquer devant Marc et Gaby ; elle était déjà allée trop loin. Finalement, si ce qu'il disait était vrai, il avait peut-être trouvé une femme qui le satisferait. Il avait raison sur un point : elle, elle n'aimait pas ça.

Hélène chassa très vite ces pensées. Bertrand avait trouvé quelqu'un et au moins elle n'avait plus rien à craindre. C'était inconvenant mais elle pouvait juste espérer que cette Laurence ne déchante pas trop vite, et qu'elle s'accroche suffisamment à Bertrand pour rester avec lui. C'était peut-être elle la lumière qu'elle cherchait tant.

Cette liaison donna lieu à une période de grâce pour Hélène qui sentait l'énergie réinvestir son corps au fur et à mesure que son mari découchait. Il tentait bien de provoquer en elle une réaction de jalousie, ou de la faire culpabiliser en lui disant que s'il en était réduit à voir une autre femme, c'était parce qu'il était malheureux, qu'elle le repoussait depuis trop de temps, mais il ne cherchait plus à la rabaisser, ni à la coincer au détour d'une pièce. Elle respirait à pleins poumons pour la première fois depuis des siècles !

La chance continua à lui sourire. Elle avait à peine terminé son stage en informatique que l'ANPE la contacta pour lui proposer un CES[1] à l'hôpital d'Epernay. Elle avait vite assimilé les rudiments d'Excel et de Word, et peut-être s'était-on rendu compte qu'elle n'était pas aussi sotte que son dossier le laissait présager. Elle devrait assister les secrétaires et faire principalement du classement de dossiers. Même si c'était bien loin de ses ambitions, ce contrat était la première étape concrète qu'elle obtenait. Elle accepta donc sans hésiter.

Bertrand ne s'enthousiasma pas à l'idée qu'elle ne travaillerait plus à temps plein aux vignes, d'autant plus qu'ils s'apprêtaient à commencer la taille, la tâche la plus longue et la plus rude de l'année. Seul, il n'en verrait jamais le bout ! Hélène lui rappela alors

---

1. CES : Contrat emploi solidarité mis en place par Michel Rocard en 1990. Les CES ont été remplacés par les contrats d'accompagnement dans l'emploi (CAE) en 2005, eux-mêmes remplacés par les contrats uniques d'insertion (CUI) en 2010.

l'engagement qu'il avait pris l'année passée d'embaucher quelqu'un pour la reposer. Il se contenta de maugréer que ce besoin d'indépendance le gonflait, que les femmes oubliaient leur rôle, mais deux jours plus tard, il avait trouvé un jeune du village ravi d'arrondir ses fins de mois.

Un mardi après-midi de décembre, Hélène franchit l'enceinte de l'hôpital Auban-Moët, et alla se garer près de la chapelle. Elle se rendit au bâtiment de la chirurgie, à l'arrière de celui des urgences. Au premier étage, elle trouva le secrétariat, et fit connaissance avec Marianne Leclerc, une grande brune d'une cinquantaine d'années, à l'air sympathique, qui lui expliqua en quoi consisterait son travail.

En dix minutes, elle avait oublié à quoi ressemblait habituellement sa vie, écoutant avidement Marianne qui, avec beaucoup de calme et de patience, lui donnait le détail de ce que devaient impérativement contenir les dossiers médicaux avant d'être rangés. A la fin de l'après-midi, son sang tambourinait dans sa tête. Elle apprenait l'agitation d'un travail de bureau, entre les va-et-vient des trois chirurgiens, et la somme d'informations qu'il fallait imprimer dans son cerveau !

— Ne t'inquiète pas ! Ça va aller ! la rassura Marianne au moment où elle la remerciait pour cette première demi-journée. Si tu as le moindre doute, n'hésite pas !

— Très bien. A jeudi alors.

Même si elle se sentait fatiguée, Hélène avait déjà hâte de revenir. Deux jours et demi par semaine pour commencer une nouvelle vie. Pas à pas, elle avançait...

Arrivée à hauteur de sa voiture, elle marqua un temps d'arrêt. Se couper avec une telle intensité de son quotidien rendait le retour impossible. Que ne donnerait-elle pas pour ne plus revoir Bertrand ! Jamais !

Résignée, elle se mit au volant de sa 405 Peugeot grise, et démarra. Elle se trouvait qu'à quelques kilomètres de Moussy et pourrait profiter de cette occasion pour aller voir ses parents, mais soudain, face à la caserne militaire, elle bifurqua à gauche. Elle se gara, et courut s'engouffrer dans une cabine téléphonique.

Elle jeta un rapide coup d'œil alentour, pour vérifier que personne ne l'observait. Elle réfléchit encore un instant : le numéro à composer ne lui revenait pas. Tant pis : elle passerait par les renseignements. Elle fouilla dans son porte-monnaie, et en extirpa un maximum de pièces pour s'assurer qu'elle ne serait pas coupée. Elle se répéta en boucle les chiffres que l'opératrice lui transmit, puis, d'une main fébrile, appuya sur les touches pour joindre le seul ami auquel elle avait dû renoncer.

— Allô ! prononça une voix rieuse, qui donnait instantanément envie d'engager une conversation légère.

— C'est Hélène.

— Hélène ! Ça va ? demanda-t-il d'un ton subitement inquiet, visiblement très surpris de l'entendre.

— Oui. Oui. Ce n'est pas tous les jours facile, mais je tiens le coup.

— Je pense à toi souvent, tu sais. Tu n'imagines pas combien j'ai parfois envie de venir jusque chez toi, simplement pour vérifier que tu vas bien. Je me sens lâche de t'avoir laissée comme ça, avec ton mari !

— Tu n'as pas à t'en vouloir de quoi que ce soit ! Au contraire, tu m'as poussée à prendre ma vie en main.

Brièvement, parce qu'elle n'avait déjà presque plus de pièces, Hélène lui raconta où elle en était, et sa fierté d'avoir débuté une activité indépendante.

— Promets-moi d'essayer de m'appeler de temps en temps maintenant que tu vas être un peu plus libre.

Hélène s'apprêtait à répondre lorsqu'elle entendit des « bip » répétés, qui signifiaient que la conversation avait été coupée. Agacée, elle plongea sa main dans tous les recoins de son sac, sans trouver le moindre franc.

Elle finit par sortir de la cabine, néanmoins rassérénée d'avoir pu parler avec François, et avec cette promesse en suspens de s'octroyer d'autres instants comme celui-ci. Hélène conduisit avec le plaisir d'observer le paysage marnais. De grandes étendues d'eau bordaient la route entre Epernay et Mareuil, engloutissant une partie des terres agricoles. Malgré le lac du Der, la Marne sortait fréquemment de son lit, et formait un vaste miroir dans lequel le ciel gris se reflétait en une symétrie étourdissante.

Malheureusement, alors qu'elle n'avait toujours pas trouvé d'appartement ni obtenu l'accord du juge pour quitter la maison, Bertrand parla sans détour de sa rupture, à table, un soir de février, aussi simplement qu'il avait annoncé sa rencontre trois mois plus tôt :

— C'est fini avec Laurence. Ça la dérange que je sois encore marié. Elle pense qu'elle va passer pour une briseuse de ménage. Les gens ont vite fait de colporter des ragots, et elle ne veut pas être liée à des rumeurs. On livre nos raisins où elle bosse, à Aÿ, et elle n'a pas envie que, chez Roederer, on lui fasse des remarques. Elle m'a dit qu'elle avait assez donné par le passé.

— Je la comprends. Je pense qu'elle a raison de se protéger, même si je suis désolée pour toi, dit Hélène.

Elle était surtout égoïstement déçue pour elle-même, car elle savait, dès cet instant, que Bertrand allait reporter son attention sur elle, ce qui l'angoissait déjà.

Hélène ne s'était pas trompée. En une semaine, sa vie était redevenue un véritable enfer. Il l'accusait d'être responsable de sa rupture avec Laurence. La peur d'être seul, sans femme, le rendait fou. Maintenant que sa liaison avait dû filtrer ici ou là et que les langues se déliaient, Bertrand divulguait à qui voulait l'entendre les dessous de sa vie conjugale. Il n'hésitait pas à salir Hélène, qui avait toujours été appréciée pour sa serviabilité et sa discrétion. Elle s'était beaucoup investie pour le village : elle n'avait jamais refusé de tenir un stand de jeu aux kermesses et aux fêtes nationales, ni de participer à l'organisation des randonnées et des brocantes.

Bertrand, qui était originaire de Mareuil, connaissait par cœur les rouages d'un village de campagne. Tout le monde se mêlait de la vie des uns et des autres. Les gens pouvaient se montrer cruels et solidaires quand il s'agissait de s'acharner sur quelqu'un. Au bout d'un certain temps, plus personne ne savait pourquoi telle ou telle personne était devenue la bête noire du village, mais la réputation était faite, ferme et définitive. Des familles de vignerons étaient installées ici depuis plusieurs générations. Ils étaient les meilleurs ennemis, se disputant fréquemment pour des histoires viticoles mais se soutenant contre les intrus en tout genre.

Bertrand se faisait passer pour la victime d'une femme qui se serait révélée vénale et coureuse. Il racontait qu'Hélène était sur le point de partir avec son amant, pour le laisser sur la paille, lui, l'enfant du village qui s'était toujours battu pour ses vignes et ses champs, lui, le conseiller plusieurs fois élu par la population. Fou d'amour, il n'avait rien vu venir et était inconsolable !

Hélène avait bien vu le regard des gens changer, les conversations qui s'arrêtaient à son approche, les têtes qui se détournaient pour éviter de lui dire bonjour, mais elle n'y avait pas prêté beaucoup attention : elle avait déjà fait le deuil de sa vie sociale et savait qu'elle reviendrait très rarement à Mareuil par la suite.

Toutefois, elle fut surprise quand un midi, en sortant de la boulangerie, une vieille dame, qui avait toujours connu Bertrand, l'interpella avec une agressivité inhabituelle :

— J'ai appris que tu voulais divorcer, commença-t-elle sans préambule. Je suis atterrée. Je ne comprends pas. Tu as un mari courageux, gentil, vous avez réussi à vous établir une bonne situation, vous avez une belle maison, deux grands enfants qui réussissent bien jusqu'à présent, qu'est-ce que tu veux de plus ? Ça me dépasse complètement !

Abasourdie, Hélène parvint à lui répondre, après un temps de réflexion :

— Comment pouvez-vous juger ? Vous savez, une fois que vous avez fermé la porte d'une maison, personne n'a idée de ce qui s'y passe réellement.

— Oh, ça va, Bertrand n'est pas le pire des hommes ! Sous tes airs bien aimables, on aurait surtout dû se méfier. Les Lemaire, ce n'est pas n'importe quelle famille ici !

— Puisque vous croyez tout savoir, vous avez certainement raison, ironisa Hélène, mécontente qu'on vienne ainsi la blâmer.

— Laissez tomber, Jacqueline ! Encore une qui n'en a jamais assez, intervint une autre femme.

Hélène resta un instant bouche bée. Sa belle-mère qui ne lui avait pas adressé le moindre mot depuis des années se permettait de donner son avis. De qui se moquait-on ? Elle qui n'avait pas levé le petit doigt pour se réconcilier avec son fils venait lui faire la leçon !

Tout à coup, elle comprit ce qu'elle cherchait à faire. Bien sûr, tout allait être de sa faute ! L'excuse était toute trouvée pour justifier sa brouille avec son aîné. Elle ne tarderait probablement pas à raconter qu'elle avait tout simplement fait le nécessaire pour protéger son domaine.

— Si vous parvenez encore à vous regarder dans un miroir, Lucie, je vous souhaite bien du courage !

Sans laisser le temps à sa belle-mère de répliquer, Hélène tourna les talons. Elle entendait déjà les deux femmes poursuivre leur conversation d'un ton à la fois furieux et assuré, persuadées l'une et l'autre d'avoir vu juste.

De quoi se mêlaient-elles ? Que connaissaient-elles de sa vie intime, de toutes ses années de mariage ? La première s'était contentée de partager quelques verres avec eux, tandis que l'autre n'avait pas franchi le seuil de leur maison depuis qu'elle avait annoncé à son fils qu'il n'était pas près de reprendre le domaine viticole.

Une fois chez elle, elle rapporta cette conversation à Bertrand, insistant pour savoir ce qu'il était allé raconter. Sans surprise, elle n'obtint rien de lui. Il se contenta de lui dire qu'il n'y était pour rien, que les gens se faisaient leurs propres opinions, qu'ils avaient très certainement découvert qui elle était vraiment et qu'elle devait les décevoir.

— Au moins, tu auras le plaisir de revoir ta mère ! railla Hélène.

6

Tendre. Envoûtant. Une douce chaleur sous ma peau.

Etaient-ce la puissance et l'émotion de la voix de Michael Jackson sur *Earth Song*, ou bien étais-je réellement en train de me laisser emporter par le charme de ce beau brun qui m'embrassait avec une délicatesse que je croyais n'exister que dans les romans à l'eau de rose ?

Les yeux fermés, j'avais l'impression que nous étions seuls au monde, les notes de plus en plus intenses du roi de la pop résonnant dans ma tête. La moindre fibre de mon corps était en éveil, prête à éclater. Un instant magique, étrange, mêlé d'un raz-de-marée intérieur capable de tout dévaster en moi.

Brusquement les lumières furent plus vives, et le rythme musical redevint enjoué. J'ouvris péniblement mes yeux, qui rencontrèrent aussitôt ceux de Fred. Je restai plantée face à lui, refusant encore pour quelques secondes de briser ce que nous venions de partager. Mais déjà les danseurs se bousculaient pour se trémousser sur *Scatman*, qui n'en finissait pas d'envahir les ondes depuis sa sortie. Fred me sourit, puis me prit par la main pour me tirer hors de la piste de danse.

Nous retrouvâmes les autres non loin de la cabine grillagée du DJ. J'étais venue avec Carole et Ange, comme cela nous arrivait chaque vendredi soir des vacances scolaires depuis notre rentrée. Le Tap Too, la boîte la plus en vogue de la région, offrait l'entrée aux filles, ce qui n'était pas pour nous déplaire. Fred, que je n'avais vu qu'une seule fois avant cette soirée, était accompagné de Loïc et Nico, deux garçons de ma classe de première littéraire, et avec lesquels je m'étais liée d'amitié. L'ambiance crêpage de chignon de la majorité des filles de la classe m'avait vite agacée ; j'avais préféré la compagnie des garçons, plus drôles et plus simples. Mes nouveaux acolytes venaient rarement au Tap Too, parce que leur truc, c'était plutôt se retrouver entre mecs dans un garage à boire des bières autour de quelques joints. Ils faisaient ce soir-là une exception pour jouer les entremetteurs. Quelques semaines plus tôt, j'avais croisé Fred chez Loïc, à Cumières, un village niché au pied de la Montagne de Reims. Depuis, il ne cessait de me dire que j'avais tapé dans l'œil de son pote. Avec un air de défi, je lui avais dit :

— Tu n'as qu'à l'amener au Tap Too, et on verra !

Le Tap Too. C'était un vaste complexe installé près des bords de la Marne qui séparaient Epernay de Magenta, et principal lieu de rassemblement de la jeunesse sparnacienne, militaire, lycéenne, champ-ardennaise, axonaise, parfois même pari-

163

sienne. L'un des rares endroits où je me sentais bien, loin des grottes de l'enfer de la maison, toujours plus profondes. Sur l'estrade surplombant le dance floor, j'étais libre. De tout. De mes gestes. De ma peur. De ma rage. Je dansais avec une énergie folle, démente, qui mène à l'oubli.

Je restais le plus souvent dans la grande salle principale où le DJ diffusait les titres du moment qui passaient sur les ondes. Malgré l'affluence, on gardait une certaine aisance dans nos mouvements et déplacements. J'aimais déambuler dans la boîte, juste pour regarder la tête des gens que je croisais, ou expérimenter les passages secrets qui menaient d'une pièce à l'autre, mais je ne m'attardais guère. Je ne supportais pas la musique techno de l'underground, encore moins la dream trance que je trouvais angoissante, et je préférais laisser les homos entre eux. Me faire passer pour une lesbienne n'était pas mon trip. Parfois, avec Carole et Ange, nous descendions dans la zone interdite réservée aux plus de vingt-cinq ans, par jeu, pour tester notre féminité en devenir, mais nous regagnions vite notre univers.

Nos amis échangèrent un sourire complice lorsque Fred les informa qu'on les rejoindrait sur la piste un peu plus tard. Je le suivis, toujours en lui tenant la main. Nous finîmes par trouver une place sur l'une des banquettes au fond de la salle. J'en profitai pour le détailler un peu plus. Je me fis la remarque que c'était de loin le plus beau de mes flirts : les cheveux bruns coupés en une brosse courte pas trop laquée, le teint mat des Méditerranéens, les yeux chocolat, les lèvres charnues, et les traits fins des garçons qui plaisent aux filles. Plus je le regardais, plus je me sentais défaillir. Contrairement à d'autres, il ne cherchait pas à promener ses mains sur moi comme un obsédé. Cela me rassura. Je me collai encore un peu plus contre lui. Je sentais l'odeur délicate de son parfum imprégnée sur son tee-shirt. Au son de la musique, nous nous embrassâmes encore et encore, goûtant au plaisir des premiers instants.

La fin de la soirée arriva trop tôt. Carole vint m'avertir que sa mère devait nous attendre sur le parking. Aux vestiaires, je demandai à l'une des hôtesses un stylo et notai mon numéro de téléphone sur le ticket qui m'avait servi à récupérer mon manteau. A peine le temps d'un dernier baiser que Carole, lassée de m'attendre, agrippait l'une de mes manches pour me conduire vers la sortie.

Dehors, je fus happée par une bise glaciale, qui me rappela que nous étions au début du mois de février. Le froid avait d'ailleurs bien failli nous priver de notre sortie, car depuis qu'il avait neigé deux jours auparavant les températures restaient négatives. Nous avions dû insister pour que l'une de nos mères accepte de venir nous rechercher en pleine nuit, sur les routes verglacées. Des amas blancs cristallisés étaient disséminés sur les bordures du terrain vague qui faisait office de parking, et des plaques glissantes s'étaient formées sur les nids-de-poule qui creusaient la fine grève de l'aire de stationnement.

Le lendemain, Fred m'appela en début d'après-midi. Il regrettait qu'il se soit remis à neiger, car il serait bien venu me voir. J'en étais désolée aussi : je mourais d'envie de prolonger les instants de la veille.

J'avais à peine raccroché que le téléphone sonna de nouveau, et que j'entendis la voix agacée de mon père crier du bas de la cage d'escalier.

— Gaby ! C'est pour toi ! Et ne monopolise pas la ligne, s'il y a des gens qui veulent nous joindre...

Oui ! Comme à chaque fois ! Sauf qu'à en juger par sa mauvaise humeur de ce midi, il attendait peut-être réellement un appel. Sa nana, je ne parvenais pas à employer le mot « maîtresse », était partie pour le week-end chez des amis dans la Meuse. Je ne savais pas pourquoi il en était aussi contrarié, et je m'en moquais bien. Je regrettais seulement sa présence qui allait nous gâcher notre samedi soir. Depuis trois mois qu'il la fréquentait, nous nous réjouissions de le voir quitter la maison vers dix-huit heures pour ne revenir que le lendemain matin. Nous avions vite pris l'habitude d'être tranquilles.

Je retournai dans la chambre de mon père, et m'emparai du combiné. Toujours prêt à vivre une grande aventure, Steph s'enquit de ma dernière soirée.

— Visiblement, t'es déjà bien renseigné ! lui répliquai-je faussement mystérieuse, incapable, de lui cacher quoi que ce soit.

— Comment il est ?

— Pas pour toi !

— Ah ! Très drôle !

J'assouvis sa curiosité. Jamais je n'avais peur de me livrer à Steph, et pas seulement à cause de son penchant similaire au mien. Tout simplement parce qu'une confiance aveugle était née le jour où il m'avait sauvée des griffes de Jérémie Jobert. Hormis Steph, personne n'avait jamais rien su de cette persécution.

— Tu crois qu'on peut tomber amoureux en quelques heures seulement ?

— J'en sais rien ! Certains le disent.

Mon expérience était quelque peu limitée. En troisième, j'avais passé l'année scolaire à faire les yeux doux à un élève de ma classe qui s'était décidé à m'embrasser à la va-vite le jour des vacances. On s'était écrit quelques fois durant l'été, mais dès la rentrée nous nous étions oubliés. En seconde, j'avais découvert qu'on s'embarrassait beaucoup moins qu'au collège pour faire comprendre à quelqu'un qu'on avait envie de sortir avec lui. Un mois après mon entrée au lycée Léon-Bourgeois, j'avais flirté avec un élève de première qui m'avait demandé une cigarette, puis un peu plus tard avec un autre garçon de seconde rencontré par l'intermédiaire d'Ange. Avec lui, je m'étais imaginé vivre ma première vraie histoire d'amour, mais elle fut vite avortée lorsqu'il m'invita un samedi après-midi chez lui avec pour seul objectif de me mettre dans son lit.

— J'ai juste envie d'être avec lui, et de l'embrasser encore et encore !

— En effet, ça ne te ressemble pas trop de dire un truc pareil ! plaisanta Steph. Dès qu'il vient à Mareuil, tu me le présentes !

— Je vais peut-être le garder uniquement pour moi ! rétorquai-je, taquine.

— N'y compte pas !

Alors que nous continuions à plaisanter, nous entendîmes un grésillement, signe que quelqu'un avait décroché un autre combiné dans la maison : soit mon frère pour m'enquiquiner, soit mon père pour m'avertir que j'avais passé assez de temps au téléphone. Coupés dans notre élan, nous mîmes fin à notre conversation. Nous nous étions promis de nous voir dès le lendemain après-midi si nos parents respectifs n'avaient rien prévu.

Le mercredi suivant, il faisait toujours trop froid pour que Fred puisse s'engager sur les routes de campagne avec son scooter. Même si seulement quelques kilomètres séparaient Cumières de Mareuil, sa mère lui avait interdit de prendre la route. Puisque personne ne pouvait me conduire, il était prêt à braver l'autorité parentale pour venir me voir.

A la place, je lui proposai de prendre le bus jusqu'à Epernay. Cela nous imposait de rester en ville tout l'après-midi, mais cela valait mieux que d'être imprudents. Quand je descendis du car, il m'attendait déjà à la gare routière, derrière l'église Notre-Dame, emmitouflé dans un gros anorak noir et un bonnet en laine de la même couleur.

Le ciel, une vaste chape gris foncé, pesait sur les toits des différents bâtiments. Tout semblait recouvert d'un linceul de tristesse.

Toutes les personnes qui avaient fait le trajet avec moi se dispersèrent rapidement. Place Mendès-France était l'endroit idéal lorsqu'on arrivait dans le centre-ville d'Epernay, car il suffisait de faire quelques mètres pour se rendre au théâtre Le Salmanazar, à la gare, ou au cinéma, Le Palace. Sur la droite, on accédait rapidement aux commerces.

Fred avança vers moi. Nous nous embrassâmes timidement.

— Tu es venu comment finalement ? demandai-je pour ouvrir la conversation.

— J'ai fait du stop.

— Et pour tout à l'heure ? Il fera nuit ! fis-je, horrifiée.

— Mon père viendra me chercher.

— Ah ! soupirai-je soulagée.

Main dans la main, nous nous dirigeâmes vers la rue Gambetta, que nous remontâmes pour aller nous engouffrer à l'intérieur du bar Le Progrès, qui faisait face au monument aux martyrs de la Résistance de la place de la République.

Nous commandâmes deux demis à la pêche. Nous nous sondions mutuellement. Je le trouvais encore plus beau, là, au grand jour, malgré le look polaire bariolée – jean qui me rebutait habituellement. Je me fis la remarque que je n'étais guère plus à mon avantage avec mon pantalon moulant à carreaux noirs et blancs et mon pull col roulé. Je réservais mes tenues sexy pour mes soirées au Tap Too. Le reste du temps, j'étais on ne peut plus banale : moyennement grande, avec un style passe-partout qui ne mettait aucune de mes formes en valeur. Quant à mes yeux bleus, peut-être mon seul véritable atout charme, je ne prenais généralement pas le temps de les maquiller, alors on ne les voyait pas plus que d'autres.

Tout à coup, je m'aperçus que je ne ressemblais en rien à la fille qu'il avait rencontrée, avec ses yeux de biche aguicheurs, et qui dévoilait ses jambes et le galbe de sa poitrine généreuse. Dans la nuit, je tentais d'être une autre, plus féminine, plus forte, plus sûre.

Pour toute réponse à mes craintes naissantes, comme s'il avait lu en moi, Fred me sourit. Rassurée, j'entrepris de faire plus ample connaissance. Il préparait un BEP électronique au lycée Godart-Roger, situé non loin de mon établissement. Il m'avoua que les études ne le passionnaient pas, et qu'il ne savait pas encore s'il poursuivrait jusqu'au bac pro. Il me parla de son frère et de sa sœur, plus jeunes, de ses habitudes avec sa bande de copains à Cumières, dont Loïc et Nico faisaient partie.

Etourdie par les voix, les rires, la fumée de cigarette, les entrechocs des verres, les claquements des flippers, je me sentais bien. Tellement bien que j'aurais voulu arrêter le temps. La douce agitation ambiante me donnait chaud. Je relevai légèrement les manches de mon pull, tout en observant une bande de garçons s'échauffer sur les manettes du baby-foot. Fred en profita pour me dire qu'il n'était pas adepte du ballon rond, même avec des copains sur un véritable terrain, ce qui ne fut pas pour me déplaire. Alors que nous parlions avec de plus en plus d'aisance, une serveuse vint nous interrompre pour nous réclamer le paiement de nos bières. Puisque ni l'un ni l'autre n'avait de quoi commander un deuxième verre, nous nous résolûmes à affronter le froid.

Nous marchâmes main dans la main jusqu'au centre-ville. L'espace piéton se limitait à une courte allée bordée de quelques commerces et à une petite place épurée. Nous en fîmes le tour sous les arcades, qui abritaient des immeubles modernes aux façades orangées.

Fred me proposa de revenir sur nos pas, et de nous rendre aux Galeries Lafayette pour nous réchauffer, mais je n'avais pas envie de gaspiller les quelques minutes qui nous restaient à faire semblant de m'intéresser à je ne savais quel produit de consommation. Le ciel avait gardé la même densité de grisaille, qui annonçait probablement de nouvelles chutes de neige. Après avoir longé la rue Saint-Martin, et la place Auban-Moët sur laquelle un vieux pressoir en bois trônait en guise de rond-point, les passants se firent de plus en plus rares.

Comme nous avions encore un peu de temps, nous décidâmes de regagner la gare routière. Blottis l'un contre l'autre, nous avançâmes sous les arbres nus qui baignaient la route du côté gauche, et qui brisaient la rigidité des vieilles bâtisses en enfilade qui faisaient face.

Le car ne repartait pas avant une bonne demi-heure. Nous nous plaçâmes dans un petit renfoncement derrière l'église Notre-Dame afin de nous abriter des piques acérées du vent. Nous nous embrassâmes longuement. Il y avait quelque chose de magique et d'irréel à être ainsi ensemble.

— J'ai passé un super après-midi, me murmura Fred.

— Moi aussi.

— Je viens te voir dès que possible. J'ai déjà hâte.

Quelques instants plus tard, assise dans le car, je fis encore un petit signe à Fred, le cœur battant à tout rompre dans ma poitrine. J'avais peine à réaliser ce qui se produisait.

Les semaines qui suivirent furent idylliques. Quand Fred finissait les cours plus tôt que moi, il m'attendait sur son scooter noir devant le portail du lycée. Nous traversions l'avenue de Champagne pour accéder à la rue Jean-Chandon-Moët, là où les bus venaient chercher les élèves des villages à l'est d'Epernay. Les autres jours, Fred me téléphonait ou me retrouvait à Mareuil. Je passais mes journées à penser à lui, à griffonner son prénom sur tout ce qui me tombait sous la main, au point que j'avais du mal à me concentrer en classe, et que je ne prêtais plus attention à mes parents.

Mon père s'était fait larguer. Il empoisonnait de nouveau l'air de la maison. Mais je m'efforçais de résister, de ne plus me laisser atteindre par la peur, de refouler ma colère. Je n'avais qu'une envie : être avec Fred. C'était une obsession.

Si j'avais encore le souvenir des mains de Jérémie Jobert et de ses acolytes sur mes seins, pour la première fois, des sensations, qui me dépassaient totalement, émanaient de mon corps. Un samedi soir du mois d'avril, Fred arriva après le dîner, car il avait dû accompagner ses parents à l'anniversaire de l'un de ses oncles. Nous profitâmes de la douceur de ce début de printemps pour rester dehors, mais aussi parce que toute ma famille se trouvait dans la maison, et que je ne voyais pas comment être tranquille avec mon petit copain sans paraître suspecte. La nuit commençait à tomber, mais nous nous en moquions. « Aux petits arbres », nom que mon frère et moi avions attribué à un bosquet d'arbustes, qui se trouvait à deux cents mètres derrière notre habitation, nous nous assîmes sur l'étendue d'herbe, devant le fourré. L'endroit était entouré de champs et bordait un chemin qui menait aux parcelles de vignes un peu plus haut. C'était un lieu calme, peu fréquenté car les agriculteurs avaient tôt fait de s'occuper de leurs terres avec leurs gros tracteurs, et parce que les viticulteurs préféraient passer par la route pour accéder à leurs vignes.

Cela faisait des années que Marc et moi avions investi ce petit espace boisé, à l'époque où nous nous étions aperçus que d'autres élèves de l'école avaient une cabane. Parce que notre maison était isolée du reste du village, notre mère ne voulait pas que nous nous éloignions. Je devais avoir huit ou neuf ans quand, exceptionnellement, elle m'autorisa à prendre mon vélo pour me rendre dans le lotissement le plus proche, à un kilomètre, afin de rechercher l'un de nos chiens qui s'était enfui. Au bout d'une heure, Micky n'avait pas réapparu, et nous étions de plus en plus inquiets qu'il soit allé jusqu'à la route nationale et qu'il se soit fait renverser par une voiture.

Nous nous répartîmes les recherches. Tandis que mon père devait se rendre dans le bas du village, mon frère parcourrait les alentours de la maison, et moi je ferais le tour du lotissement des Arpents. Là-bas, je découvris à quoi ressemblait un samedi après-midi. La plupart des enfants du quartier étaient dans la rue, partageant leurs jeux. Au bout de quelques minutes, je vis Carole qui, folle de joie, m'emmena à la lisière des constructions pour me montrer la cabane qu'elle avait fabriquée avec les autres, dans un gros arbre. Ils avaient placé des planches en hauteur et des draps pour faire des murs. Au sol, des enfants jouaient avec des poupées, des poussettes et des camions. J'étais subjuguée. Ils avaient tellement de chance de se réunir ainsi !

Mais personne n'avait vu mon chien, et tout le monde semblait s'en moquer. Je repartis, le cœur serré de m'être sentie exclue de la manière de vivre de mes camarades du village, et en même temps, je me disais qu'aucun ne savait ce que cela faisait de s'inquiéter pour un animal que l'on considérait comme un véritable ami.

Finalement, mon père retrouva Micky à plusieurs kilomètres de Mareuil, près des bois qui rejoignaient Avenay-Val-d'Or et Fontaine-sur-Aÿ. On supposa qu'il avait dû suivre la piste d'un gibier et qu'il s'était égaré. Quand je racontai à ma mère comment jouaient les enfants du lotissement, sa réponse fut sans appel :

— Tu es trop jeune pour traîner dans la rue, et tu sais très bien qu'on est trop loin, personne ne pourrait te surveiller !

Alors, avec Marc nous prîmes possession de ce bosquet qui ne connaîtrait aucun envahisseur. Nous avions une revanche à prendre : un jour, nous ferions découvrir cet endroit, on nous jalouserait d'avoir eu un bout de nature rien qu'à nous, et d'avoir bâti la plus belle cabane qui fût. Toutefois, notre esprit d'aventure était plus limité que nous ne croyions. Nous nous contentâmes de débroussailler l'espace. Nous enlevâmes le plus gros des ronces pour ne pas nous piquer, puis nous arrachâmes les branchages les plus fragiles pour déambuler plus aisément entre les arbres. Nous imaginâmes différents espaces : salon, chambres et terrasses, mais notre œuvre en resta là : plus abstraite qu'une véritable architecture !

Au fil des années, c'était devenu plus qu'un refuge, c'était le lieu où, dès le printemps, nous nous réunissions Steph, Carole, Ange et moi pour de longues discussions, ou pour une beuverie impromptue. Nous étions une petite bande, avec un endroit secret, à l'abri des adultes. Je tenais ma victoire. Alors que nous observions en silence les étoiles qui éclairaient magistralement le ciel, Fred se tourna vers moi pour m'embrasser. Il me fit basculer, pour m'allonger. Instantanément, mon corps s'agita. Ma respiration s'accéléra, mes seins se tendirent, mon sexe se dilata. Je sentis les mains tremblantes de Fred se glisser sous mon pull pour dégrafer mon soutien-gorge. Malgré ses gestes un peu hésitants, les crochets cédèrent rapidement. Sous ses doigts, mes tétons se durcirent, et en une réponse automatique, mes mains partirent à la recherche de son membre viril.

— T'es sûre de vouloir faire ça, là, maintenant ? me demanda-t-il. Tu ne préférerais pas qu'on attende d'être dans un endroit plus confortable ?

— Ici, c'est très bien ! Ça te dérange, toi ?

— Non.

— T'as ce qu'il faut ?

— Oui.

Je réalisai que même s'il m'avait dit le contraire, rien ni personne n'aurait pu enrayer l'élan qui avait pris possession de mon corps. C'était à la fois si vulnérable et si puissant !

Fred me laissa pantelante un court instant pour extirper un petit sachet de son portefeuille. Ses mains s'aventurèrent de nouveau vers ma poitrine, puis l'une d'elles descendit à une vitesse vertigineuse pour s'arrêter à mon entrejambe. Mon souffle, saccadé, s'expulsait de mes poumons de plus en plus fortement. Je me hâtai de me libérer de ce qui entravait le bas de mon corps, puis j'invitai Fred à apaiser les palpitations qui provenaient de ma partie la plus intime. Après une douleur furtive, aiguë, qui s'accompagna d'une sensation d'un liquide s'écoulant d'une plaie, je savourai les tendres va-et-vient de mon partenaire.

Je jouis pour la première fois, surprise par cette déferlante qui m'enveloppa totalement, me laissant presque inerte. Ce que je venais de vivre n'avait rien à voir avec les pâles imitations auxquelles je m'étais adonnée dans ma chambre.

J'avais Fred dans la peau. J'avais mal... Je n'étais jamais rassasiée de lui. Chaque minute sans lui me paraissait interminable. Au lieu de passer de plus en plus de temps ensemble comme je me l'étais imaginé après notre soirée « Aux petits arbres » ce fut tout le contraire qui se produisit. Avec les jours plus longs et plus doux, semblables à certains animaux qui sortent de leur trou après un temps d'hibernation, les jeunes des villages réinvestissaient les rues. Que ce soit à Mareuil ou à Cumières, nous étions rarement seuls.

Tout le monde appréciait Fred parce qu'il faisait souffler sur nous tous un vent nouveau. Mes amis de Mareuil l'avaient intégré aussi facilement que Loïc et Nico quelques mois plus tôt. C'était vrai que nous riions bien, mais mon petit copain ne m'appartenait plus vraiment. Nous nous éclipsions parfois quelques minutes, mais je trouvais ces instants volés toujours trop courts. Chez moi, c'était ma mère qui l'invitait parfois à manger, désamorçant ainsi les risques d'explosion qui menaçaient quotidiennement au moment des repas. Même mon frère se l'appropriait pour lui demander de l'aider dans ses expériences électrotechniques. Seul mon père, peu enclin à accepter qu'un nouvel individu s'immisce dans notre quatuor naufragé, restait à distance, et attendait que Fred soit hors de sa vue pour proférer des remarques sur sa présence trop fréquente à son goût.

Quant à moi, j'allais rarement à Cumières parce que c'était encore pire. Fred retrouvait ses copains à côté du stade, et enchaînait bières et joints. Je le regardais partir vers un monde inatteignable. Habituée à la vodka, au champagne et au ratafia, je détestais la bière. Toutefois, pour ne pas jouer les petites amies emmerdantes, je tentais de me familiariser avec l'amertume du houblon. Loin d'être une réussite, je finissais la soirée mal enivrée et déçue.

Des tensions commencèrent à apparaître entre Fred et moi. Insupportables. Mon histoire d'amour ne pouvait pas dégénérer. Je le refusais catégoriquement. J'avais besoin de lui. Il était ce qui me permettait de sourire, de m'épanouir, d'oublier le champ de bataille dans lequel je vivais. Il avait beau me réaffirmer sans cesse son amour, je ne cessais de craindre une rupture. Cette idée me rendait folle. Plus ma peur grandissait, moins je me raisonnais, malgré la patience dont il faisait preuve pour me rassurer. J'étais ainsi capable d'appeler un nombre incalculable de fois chez lui jusqu'à ce qu'il me rappelle ou qu'il décroche. Ses parents devaient me prendre pour une cinglée, mais je m'en moquais. Sans lui, je me désagrégeais.

Un soir où je ne l'avais pas vu à la sortie du lycée, et où il ne m'avait pas téléphoné, j'étais en pleurs dans mon lit, partie pour passer une très mauvaise nuit, quand j'eus la surprise de voir surgir ma mère dans l'obscurité de la chambre.

— Qu'est-ce qu'il y a ?

Comme je ne répondais pas, elle reprit :

— Si Fred te rend malheureuse, tu devrais peut-être le quitter.

— Tu ne peux pas comprendre ! Ce n'est pas ce que tu crois ! répliquai-je, furieuse de la proposition qu'elle me soumettait.

— Je crois surtout qu'il y a d'autres garçons !

— Comment tu peux me dire ça ? demandai-je de plus en plus en colère.

— Je ne veux pas que tu te rendes malade ! Je sais que tu es amoureuse pour la première fois, mais ce n'est pas une raison pour t'entêter.

— Comment tu sais ça ? fis-je étonnée.

— Je l'ai deviné, c'est tout !

— Ah ! Et tu me dis ça parce que papa a été ton premier amour, et que tu regrettes d'être restée avec ?

— Non ! Pas du tout ! Mais toi, tu vis à une époque où tu as le choix. Alors, si tu sens qu'entre vous ce n'est pas ça...

Puisque je m'étais de nouveau murée dans le silence, ma mère sortit de ma chambre, me laissant à mes réflexions. Dans un sens, j'étais rassurée de savoir qu'elle veillait sur moi, mais cela ne m'apaisait aucunement. Personne n'était en mesure de comprendre ce que je vivais. Tout était de ma faute ! Il était devenu ma béquille. Sans lui, je ne tenais plus... J'étais en train de l'étouffer ! J'avais besoin de croire en la beauté de l'amour. Il ne se doutait pas à quel point je comptais sur lui pour éviter que mes repères ne s'écroulent, et finissent en champ de ruines.

7

Inespéré. Au-delà de ce qu'elle avait imaginé. L'agence Le Toit champenois avait contacté Hélène seulement une heure plus tôt pour visiter un appartement qui venait de se libérer à Epernay. Elle était partie en toute hâte, le cœur palpitant d'excitation. Ce logement, c'était le bout du tunnel qui se profilait. Toutefois, avant de l'avoir vu, mieux valait rester prudente. Cela faisait plus de six mois qu'elle avait déposé un dossier à l'agence immobilière et elle n'avait visité qu'un seul appartement qui ne lui avait pas plu, non seulement parce qu'il était trop petit à son goût mais aussi parce que le quartier dans lequel il était situé ne l'avait pas rassurée. Elle voulait le meilleur pour ses enfants, même si Marc ne serait pas toujours avec elle et Gaby.

Hélène observa l'environnement qui la conquit immédiatement. Non loin de la Zup[1], les immeubles de la rue se trouvaient à proximité du mont Bernon, sur les hauteurs de la ville, à la lisière de la campagne.

---

1. Zone à urbaniser en priorité. Terme resté dans le langage local pour désigner un quartier au sud de la ville.

En face du bâtiment que Sophie Hutin, l'agent immobilier, lui désigna, se dressait un ensemble de maisons datant d'une quinzaine d'années, entourées d'arbres et de pins. La visite commença par le sous-sol. La location comprenait un garage, ce qui présentait un avantage non négligeable lorsqu'on habitait en ville.

En remontant jusqu'au deuxième étage, Hélène eut le loisir de détailler les parties communes qu'elle trouva certes un peu défraîchies mais propres. Sophie Hutin ouvrit la porte du numéro 53. Hélène remarqua tout de suite l'escalier dans l'entrée : l'agencement en duplex donnait l'impression d'être dans une petite maison, ce qui la rassura. Elle ne serait pas enfermée dans une cage à lapins.

Au rez-de-chaussée se situaient un grand séjour et des toilettes spacieuses. Deux baies vitrées donnaient sur une terrasse qui doublait pratiquement la surface de la pièce principale. La vue sur le mont y apportait un bel éclairage.

— Un plus pour l'été, commenta Sophie Hutin.

Seule la cuisine, simple kitchenette intégrée au séjour, déçut légèrement Hélène. Elle devrait renoncer aux plats qui demandaient du temps et de la place ! Ce n'était rien, la cuisine ne faisait pas partie, de toute façon, de ses priorités du moment. Seule avec Gaby, elle n'aurait plus besoin de concocter les plats familiaux qu'elle s'évertuait à préparer depuis des années. Elles auraient certainement envie d'autre chose que des bœufs bourguignons ou des lentilles au petit salé !

A la visite de l'étage, Hélène fut confortée dans son choix : cet appartement correspondait vraiment à ce qu'elle attendait. Un palier desservait différentes pièces : deux chambres, une salle de bains avec toilettes et deux autres pièces aveugles, dont une suffisamment grande pour faire une buanderie. Enfin, au bout du palier, un placard.

Toutefois, une question ne cessait de la tarauder : pourrait-elle payer le loyer d'un si beau logement ? Sophie Hutin, qui remarqua que le visage d'Hélène s'était assombri, s'inquiéta :

— Je ne vous vois pas très enthousiaste, pourtant ce que je vous ai présenté correspond bien aux critères que vous aviez spécifiés. C'est une belle opportunité.

— Non, détrompez-vous, cet appartement me plaît énormément : c'est exactement ce que je voulais. Je me demande simplement si je pourrai subvenir à toutes les dépenses qu'il va occasionner.

— Votre situation vous donne droit à des aides qui vont réduire le coût du loyer ; l'eau et le chauffage sont compris dans les charges. Vous n'aurez ensuite qu'à régler les factures d'électricité. On peut, si vous le souhaitez, retourner à mon bureau, et faire une simulation des frais qu'il vous restera à payer.

Sophie Hutin regarda Hélène : elle n'avait pas l'habitude de s'apitoyer sur le sort des gens qu'elle rencontrait, mais elle devait admettre que cette femme la touchait sans bien comprendre pourquoi. Etait-ce en raison de ses difficultés financières ou de ses yeux bleus dans lesquels se lisait une peine insondable ?

Pour rejoindre la place de la République où se trouvaient les locaux du Toit champenois, les deux femmes empruntèrent l'avenue de Champagne, qui recouvrait des kilomètres de caves. Tout un monde fourmillait sous terre, là où on stockait des milliers de bouteilles jusqu'à complète maturation des vins pour que les arômes soient parfaitement mêlés les uns aux autres. Des mois de travail et d'attente avant que les bulles n'éclatent délicatement dans les verres.

Elles passèrent devant le lycée où était scolarisée Gaby, et devant les élégants hôtels particuliers des différentes grandes maisons de champagne, aux styles et pierres variés. Derrière les vieux tilleuls au vert profond qui occupaient une partie des trottoirs, on distinguait l'entrée de chaque résidence parfaitement entretenue. Certaines d'entre elles possédaient des jardins sobres et raffinés. Quelques lycéens mêlés à quelques touristes allaient et venaient, apportant un peu de fantaisie face à cette enfilade de bâtiments aux allures cérémonieuses. Sophie Hutin gara la voiture à quelques mètres de l'hôtel de ville protégé par un bel écrin de fleurs. Hélène resta silencieuse, perdue dans ses pensées, indifférente au charme de l'avenue, qui avait la réputation d'être l'une des plus riches d'Europe. Certes, elle venait de trouver un endroit où vivre avec ses enfants, mais pour le moment, elle n'avait qu'un travail précaire : un contrat de vingt heures qui ne serait pas renouvelé. Elle aimait vraiment son emploi au secrétariat de chirurgie de l'hôpital. Elle avait repris un peu de confiance en s'apercevant qu'elle était capable de vérifier des dossiers médicaux, sans commettre d'erreurs. Elle s'entendait bien avec Marianne même si elle lui avait peu parlé de sa vie privée et s'était contentée de l'informer qu'elle était en instance de divorce. Elle tenait à ce que les heures passées à l'hôpital ne lui rappellent pas pourquoi elle était là.

Toutefois, elle commençait à appréhender le terme de son contrat prévu pour la fin juin. Un pas en avant, un pas en arrière. Hélène se demanda pourquoi c'était toujours aussi compliqué pour elle. Pourquoi sa route était-elle si sinueuse qu'elle peinait à se réjouir de ses faibles avancées ?

Assise à son bureau, Sophie Hutin fit rapidement les calculs et lui annonça que la location lui reviendrait à deux mille cinq cents francs par mois, aide au logement incluse. Pour signer un bail, il fallait qu'elle donne une caution qui s'élevait à deux fois le montant du loyer : une somme qu'elle n'était pas en mesure de fournir. Cependant, ses parents lui avaient promis de lui apporter leur soutien financier quand elle en aurait besoin.

Hélène pouvait se poser maintes questions, ce beau F3 en duplex ne l'attendrait pas. Elle trouverait des solutions pour s'en sortir : le divorce finirait par être prononcé, elle aurait de quoi voir venir pendant quelques mois. Après ce qu'elle avait vécu, rien ne serait pire.

Après avoir décidé de se retrouver le mercredi suivant pour la signature du contrat, Hélène salua Sophie Hutin, et comme elle se trouvait à proximité de chez ses parents, décida de s'arrêter chez eux pour les informer de la bonne nouvelle.

Même s'ils la voyaient rarement depuis l'an passé, car Bertrand restait persuadé que sa belle-famille s'était liguée pour faire sombrer son mariage, apprendre que son déménagement était proche était le signe d'un non-retour. Son divorce restait pour eux un terrible échec.

— On t'a promis qu'on t'aiderait le moment venu, réaffirma Michèle. Et, avec ton père, on a pensé qu'il te faudrait certainement quelques meubles.

— Merci… Vraiment, dit Hélène, gênée de devoir ainsi se reposer sur ses parents.

— Ça nous démonte, tout ça ! Mais, tout ce que nous voulons, c'est ton bonheur, et celui de Marc et de Gaby.

Hélène ne s'attarda pas ; elle embrassa ses parents et repartit le cœur léger. Malgré son euphorie, son envie de crier au monde entier qu'elle allait enfin se libérer de l'emprise de Bertrand, elle décida de ne pas en parler tout de suite à ses enfants ; elle ne voulait pas risquer que Bertrand se doute de quelque chose et qu'il mette la pression à Marc et Gaby pour obtenir des informations.

Le juge n'avait toujours pas donné son accord pour qu'elle quitte le domicile conjugal mais c'était imminent. Bertrand lui demandait régulièrement si elle avait trouvé un appartement, et tentait encore et encore de la culpabiliser. Depuis sa rupture, il ne la lâchait plus.

En plus de se faire passer pour une victime dans tout le village, Bertrand adoptait la même stratégie à la maison. Tous les soirs, il attendait que les enfants soient montés dans leur chambre pour commencer sa sérénade.

— Je n'en peux plus. Je veux que tu reviennes, je veux faire l'amour avec toi. Je ne tiens plus ; j'ai besoin de toi. Si tu me laisses seul, je vais me foutre en l'air.

Hélène ne répondait rien, et allait se coucher, la boule au ventre, finissant par douter de son entêtement à espérer une autre vie.

Au cours d'une de ses visites au docteur Deslandes, Hélène avait évoqué une nouvelle fois ses craintes.

— Vous tenez le coup avec votre mari en ce moment ? s'enquit le médecin.

— C'est difficile. Depuis que sa maîtresse l'a quitté, il est redevenu invivable, et parle tous les jours de suicide.

— Vous vous doutez bien qu'il vous fait du chantage affectif ?

— Oui, mais je le connais aussi. Il est capable de s'emporter sur un coup de colère et de devenir complètement imprévisible.

— La plupart du temps, ce type de paroles ne se transforme pas en acte.

— Mais rien ne m'assure qu'il n'ira pas plus loin.

— En effet, on ne peut être sûr de rien, mais si vous cédez, il aura gagné. Vous savez que les problèmes qui vous ont amenée à vouloir divorcer sont bien ancrés dans votre couple et qu'il faudrait qu'il

accepte de faire un travail sur lui-même pour améliorer les choses. Même si c'est dur, il faut tenir bon.
— C'est plus facile à dire qu'à faire. En ce
moment, il colporte les pires horreurs sur moi dans
tout le village. S'il met fin à ses jours, tout le monde
pensera que j'en suis responsable. Par moments, j'ai
l'impression qu'il a tout calculé pour me détruire.

— Non, je ne pense pas que ce soit calculé, mais
dites-vous que vous étiez, que ça vous plaise ou non,
le socle de sa vie. Il est désespéré et cherche simplement par tous les moyens à vous ramener à lui. Si ce
n'est pas ce que vous souhaitez, vous devez garder
à l'esprit ce que vous voulez, expliqua le médecin.

— Je vais m'y employer.

Hélène se répétait les paroles du docteur Deslandes
pour tenir le coup face aux menaces de Bertrand.
Lorsque son avocat l'appela pour lui dire que la date
du jugement était enfin fixée, Hélène la lui fit répéter
plusieurs fois. Son cerveau refusait de comprendre
l'information, tellement elle paraissait irréelle.

Quelques jours plus tard, ils se retrouvèrent dans
une vaste pièce du tribunal de grande instance de
Châlons-sur-Marne[1], assis côte à côte, face au juge,
leur avocat près d'eux. Le greffier se tenait légèrement à l'écart, prêt à tout consigner. Le magistrat,
un homme d'une cinquantaine d'années, imposant
de par son costume sombre, son air impassible et

1. Ancien nom de Châlons-en-Champagne, abandonné en
décembre 1997.

187

son regard sévère, fixa un moment Bertrand avant de lui demander d'une voix grave et forte :

— Vous ne trouvez pas que cette liquidation des biens est inégale, même injuste, je dirais ?

— Non. C'est elle qui a voulu divorcer, pas moi, répondit Bertrand, sans se laisser intimider, toujours aussi sûr de son bon droit. Elle n'allait tout de même pas ruiner tout ce que j'ai bâti !

— Mais, monsieur, vous vous êtes mariés sous le régime de la communauté des biens, vous n'étiez pas le seul maître de vos acquisitions, quand bien même vous êtes opposé à la dissolution de votre mariage ! Vous, madame Lemaire, vous consentez à accepter cette répartition, qui, je le rappelle, est loin d'être équitable ?

En effet, Bertrand gardait la quasi-totalité de l'exploitation. Elle avait réussi à préserver les vignes héritées de sa famille. Elle prendrait une voiture et une partie de l'argent. Hélène n'en pouvait plus de se battre, dès qu'il avait accepté pour les vignes de Vertus, elle avait lâché sur le reste.

— Oui, monsieur le juge, répliqua Hélène, qui craignit tout à coup que l'homme de loi ne les oblige à revoir le partage des biens.

— Dans ce cas, si c'est votre souhait à tous les deux, je donne mon accord. Madame Lemaire, vous pouvez quitter votre domicile à compter de ce lundi 24 juin 1996. On se revoit dans quelques mois.

Son cœur se mit à battre à cent à l'heure, sa tête lui tourna, ses yeux se brouillèrent ; Hélène ne parvenait pas à croire ce qu'elle venait d'entendre. Son cauchemar prenait fin ! Elle avait réussi, elle avait tenu, résisté et enfin s'ouvrait une nouvelle vie. Elle se tenait droite, statufiée, savourant cet instant qu'elle avait attendu si longtemps. Elle ne voulait pas voir le visage décomposé de Bertrand, elle ne voulait pas le laisser gâcher cet instant de bonheur : il lui appartenait, à elle.

— Madame Lemaire, l'audience est levée, vint lui dire son avocat, la tirant de son hébétement.

Bertrand attendit qu'ils soient remontés en voiture pour sortir de son mutisme :

— Ça y est, t'es contente ?

Hélène ne répondit pas pour éviter de se lancer dans une dispute qui ne mènerait nulle part.

— De toute façon, tu ne vas pas partir maintenant, tu n'as pas encore trouvé où te loger, et puis ce n'est pas avec ton petit boulot que tu vas pouvoir t'en sortir, poursuivit Bertrand. Tu vas donc être obligée de rester à la maison.

— J'ai pris un appartement à Epernay.

— T'as un appartement ? Depuis quand ? interrogea Bertrand, surpris.

— Je l'ai trouvé il y a quelques semaines.

— T'es vraiment une sacrée garce, tu as bien caché ton jeu ! Tu ne t'en es pas vantée. Remarque, ça ne devrait pas m'étonner après tout ce que tu m'as fait !

— Que ça te plaise ou non, c'est ma vie, tu n'as plus à intervenir dans mes choix.

— Tu peux tout de même me dire quand tu as l'intention de partir, car ça me concerne encore. J'ai le droit de savoir quand tu vas vider la maison !

— Je vais attendre que Gaby passe son bac de français pour ne pas la perturber et on déménagera le week-end qui suivra.

— Si tu changes d'avis, tu peux encore rester. La maison te manquera, tu n'as jamais habité en ville, ça va être dur. Tu sais, malgré tout, je t'aime toujours et je n'ai pas envie que tu t'en ailles, se radoucit-il.

— Je ne resterai pas, Bertrand. De mon côté, c'est terminé depuis longtemps. Et même si tu crois encore me tenir par l'argent, je me débrouillerai.

Dès le lendemain, Hélène commença l'inventaire de ce qu'elle allait emporter : hormis quelques meubles, ses vêtements, bijoux et livres, elle ne prendrait pas grand-chose. Elle mit dans un carton tous les quarante-cinq tours auxquels elle tenait, des tubes d'un autre temps, *Besoin de rien envie de toi, Puissance et Gloire, Eve lève-toi...*, lorsque l'espoir nourrissait encore son quotidien. Hélène sourit à la vue de la pochette à fond rouge du titre *Amoureux de ma femme,* sur laquelle on voit apparaître un visage rond encadré par des cheveux châtains légèrement bouclés, Richard Anthony jeune, qui lui rappelait Bertrand à leur rencontre. Combien de fois ses enfants s'étaient-ils moqués d'elle lorsqu'elle écoutait cette chanson, même des années après sa sortie ? Marc et Gaby considéraient ses disques, aux pochettes écornées et au carton usé, ringards, et la catégorisaient dans le clan des « vieux » parce qu'elle écoutait d'anciennes chansons. Si elle s'était sentie parfois vexée par leurs railleries, aujourd'hui elle enviait l'innocence qui y était liée, et qu'elle savait perdue à jamais.

Elle mit ensuite dans un autre carton les albums photo. Des souvenirs très précieux qu'elle craignait ne jamais revoir si elle les laissait entre les mains de Bertrand. En les extirpant de l'armoire du bureau dans laquelle ils se trouvaient, elle ne put s'empêcher de les ouvrir. Il n'y en avait que quatre, mais dans chacun elle avait collecté le meilleur : à chaque anniversaire, on voyait Marc ou Gaby derrière un gâteau fait maison, les yeux étincelants au-dessus des bougies, une photo pour chaque rentrée, chaque Noël, chaque fête du cochelet lorsqu'ils décoraient leurs vélos de fleurs comme les cueilleurs le faisaient avec le fourgon et le tracteur le dernier jour des vendanges, chaque séjour estival, toujours au bord de l'Atlantique, avec chaque animal, un lapin, un chiot de passage, et avec Micky et Youky, les fidèles compagnons.

Rares étaient les photos où Gaby et Marc ne souriaient pas. Ils avaient été heureux. C'était la seule victoire qui comptait à ses yeux. Qui justifiait tout. Absolument tout.

Alors qu'elle continuait à tourner les pages, Hélène se fit la remarque qu'elle n'avait pas été souvent prise en photo : quelques fois aux vendanges et à Noël lorsque l'un de ses frères ou sa sœur s'emparait de son appareil à son insu. Cela faisait des années qu'elle détestait fixer un objectif. Elle n'avait pas envie de figer dans le temps ses traits fatigués, les cernes qui creusaient ses yeux, ses iris qui pourraient trahir ses douleurs cachées. Le développement d'une pellicule coûtait suffisamment cher pour ne pas gâcher des prises de vue ! Gaby savait très bien le faire d'ailleurs !

Combien de fois, pour s'assurer qu'il n'y avait pas d'inversion avec un autre client, le photographe lui avait présenté un cliché montrant sa fille dans une position insolite avec ses amis ? La pire avait été celle où elle avait reconnu ses fesses aux côtés de celles de sa petite bande. Face à la menace de payer le développement suivant, les photos étaient redevenues beaucoup plus sages.

Hormis les portraits de certains membres de la famille, le reste constituait une frise chronologique de tout ce qu'ils avaient bâti : la maison, les différents travaux pour l'embellir, les aménagements extérieurs rappelant comment le terrain était passé d'un vaste champ à une belle propriété avec pelouse, haie de thuyas, potager, et massifs de fleurs, les vignes, et les tracteurs toujours plus gros qu'ils avaient acquis.

Derrière les souffrances, atroces, invivables, il y avait tout un tas de beaux souvenirs qui l'avaient portée, maintenue en vie. Désormais, c'était le vide. Tout était à recommencer. Malgré l'immense soulagement qu'elle ressentait à l'idée de ne plus habiter sous le même toit qu'un homme qu'elle exécrait, elle était effrayée. Quel genre de vie l'attendait réellement ? Elle repensa aux propos de la vieille mégère. Oui, elle laissait tant ! Oui, elle aurait aimé que les choses se passent autrement, et couler des jours tranquilles dans un endroit qu'elle adorait, tout simplement parce que c'était chez elle. Oui, elle aurait préféré rester, garder ses deux enfants auprès d'elle ! D'ici quelques jours, tout changerait. Elle allait se retrouver dans un appartement, à la ville, sans son fils. Mais aussi sans Bertrand. Il y avait un prix à payer. Enorme. Une dette à vie peut-être, qu'elle accepterait, assumerait. Pour être là, encore, parmi les vivants.

L'atmosphère qui régna les jours qui suivirent fut particulièrement étrange. Calme. Silencieuse. Comme si chacun préparait secrètement la suite. Comme si une partie d'elle avait commencé à quitter les lieux. Les repas ne s'éternisaient pas. La maison se vidait peu à peu de toute vie de famille.

Bertrand était subitement devenu un homme taciturne qu'Hélène ne reconnaissait plus. Il semblait avoir renoncé à toute tentative pour la retenir, avoir abandonné toute colère. Il ne cherchait plus l'affrontement, visiblement résigné à son sort. Mais Hélène ne croyait pas à cette nouvelle façade. Que mijotait-il ? Il devait lui réserver un mauvais coup qui allait probablement s'abattre au moment où elle baisserait la garde. Sa famille s'était organisée pour réceptionner le fourgon chargé. François serait là aussi. Lorsqu'elle l'avait appelé pour lui annoncer qu'ils étaient passés devant le juge, il avait insisté pour être présent le jour du déménagement. Il lui expliqua que c'était important pour lui qui n'avait rien pu faire pour elle depuis qu'il l'avait encouragée à se séparer de son mari.

Pendant les dernières heures qui s'égrenaient, elle prenait soin des rosiers et récoltait les premiers fruits et légumes qu'elle n'aurait plus le loisir d'admirer, elle se contentait d'espérer que tout se passe au mieux, sans vraiment y croire.

Elle observait aussi beaucoup ses enfants, consciente qu'elle les obligeait à vivre des instants difficiles. Gaby n'avait pas renoncé à son envie de la suivre. Tout comme elle, elle avait empaqueté toutes ses affaires et se disait prête à partir. Pour Marc, c'était autre chose. Egal à lui-même, il parlait peu, mais elle voyait bien la peine qui inondait ses yeux bleus. Il continuait à bricoler dans le hangar, à faire du vélo dans les champs derrière la maison, et à se rendre chez son copain Yvan, mais imperceptiblement, il l'évitait.

Un après-midi où il pleuvait, elle profita qu'il était dans sa chambre pour aller lui parler. Elle frappa deux petits coups pour le prévenir de sa présence. Elle le trouva sur son lit, jouant avec sa Game Boy, qu'il avait fini par s'acheter avec ses propres économies parce qu'elle refusait de dépenser le moindre franc dans ce type de jeu, qui, selon elle, ne présentait aucun intérêt.

Elle s'assit au bout du lit.

— Je sais que tu m'en veux.

Marc ne leva pas les yeux, rivés sur le petit écran de son jeu vidéo, ses doigts s'agitant à une vitesse impressionnante sur les touches de l'appareil.

— Je ferai tout pour que tu sois bien. Je serai toujours là pour toi, ne l'oublie pas. Tu pourras venir quand tu veux.

— Je sais, tu me l'as déjà dit, consentit-il à répondre, sans pour autant décrocher de sa partie.

— C'est difficile pour tout le monde, mais nous allons retrouver un équilibre, chercha-t-elle à le rassurer.

Hélène se tut. Elle mourait d'envie de le prendre dans ses bras, de le cajoler comme lorsqu'il était petit, mais s'abstint. La gorge serrée de douleur, elle quitta la chambre de son fils.

Il ne suffisait pas de l'accord du juge pour que les blessures soient pansées, et que chacun ait envie de sourire comme avant.

8

Soleil de juin, ciel bleu, monoï étalé sur les bras. Assise sur mon transat, mes fiches de révision sur les genoux, je laissais mon esprit vagabonder, loin de mon oral du bac français, encore bouleversée par la petite altercation que je venais d'avoir avec mon père.

— Tu ne voudrais pas venir cet après-midi m'aider à palisser ? me demanda-t-il alors que cela faisait à peine cinq minutes que je venais de me plonger dans mes fiches.

— Je n'ai plus que deux jours pour réviser. Je passe mon oral lundi matin et j'ai encore des textes à revoir, lui répondis-je, agacée qu'une fois de plus il ne tienne pas compte de l'importance de mes examens.

— Tu pourras t'y remettre ce soir et demain. J'ai vraiment besoin d'un coup de main. Ça pousse vite en ce moment, j'aurais bien aimé avoir terminé assez rapidement, insista-t-il.

Je savais que le palissage n'était pas son activité favorite : ranger les sarments pour que la vigne ne pousse pas de manière anarchique, couper les entre-cœurs pour optimiser la pousse des raisins,

mettre des agrafes pour faire tenir l'ensemble, prenaient du temps alors que les plants étaient en pleine
croissance et n'attendaient pas bien sagement notre
passage pour se mettre en ordre. Habituellement,
nous allions tous les quatre palisser : ma mère, mon
frère et moi prenions chacun une route tandis que
mon père peaufinait le travail en cisaillant les petits
brins rebelles qui dépassaient encore.

Il savait que ma mère et moi partions le samedi
suivant et avait très certainement envie de se débarrasser de cette corvée avant de devoir se débrouiller
tout seul, tandis que moi, je n'avais pas la moindre
envie de mettre mes révisions de côté, et encore
moins de me retrouver en tête à tête avec lui. J'avais
jusqu'alors obéi au doigt et à l'œil à mon père, toujours dans la crainte de ses réactions, mais cette fois,
encouragée par le fait que dès la semaine suivante,
je ne serais plus là, je décidai de lui tenir tête et de
me venger d'un jour où il avait critiqué mon envie
de faire des études.

— Tu peux attendre que j'aie passé mon oral.
J'aurai ensuite toute la semaine pour venir t'aider.

— Les vignes, c'est tout aussi important. Tu seras
bien contente quand tu les auras plus tard ou que tu
auras épousé un vigneron. Tu rechigneras peut-être
moins !

Voilà : nous y étions. Toujours la même rengaine :
selon lui, seules les vignes, l'or de ces terres cham-
penoises, étaient dignes de faire vivre une famille. Je
n'avais jamais dénigré son travail manuel ni le fait
qu'il soit peu cultivé, mais lui ne se gênait pas pour

afficher son mépris des intellectuels. Ce qui m'était devenu insupportable au fil du temps.

— Ça, c'est ce que tu penses, mais je ne me marierai pas avec un vigneron et j'aurai un métier qui me permettra de subvenir à mes besoins. Il n'y a pas que les vignes qui rapportent de l'argent. J'ai envie de faire autre chose ; tu verras, j'y arriverai !

Je me moquais bien désormais qu'il prenne mal ce que je venais de lui dire. Je voulais qu'il comprenne qui j'allais devenir, d'autant plus qu'il n'avait cessé de contester la prise d'indépendance des femmes. Jamais je n'étais intervenue dans toutes les disputes parentales qui avaient éclaté sous nos yeux. Pourtant, combien de fois avais-je eu envie d'y prendre part, de défendre l'honneur de ma mère ! Moi, il ne me dompterait pas !

Furieux, il partit sans un mot. De mon côté, j'essayai de me remettre à mes révisions, sans succès. Il me restait à revoir les analyses de *Phèdre*. Au moment où nous avions étudié cette tragédie de Racine, j'avais été subjuguée, mais en cet après-midi d'été, à chaque fois que je relisais un passage où Phèdre se lamentait de son funeste sort, je me perdais dans les méandres de la jalousie et de la passion qui me renvoyaient à la fin désastreuse du couple formé par mes parents, et à ma récente séparation d'avec Fred. Impossible de me concentrer. Je devais repousser la souffrance tapie au fond de moi si je ne voulais pas complètement rater mon oral. J'avais une certitude encore plus grande : rien ni personne ne détruirait mes rêves !

Je finis par mettre de côté la pièce de Racine pour relire une énième fois mes fiches sur *Candide* de Voltaire. J'espérais que le tirage au sort du lundi matin me serait favorable.

Finalement, l'examinateur me donna à traiter le poème « Clair de lune » de Verlaine que je maîtrisais à peu près. Je n'étais pas entièrement satisfaite de mon passage, ayant, à mon goût, trop survolé le texte.

Ma mère m'attendait à la sortie : en la voyant, je réalisai tout à coup que nous allions déménager cinq jours plus tard. Elle m'avait annoncé trois semaines auparavant qu'elle était sur le point d'obtenir l'accord du juge, qu'elle avait trouvé un appartement, et que nous partirions juste après l'oral de français. C'était étrange car cela faisait plus d'un an et demi que je me demandais quand nous quitterions la maison, que je ne supportais plus de vivre dans cette atmosphère irrespirable, mais ces derniers temps j'avais commencé à me résigner et à croire que nous allions encore cohabiter ainsi tous les quatre plusieurs années. Chacun menait sa vie de son côté ; un semblant d'équilibre avait fini par s'instaurer. Trois semaines, cela me paraissait trop court pour me préparer au déménagement, pour profiter de mes amis, de la campagne.

Ma mère m'avait emmenée visiter notre futur logement. L'appartement qui ressemblait à une vraie maison me plut tout de suite. J'aimai les chambres à l'étage, celle où je dormirais plus grande que celle que j'occupais dans notre maison de Mareuil, la terrasse avec vue sur le mont Bernon qui donnait l'impression de ne pas déménager tout à fait en ville. Mais je ne pus m'empêcher de me sentir un peu mal à l'aise à cause des meubles neufs du séjour et de la cuisine.

Maintenant que toutes les conditions étaient réunies pour partir, tout s'embrouillait dans ma tête : la crainte du comportement de mon père le jour de notre départ, notre nouvelle vie à deux, l'adaptation au mode de vie citadin, être seule au quotidien, sans mes amis. J'avais beau avoir désiré que l'enfer familial cesse, ce n'était plus si simple. J'avais toujours pensé que je vivrais dans cette maison jusqu'à ce que je vole de mes propres ailes, puis, que mes enfants joueraient aux poupées et aux petites voitures, au chaud, devant la cheminée, à côté de Micky et Youky, devenus des chiens inactifs à cause de la vieillesse, qu'ils dévaleraient, sur des vélos salis par la boue, le chemin menant à la route, qu'ils chiperaient les premières fraises et framboises dans le jardin, qu'ils se cacheraient derrière les engins agricoles, dans le hangar, qu'ils apprendraient à aimer le boudin noir lorsque le charcutier, sous leurs yeux ébahis, cuisinerait le cochon annuel.

Je croyais aussi que mes parents formaient un couple solide, qu'ils finiraient leur vie ensemble. Je savais, avec tout ce qui s'était passé, que le lien entre eux était définitivement rompu, et que pour notre bien-être il fallait que chacun puisse se reconstruire. Mais, même à dix-sept ans, si j'avais eu le pouvoir d'exaucer un vœu, j'aurais fait en sorte que tout redevienne comme avant : quand tout semblait aller pour le mieux, quand mon père me prenait sur ses genoux, qu'on passait les soirées d'hiver à jouer au tarot ou au Monopoly, quand je pensais que nous étions une famille unie différente de toutes celles qui se déchiraient. A chaque fois qu'un copain d'école me racontait à quoi ressemblait sa vie d'enfant de divorcés, loin d'y trouver des avantages, je me mettais à prier de toutes mes forces pour ne jamais connaître ça, car ce qui ressortait toujours de ces récits, c'était la souffrance, les conflits et la vie bancale. Même à dix-sept ans, je n'étais pas de taille à affronter ça.

Toutefois, dans cette confusion, je refusais d'admettre la part de tristesse que je ressentais, car cela serait revenu à avouer que mon père me manquerait, alors qu'après tout le mal qu'il avait causé il était inconcevable que je puisse encore éprouver autre chose que de la haine envers lui. Je parlais très peu, ne pleurais jamais, me persuadant qu'après notre départ nous serions soulagées et que les choses rentreraient dans l'ordre. Mais à chaque fois que je passais une soirée entre amis, je finissais ivre : je buvais pour oublier.

Deux semaines auparavant, à la fête foraine de Cumières, j'avais littéralement perdu le contrôle. Je bus bière sur bière pour accéder à un terrain rassurant où toute angoisse disparaissait, où toute tristesse s'enfouissait. Mais ce soir-là, c'était un terrain miné qui m'attendait. Chaque bière supplémentaire, tel un poison fou, menaçait de faire exploser ma souffrance.

Au milieu de la nuit, sans raison apparente, je me mis à hurler sur Fred, qui, pour éviter que je ne me donne en spectacle sur la place publique, m'emmena dans une rue à l'écart du tapage de la fête. Là, comme un transfert à ma colère, je lui reprochai de me délaisser au profit de ses copains, de n'être pas suffisamment importante à ses yeux. Les mots, aussi puissants que des obus, retentissaient au-delà du bruit assourdissant des manèges. Le pauvre essayait de se défendre mais chacune de ses tentatives pour m'apaiser ne faisait que décupler ma rage, si bien que les mots, poussés à l'extrême, finirent par mourir pour faire place à une fureur plus horrible encore. Je me mis à le gifler pour le faire taire, sans pouvoir m'arrêter. Refusant de me tenir tête sur ce terrain-là, il m'abandonna à mon propre sort dans cette petite rue obscure, à quelques pas de la fête. Je m'écroulai en larmes, et m'endormis d'épuisement.

Quand je revins à moi, je fus incapable de savoir combien de temps s'était écoulé. Je n'entendais plus les chocs sourds des autos tamponneuses, ni ceux plus durs des punching-balls que les garçons cognaient toujours plus fort pour déterminer lequel d'entre eux était le plus viril, ni les tirs à la carabine auxquels on s'essayait pour obtenir, toujours en vain, les grosses peluches, pendues de manière aguicheuse au-dessus des joueurs. Je ne parvenais même pas à me souvenir des raisons pour lesquelles je me trouvais allongée sur le sol, dans une rue que je ne connaissais pas. J'entrepris de retrouver Loïc, chez qui je devais dormir. J'avais à peine fait quelques pas que je le vis accompagné de la bande avec laquelle j'avais passé une partie de la soirée. Il était visiblement inquiet et furieux.

— T'étais où ? La fête est terminée depuis un moment. On t'a cherchée partout ! Il est presque quatre heures du mat' ! Qu'est-ce que je vais dire à ma mère ? Tu la connais, elle va me faire la vie pendant des jours !

— Je me suis engueulée avec Fred et après je ne sais plus trop. Je crois que j'ai dormi.

— Vous me faites chier, avec vos conneries ! Si ça ne va pas, t'as qu'à le lourder ! En attendant, à cause de toi, je risque de ne plus pouvoir sortir pendant un bail.

— T'inquiète pour ta mère. Je lui dirai que c'est ma faute, je mettrai le paquet pour qu'elle me croie. Et Fred, tu l'as vu ?

— Non ! Il est sûrement rentré !

Sans un mot de plus, nous rentrâmes chez lui. Sa mère nous attendait de pied ferme. Après quelques explications un peu tendues, elle nous laissa nous coucher.

A midi, quand nous nous levâmes, Loïc était toujours fâché contre moi. Il ne m'adressa pratiquement pas la parole jusqu'à l'arrivée de Nico pour le repas.

Peu à peu, autour du barbecue, les rires revinrent. Mais je ne pouvais m'empêcher de penser à Fred. J'avais hâte de le revoir pour tout arranger. Nous le retrouvâmes l'après-midi à la fête. Son accueil fut particulièrement glacial. J'avais l'impression de ne plus exister à ses yeux. La rupture était proche. N'était-ce pas ce que je cherchais après tout ?

Je n'étais pas fière de moi. Comment avais-je pu tomber si bas ? Qu'est-ce qui m'avait pris ? Jamais l'alcool ne m'avait mise dans un état si épouvantable ! Au lieu de camoufler mon mal-être, il n'avait fait que le mettre en lumière.

Quatre jours plus tard, après avoir littéralement harcelé sa mère au téléphone, Fred consentit à me rappeler. Il ne voulait plus de cette relation devenue étouffante. A peine le combiné raccroché, je sortis de la maison et courus sans savoir où aller. A bout de souffle, je m'arrêtai en bordure d'un champ d'escourgeon sur les hauteurs du village. Je m'assis, me dissimulant dans les épis aux longs filaments, presque doux. La nature d'été, avec ses hautes herbes, ses tiges de céréales arrivées presque à maturation, me donnait l'impression de me protéger. Ici pas de masque, juste le léger crépitement des grains au contact des rayons brûlants du soleil. Aussi subtiles que les touches qu'un peintre aurait esquissées avec son pinceau pour casser les tons monocordes d'un tableau, les coquelicots s'étaient semés dans les cultures, et s'étalaient dans le vert blondi des brins qui ne seraient plus que des petites pailles creuses dans quelques semaines.

Je me pris la tête entre les mains et pleurai. Surprise par le flot de mes larmes qui se déversaient, incontrôlables. Je me détestais. J'avais tout fait foirer. J'avais tout détruit.

A l'ouest, le ciel s'était teinté de rose et de jaune plus sombre, signe que le soleil déclinait. Si je me sentais toujours tranquillisée dans la campagne, cela n'était plus le cas dès la nuit tombée, comme si ma meilleure amie devenait en quelques minutes ma pire ennemie.

Je décidai de rentrer. Calmée, j'avais besoin de raconter à Steph ma dernière discussion avec Fred.

— Ne t'inquiète pas, il va revenir, me rassura-t-il.

— Il te l'a dit ? m'enquis-je, soudain rassérénée à l'idée que tout n'était peut-être pas terminé.

— Non, mais j'en ai un peu discuté avec Loïc. On est sûrs qu'il t'aime ! Ça se voit ! C'est juste que tu lui en as fait baver ces derniers temps. Tu ne lui fais pas assez confiance. Laisse-le respirer quelques jours. Lâche-le un peu, et ça lui donnera envie de revenir vers toi.

— C'est lui, aussi, qui me rend dingue ! Quand il doit venir et qu'il arrive des heures en retard, ou qu'il ne vient pas du tout, quand il oublie de m'appeler !

— C'est Fred ! Si tu lui mets la pression, tu n'en tireras rien !

Cette nuit-là, je méditai les paroles de Steph. Il avait raison. Je pétais souvent un câble ces derniers temps. Je ne supportais pas que Fred m'échappe. Je le voulais auprès de moi. Tout le temps. Qu'il me fasse l'amour plus souvent. Je n'avais jamais rien ressenti d'aussi fort pour un garçon auparavant. Cela me rendait dingue ! Si je le perdais lui aussi, que me resterait-il ?

Au cours des derniers jours passés à Mareuil, tout sembla tranquille. Hormis les cartons ici ou là, rien n'indiquait que nous nous apprêtions à déménager. Mon père était étrangement calme. J'étais allée l'aider à palisser comme je le lui avais dit, et pour une fois il n'avait pas évoqué le divorce. Son attitude ne me rassurait pas pour autant. Son imprévisibilité m'effrayait. Il m'était déjà arrivé de craindre ses réactions qui finalement s'étaient révélées tout autres que celles que j'attendais. Quand ma mère m'avait annoncé qu'il savait que j'avais perdu ma virginité, alors que quelques jours auparavant il m'avait fait sévèrement la morale, m'interdisant tout rapport sexuel si jeune, je m'étais préparée à passer un sale quart d'heure. Il laissa s'écouler un peu de temps pour finalement lancer un soir, à table :

— Alors, qu'est-ce que ça fait de passer à la casserole ?

Il n'ajouta rien d'autre que cette phrase, somme toute bien sordide. Voilà à quoi pouvait se résumer mon éducation !

A contrario, il m'avait passé un savon parce qu'il était persuadé que j'avais imité sa signature sur une feuille d'orientation scolaire qu'il ne se souvenait pas d'avoir lue. J'avais dû parlementer longuement avant qu'il finisse par lâcher prise, sans pour autant qu'il reconnaisse avoir bien signé la feuille. Pour éviter de jeter de l'huile sur le feu, nous avions, ma mère et moi, demandé à la famille de se rendre directement à notre nouvel appartement et d'attendre que le fourgon arrive pour le décharger. A Mareuil, seul Loïc viendrait nous aider à remplir la camionnette. Il était neutre, et mon père n'avait aucune raison de s'en prendre à lui. Je ne le mettais pas dans une position facile. Il avait mon âge ; je ne savais pas, si en cas d'altercation, il serait en mesure de s'interposer.

La veille au soir de notre départ, j'appelai toute la bande car je n'avais pas envie de me retrouver seule dans ma chambre, incapable de fermer l'œil de la nuit, à me remémorer tout un tas de souvenirs vécus dans cette maison. J'aurais tellement désiré que Fred soit là aussi, mais malgré les propos rassurants de Steph et de Loïc, il ne m'avait toujours pas donné signe de vie.

Une fois tous réunis, nous allâmes « Aux petits arbres ». Ce soir-là, nous nous assîmes en rond, mais contrairement à d'habitude où les rires fusaient dès que nous étions installés, la conversation tourna très vite autour de mon départ de Mareuil. Mes amis étaient inquiets : je ne leur avais toujours pas dit ce que je ressentais. Ils trouvaient étrange que je reste sans réaction, comme si les choses n'allaient pas changer, comme si rien ne m'atteignait.

J'éludai les interrogations de Steph, Carole et Ange. On était inséparables depuis tant d'années ! Je tentai de les rassurer rapidement en leur disant que mon cœur resterait là, avec eux. Je continuerais à venir ; mon père gardait la maison. Je ne voyais pas où était le problème. Mais on était au début de l'été et j'allais laisser un vide à chaque fois qu'ils se verraient sans moi pour aller chercher le pain, ou discuter le soir « Aux petits arbres ». Y viendraient-ils encore d'ailleurs ?

Comment leur expliquer que j'étais incapable de faire face à leurs questions ? Comment leur dire que je vivais depuis des mois dans un climat explosif ? Que je ne parvenais pas à me rendre compte des implications affectives que mon départ allait causer parce que je ne pensais qu'au bien-être de ma mère ? Que j'avais le cœur meurtri à chaque fois que mon père parlait de suicide, et que je ne voulais plus vivre dans cette peur incessante que nos vies s'écroulent à jamais ? Je n'avais pas les mots pour leur raconter tout ça.

Au lieu d'entrer dans la discussion, je leur proposai de faire un dernier tour dans le village. Là, par hasard, nous passâmes devant chez le garde champêtre où une fête battait son plein. L'une des fenêtres était ouverte et nous pûmes voir qui s'y trouvait. Je reconnus mon père en compagnie de Marcel et Alain, dit Le Rouge, parce qu'il avait la peau du visage aussi rouge que le vin qu'il buvait plus que de raison. C'étaient deux de ses amis vignerons avec lesquels il allait de temps en temps à la chasse, et qui faisaient partie des habitués de l'apéritif chez moi. Quand ils nous virent, ils nous proposèrent de les rejoindre. Seul Loïc accepta de m'accompagner. Je promis aux autres qu'on ne resterait pas longtemps. Je ne pouvais m'empêcher d'aller jeter un coup d'œil : je voulais constater par moi-même l'état d'esprit de mon père et m'assurer qu'il n'allait pas dérailler au cours de la nuit. L'ambiance était bon enfant et mon père semblait même plutôt joyeux. Nous bûmes un ou deux verres de ratafia puis nous partîmes à la recherche du reste du groupe. Quand nous les retrouvâmes, il était déjà tard et Steph, Carole et Ange s'apprêtaient à rentrer chez eux. Je lus la déception dans leurs yeux. Je savais qu'ils s'attendaient à une soirée différente mais je préférais occulter la réalité et agir en digne adolescente centrée sur ses amours et les fêtes à venir. Ça faisait moins mal !

Une fois revenue à la maison avec Loïc et Nico, nous nous installâmes à la table de la salle à manger, bavardant de tout et de rien, et surtout pas du lendemain. Ce soir-là, aucun interdit n'était de mise : j'en profitai pour me servir dans le bar. Mes parents auraient autre chose à faire que regarder le niveau des bouteilles d'alcool, d'autant plus qu'ils allaient généralement se servir à la cave en champagne ou rata. Je versai une bonne dose de vodka et de curaçao dans nos verres et nous commençâmes ainsi à faire passer le restant de cette étrange nuit, mêlée de soulagement, d'angoisse et de nostalgie. Soudain, nous entendîmes le fourgon de mon père remonter le chemin qui menait jusqu'à la maison. Rassurée par la présence des garçons, j'attendis sereinement qu'il se gare dans le hangar d'où des bruits étranges nous parvinrent. Je me demandais ce qu'il trafiquait, pourquoi il mettait autant de temps. Au bout d'un moment, nous finîmes par le voir apparaître, tout émoustillé, le pantalon trempé d'un liquide sombre, le sourire aux lèvres.

Face à nos têtes ahuries, il nous expliqua :

— Je dois dépanner une nana. Sa voiture est tombée en rade parce qu'elle n'a plus d'essence. Je suis venu prendre un baril, et en ouvrant la cuve, ça a giclé.

Qu'est-ce qu'il racontait ? Il n'avait pas pu rencontrer une femme, à cette heure-là, en pleine campagne ! Il riait comme un gamin, et nous, nous demeurions abasourdis.

Je finis par l'interroger :

— Elle est où, cette femme ?

— Dans le fourgon. Elle m'attend.

— Elle était toute seule ?

— Oui, elle revenait d'une fête organisée par l'une de ses copines, à Tours-sur-Marne. Elle pensait pouvoir aller jusqu'à Aÿ pour faire le plein, mais la voiture a lâché avant.

— Et toi, tu passais par là ? questionnai-je, toujours aussi incrédule.

— Non, en sortant de sa voiture, elle a entendu du bruit et a vu la maison de Jacques allumée, alors elle est venue nous demander de l'aide. J'étais le seul à avoir encore un peu d'essence ; je lui ai proposé d'aller en chercher. Et elle a voulu m'accompagner.

— Elle n'a pas peur !

— Je crois que j'ai une touche, répliqua-t-il, toujours tout sourire. Ne vous inquiétez pas si je ne rentre pas. J'y retourne !

Je ne parvenais pas à croire ce qui venait de se passer : mon père tout guilleret qui s'apprêtait à conclure avec une femme rencontrée en pleine nuit dans un village de campagne. C'était irréel ! J'avais pourtant espéré qu'un événement survienne avant le déménagement pour qu'on puisse partir sans pleurs, sans drame, mais même dans mes rêves les plus fous, je n'avais jamais imaginé qu'une femme surgie de nulle part nous sauverait.

La providence faisait si bien les choses que je me disais qu'il ne pouvait pas s'agir d'un hasard. Je me demandai même si quelqu'un n'avait pas tout orchestré et n'avait pas payé cette gonzesse. Loïc et Nico semblaient tout aussi surpris :

— Il était drôlement euphorique, ton père ! Tu crois vraiment qu'il va conclure ? demanda Nico.

— J'en sais rien. Il avait l'air plutôt sûr de son coup. C'est sans doute bidon, son histoire de panne d'essence. Elle cherchait peut-être un mec tout simplement !

— C'est vrai que c'est bizarre, ajouta Loïc. Après tout, te prends pas la tête. Elle est peut-être vraiment tombée en rade et a décidé de payer ton père en nature !

Nous rîmes de bon cœur tout en terminant la bouteille de vodka. Je tombai comme une masse après le départ des garçons. Je n'avais prononcé aucun au revoir. Je m'étais contentée d'attendre le moment fatidique où je chargerais mes affaires dans la camionnette. J'étais persuadée qu'une partie de moi restait et qu'elle demeurerait intacte, continuant à habiter les lieux comme si rien n'avait changé. Je vivais ces instants dans un brouillard aux vapeurs d'alcool qui obscurcissait la réalité, croyant inconsciemment qu'une fois sortie de cette brume ma vie réintégrerait les jours passés, heureux.

Quelques heures plus tard, je trouvai ma mère assise dans un fauteuil, le visage fermé, perdue dans ses pensées.

— Tu as vu ton père cette nuit ? demanda-t-elle après m'avoir embrassée.

— Oui, pourquoi ?

— Je ne sais pas où il est ; le fourgon non plus. Je me demande s'il ne le fait pas exprès pour nous enquiquiner. Si on n'a pas la camionnette, je ne sais pas comment on va se débrouiller.

— Ne t'inquiète pas, il va arriver.

Je racontai à ma mère la scène à laquelle nous avions assisté les garçons et moi. Au fur et à mesure, je vis le visage de ma mère se détendre, en même temps que je lisais de la méfiance dans ses yeux.

— Tu es sûre de ce que tu dis ?

— Certaine. S'il n'est toujours pas rentré c'est qu'il a dû finir la nuit avec elle. On n'aurait pas pu souhaiter mieux pour déménager tranquille !

— J'ai du mal à y croire, mais si c'est vrai, cette femme est tombée du ciel !

— C'est ce que je pense aussi.

Rassérénée par mon récit, ma mère commença à descendre les cartons en attendant l'arrivée de Loïc et le retour de mon père qui se gara finalement quelques minutes plus tard devant la maison. Il nous raconta comment il avait fini la nuit dans les champs avec sa nouvelle copine. Pas farouche, la nana, et pas compliquée !

Entre gueule de bois, gueule de joie et gueule de roi déchu, mon père coopéra tant bien que mal au déménagement. Il contesta à plusieurs reprises ce que ma mère emportait alors que tout avait été décidé par avance. C'était probablement sa manière à lui de la retenir encore un peu, mais aucun accès de rage ne se profilait.

Toutefois, je le guettais, épiais ses moindres faits et gestes jusqu'au moment du départ pour m'assurer qu'il ne déraperait pas. J'étais si angoissée qu'un drame se produise, qu'il sorte subitement un fusil de chasse pour empêcher ma mère de partir, que je ne vis même pas le fourgon se remplir, la maison se vider. Tout ce qui m'importait était qu'il laisse ma mère en paix. Le reste, je n'y pensais même pas ! Mais ce jour-là, la résignation semblait la plus forte, probablement grâce à la rencontre providentielle de la nuit.

Quand ma mère revint du dernier aller-retour, nous ne nous attardâmes pas ; je sentais qu'elle avait hâte de quitter les lieux une fois pour toutes. Elle embrassa mon frère, qui s'était fait discret tout au long de la matinée, se contentant d'exécuter ce qu'on lui demandait. Il lui promit de venir à Epernay le plus souvent possible. Les larmes aux yeux, il fixait le véhicule, et ce fut à peine s'il me dit au revoir. Mon père tenta une approche, mais ma mère avait déjà mis le contact.

Enfin sur la route de notre nouvelle vie, nous ne pensions déjà plus à la maison que nous laissions, mais à l'appartement qui nous attendait pour nous reconstruire.

Là-bas, nous trinquâmes avec tous ceux qui étaient venus décharger le fourgon. Ma mère n'avait pas vu certains d'entre eux depuis de longs mois, notamment François, que j'avais d'ailleurs plus ou moins oublié. Il avait été au centre de nombreuses disputes entre mes parents, et j'avais cru comprendre qu'il avait commencé à éprouver des sentiments amoureux envers ma mère avant que mon père ne lui interdise de mettre les pieds chez nous. Je me demandais, maintenant qu'elle avait retrouvé sa liberté, comment évoluerait cette relation. Il était sympa mais j'espérais que ma mère prendrait du temps pour elle... Je n'avais pas non plus envie de voir un homme débarquer et nous envahir trop rapidement dans notre nouveau « chez-nous ».

L'après-midi, Fred passa me voir. Nous ne nous étions pas revus depuis la fête à Cumières. C'était étrange de se retrouver au pied de l'immeuble, comme si nous nous connaissions à peine. L'un en face de l'autre, nous échangeâmes quelques banalités sur le déménagement. Il ne voulut pas entrer pour ne pas déranger, ni s'attarder. Il tenait à s'assurer que j'allais bien. Il était gêné, c'était évident, mais je ne parvenais pas à déterminer à quel sujet. Il me promit qu'il reviendrait dans la semaine, une fois que nous serions mieux installées, ma mère et moi. Juste avant qu'il ne remette son casque et ne remonte sur son scooter, je ne pus m'empêcher de m'approcher et de l'embrasser. Il ne me repoussa pas, et me rendit mon baiser avec cette même tendresse qui m'avait rendue folle de lui. Le cœur battant, je le regardai partir, mourant d'envie de le revoir au plus vite, et de sentir ses mains et ses lèvres parcourir mon corps.

Ce soir-là, il était convenu que mon oncle me conduirait à Mareuil, chez Carole qui organisait une fête pour clore dignement la fin de l'année scolaire et des épreuves du bac. Il n'était pas question de manquer cette soirée car je voulais montrer à mes amis que même si désormais j'habitais ailleurs, je faisais toujours partie du village et de la bande.

Quand j'arrivai, tout le monde était déjà là. Je me mis tout de suite dans l'ambiance. Avec Steph, nous allâmes planquer quelques bouteilles d'alcool sous un sapin, afin que les parents de Carole ne s'aperçoivent pas qu'il y en aurait plus que prévu. Nous préparâmes ensuite un petit cocktail dont nous avions le secret, que nous sortirions de notre cachette une fois que la fête aurait vraiment démarré.

Après l'apéritif et le barbecue, tout en continuant à siroter quelques verres, nous commençâmes à nous déhancher sur nos musiques préférées dans le salon, devenu piste de danse pour l'occasion. Je m'amusais, ne pensant qu'à l'instant présent.

« I like to move it move it, I like to move it ! » criions-nous tous en chœur. Nous débutâmes ensuite nos chorégraphies endiablées sur *Like a Virgin* et *Troisième sexe*, en passant par la Macarena, la danse de cet été 1996 ! Puis l'heure du slow sonna ! Même si on se connaissait tous, nous étions toujours à l'affût d'un couple qui se formerait pour la soirée et qui alimenterait nos conversations durant quelques semaines.

Au moment du dessert, la fatigue commença à m'envahir. Je pensai à ma mère et me demandai ce qu'elle avait fait pour son premier soir, seule dans l'appartement. Tout le poids de la journée se fit sentir. Je regardais les autres qui continuaient à rire, à délirer sans que je parvienne à me raccrocher à eux. J'observai Ange poursuivre Loïc dans le jardin avec sa charlotte aux fraises pour l'obliger à la goûter, mais chaque mouvement, chaque parole, chaque rire, glissait sur moi. J'étais ailleurs.

Cette sensation d'être à distance des autres ne me quitta plus. Même le lendemain, encore embrumée par les vapeurs de l'alcool, je restai en dehors des conversations et des rires. Les événements des derniers temps avaient eu plus d'impact que je ne l'admettais : une fêlure s'était ouverte en moi. En regardant mes amis, j'enviais leur innocence ; celle de l'adolescent qui ne sait pas quel mal l'attend.

Quand ma mère revint me chercher en fin d'après-midi, je me rendis soudainement compte que je ne repasserais pas par les champs pour rentrer ! Il fallait le reconnaître : plus rien ne serait jamais pareil. L'éloignement que je ressentais depuis la nuit prenait tout son sens à ce moment, et je m'aperçus, en observant le visage pâle et tiré de ma mère, combien le fait d'être là, dans ce village qu'elle avait quitté dans la douleur, était difficile.

Morte de fatigue, je dormis d'un sommeil de plomb, sans rêve, sans cauchemar ni ressassement, pour ma première nuit dans notre nouvelle habitation.

Toutefois, comme un aimant, je retournai à Mareuil dès le samedi suivant pour les festivités du 14 Juillet. Avec la bande, nous assistâmes au feu d'artifice, modeste mais plutôt réussi pour un petit village de campagne sans grands moyens. Tout le charme provenait de l'endroit d'où nous pouvions l'admirer. Après avoir formé un cortège éclairé par des lampions orangés et avoir déambulé dans le centre du village, la plupart des habitants s'entassaient contre la rambarde du pont de la Marne. Pour mieux voir les soleils qui tournoyaient sur les berges, ils se tenaient serrés les uns contre les autres, dans l'obscurité.

Arrivés avant ceux qui avaient fait la retraite aux flambeaux, nous avions pu nous installer à une place de choix, au milieu du pont. Nous discutâmes un court instant dans le noir. Nous nous tûmes au sifflement du premier tir.

Les artificiers amateurs de notre village maîtrisaient ensuite avec de plus en plus de dextérité l'allumage des flammèches qui prenaient leur envol pour se propager en d'éclatants rayonnements. Tantôt nous levions la tête pour regarder un festival de couleurs illuminer le ciel, au-dessus des arbres mangés par la nuit, tantôt nous la baissions pour contempler les reflets colorés sur l'eau. Le double spectacle réjouissait toujours autant mes yeux d'année en année. Loin de la grande foule, j'avais l'impression d'une fête intime et rassurante, coupée du monde, car hormis les gerbes qui pétaradaient, rien ne venait nous troubler.

Après le bouquet final recouvrant d'un dôme féerique le pont, tout le monde se dirigeait tranquillement vers la cour de l'école pour profiter du bal populaire. Des petits groupes se formaient autour de la buvette, faisant sauter les bouchons de champagne à qui mieux mieux, tandis que d'autres s'installaient autour des tables, en attendant ceux qui étaient partis chercher une bouteille, ou simplement pour se donner une contenance jusqu'à ce que la piste de danse se remplisse.

Nous, nous étions plutôt du genre à mettre l'ambiance. Nous nous moquions bien de ceux qui nous scrutaient d'un drôle d'air, et qui craignaient peut-être des dérives de jeunesse. Nous nous contentions de boire quelques coupes de champagne et de nous déhancher, hilares, au milieu de tous les gens qui avaient du mal à se dérider.

Ce soir-là, toujours dans un état d'esprit à part, je vivais la soirée comme si j'étais dans un rêve perturbant, de ceux qui vous semblent à la fois familiers, parce que vous reconnaissez les lieux et les personnes qui s'y trouvent, et déstabilisants, parce que ce qui s'y passe paraît totalement étrange. Je voyais bien toutes les personnes qui me fixaient sans oser venir me parler. C'était à peine perceptible, mais je distinguais le changement dans leur regard et dans leur façon de se détourner dès que je m'approchais.

Contre toute attente, mon père, habituellement réticent à participer à ce type de manifestation, arriva, accompagné d'une petite femme brune et de quelques amis. Ils s'arrêtèrent à la buvette avant d'aller s'asseoir. Surprise, et curieuse, je m'avançai vers eux :

— Je ne savais pas que tu viendrais, lui fis-je remarquer.

En début de soirée j'étais passée à la maison pour déposer mes affaires pour la nuit. J'avais croisé mon père qui s'était contenté de me dire qu'il avait rendez-vous avec sa nouvelle copine rencontrée la semaine précédente.

— Ce n'était pas prévu ; on a décidé à la dernière minute.

Il sembla hésiter un instant :

— Je te présente Christine.

Je la dévisageai, essayant de déceler un indice qui expliquerait comment elle avait pu se laisser séduire aussi facilement par mon père, en pleine nuit, alors qu'il avait un peu trop bu et qu'il était encore habillé de son pantalon de travail kaki et d'une chemise à gros carreaux, qui n'avait rien de glamour. Elle avait l'air plutôt classique et strict avec son tailleur gris, ses cheveux bruns coupés au carré et son sourire un peu pincé, ce qui détonnait avec l'idée d'une femme qui s'envoyait en l'air avec un inconnu, dans un fourgon, en plein champ.

Personne ne semblait trouver quelque chose d'intéressant à dire. Je m'empressai donc de rejoindre la
bande au milieu de la piste, dansant sur YMCA. Les
bras en l'air, je pris en route la chorégraphie, mais
sans vrai enthousiasme, un peu déstabilisée par la
présence de mon père au côté d'une autre femme
que ma mère, seulement quelques jours après son
départ. Je finis ainsi la soirée, plus comme un automate se laissant guider que comme une adolescente
fêtarde.

Je pensais que me retrouver dans ma chambre
m'apaiserait. J'avais envie de me raccrocher à des
repères familiers qui me rassureraient, qui me prou-
veraient que certaines choses n'avaient pas changé
et ne changeraient pas. Mais ce n'était qu'une illusion de petite fille. Vidée de l'armoire, du bureau,
de la chaîne hi-fi et privée de quelques posters que
j'avais tenu à emporter, ma chambre n'était plus
la même. Devenue plus spacieuse, froide et triste,
j'avais l'impression que cette pièce n'était plus la
mienne, et qu'elle me faisait payer son dénuement.

Je dormis tant bien que mal, pelotonnée sous la
couette, tentant d'oublier tout ce qui avait éclaté
dans ma vie.

L'été du déménagement m'apporta le soulagement
tant attendu, car c'en était fini de toutes ces disputes,
de toutes ces craintes qui m'avaient pourri l'existence
pendant un an et demi, mais le bien-être ne revint
pas comme je l'avais espéré.

Fred passa à l'appartement deux ou trois fois, mais jamais seul. Je finis par comprendre que notre relation ne reprendrait jamais là où elle s'était arrêtée. Les nouvelles s'espacèrent jusqu'à ce que Loïc me révèle qu'une fille tournait autour de mon petit copain, et qu'il n'y était pas indifférent.

Excédée par son silence, je me rendis à Cumières un après-midi. Fred m'assura qu'il ne s'était rien passé avec cette fille, mais je perdis une fois de plus le contrôle, refusant de le croire. Il prononça des mots fermes et définitifs : « C'est terminé. »

Bouleversée, je parvins à peine à lâcher un « connard » empli d'amertume. Je rentrai à pied, en courant presque, pour écraser ma souffrance. Pourquoi tout foutait le camp dans ma vie ? Qu'est-ce qui clochait chez moi ? Je m'en voulais une fois de plus d'avoir tout fichu en l'air. Comment supporter de le perdre définitivement ?

Mes espoirs ne furent pas seulement déçus en amour. La vie citadine ne tenait pas plus, à mes yeux, toutes les promesses qu'elles semblaient m'avoir faites. Durant le temps où j'imaginais à quoi ressembleraient mes journées à Epernay, je préparais des plans de sorties : McDo, cinéma, parc de l'Hôtel de ville, bars, shopping... de nouvelles libertés alléchantes, quand il me fallait dépendre d'un car ou d'un adulte pour organiser une virée en ville lorsque j'habitais à Mareuil.

Or, celle-ci m'étouffait. Alors que de la fenêtre de mon ancienne chambre, je me plaisais à regarder la pelouse de la terrasse, le vert des thuyas, la grève du chemin qui menait à la maison et l'étendue de champs, ici, c'était tout l'inverse. Les voitures, nombreuses, décoraient comme des guirlandes le bord des trottoirs, et le lotissement, en face, collait à la route. Même la vue sur le mont Bernon n'était qu'un leurre. Il n'était qu'une sorte de barrière pour stopper la propagation des constructions, et ne donnait pas à voir ce qu'il y avait au-delà. Il formait un mur qui faisait de la campagne un autre monde, interdit.

Mes promenades se raréfièrent rapidement. Les magasins, les rues, la foule, n'avaient finalement rien de si attrayant. J'errais sans but, sans argent à dépenser. Je finissais toujours par m'ennuyer et remontais à l'appartement, comme un animal retourne dans sa cage parce que l'extérieur est plus menaçant encore, sans avoir trouvé la paix qui m'envahissait quand j'étais dans les champs ou « Aux petits arbres ». Je manquais d'espace dans ce décor bétonné où nous n'étions jamais seuls.

Je me rendais donc dès que possible à Mareuil, mais après la triste nuit passée dans ma chambre, je ne renouvelai pas l'expérience. J'avais besoin de temps pour construire de nouveaux repères et pour trouver l'envie de renouer avec mon père. Je le haïssais encore pour tout le mal qu'il avait fait, pour ce qu'il était et qui ne correspondait pas à la manière dont je l'avais toujours perçu. J'étais tellement déçue que je me surprenais souvent à me dire que je ne pourrais plus jamais l'aimer, mais j'espérais quand même qu'avec le temps ma colère s'apaiserait.

J'avais terriblement besoin de la campagne et de mes amis, besoin de me ressourcer, de sentir que j'avais encore des points d'ancrage quelque part, que tout n'avait pas fichu le camp, mais n'ayant ni permis de conduire ni aucun moyen de locomotion rapide, je dépendais du bon vouloir des uns et des autres pour m'emmener au village qui m'avait vue grandir. Un fossé se creusa assez vite avec la bande. La vie continuait normalement pour eux, qui honoraient les habituels rendez-vous et profitaient d'un nouvel été au son du chant des moissonneuses, tandis que moi j'avais tout à rebâtir. Je ne parvenais pas à m'intégrer dans leurs conversations basées essentiellement sur ce qu'ils avaient vécu ensemble dans la journée. Malgré eux, ils me faisaient percevoir cruellement que je ne vivais plus dans le même monde. J'étais de moins en moins sur la même longueur d'onde, ce qui m'attristait, ne sachant plus à quoi me raccrocher.

Je leur faisais payer plus ou moins consciemment leur bonheur, leur équilibre, mais aussi cette distance entre nous qui grandissait chaque jour. Dès qu'une soirée était un peu arrosée, je ne retenais plus rien, devenais insupportable, voire même exécrable. Tout était prétexte à dispute : une sortie à laquelle je n'avais pas pu participer, une mauvaise blague, un mot de travers... Mes réactions étaient disproportionnées : je me mettais à crier, pleurer. Je ne me reconnaissais pas dans ces élans destructeurs et pourtant c'était bien moi qui poussais mes amis les plus chers dans leurs retranchements pour voir s'ils allaient tenir, pour voir si leur amitié resterait intacte.

De l'affection, ils en avaient : je les blessais et pourtant ils ne surenchérissaient pas, ne m'accablaient pas davantage. Mais je voyais bien dans leurs yeux chargés d'incompréhension, de pitié et de déception mêlées qu'ils détestaient celle que j'étais devenue et que je risquais gros à force de persister dans cette attitude.

Pour croire que je valais encore quelque chose, je me consolai vaguement avec les notes que j'avais obtenues à mon bac français – treize à l'écrit, treize à l'oral. J'avais au moins quelques points d'avance pour les épreuves de l'année suivante ! Mais même cette petite victoire ne parvint pas à me réjouir. Rien n'était gagné et j'avais encore tout à prouver pour réussir mes études.

Cependant, je m'inquiétais bien davantage pour ma mère que pour moi-même. Je me disais que si j'avais du mal à tourner la page, à trouver mes marques dans cette nouvelle vie, et que je perdais un peu les pédales, je finirais bien par m'habituer avec le temps. L'essentiel, c'était ma mère. Elle, elle avait réellement souffert. Je n'avais pas le droit de me plaindre. Sinon, cela ne valait pas la peine d'avoir surmonté tout ce que nous avions enduré.

Je m'étais persuadée que dès que nous serions installées, elle retrouverait le sourire et la sérénité, mais à ma grande surprise, elle se montrait souvent agacée par tout et n'importe quoi. Elle m'adressait des reproches que je ne comprenais pas. Alors que l'été j'avais pris l'habitude de recevoir régulièrement des amis à la maison, qui restaient jusqu'à une heure avancée de la nuit sans qu'elle s'en préoccupe, elle me faisait comprendre que ces visites la dérangeaient et l'empêchaient de dormir.

Sur le moment, je me vexais un peu, trouvant qu'elle exagérait, puis j'essayais de me mettre à sa place en me disant que désormais nous étions dans un appartement et que nous n'avions plus le même espace de liberté. Alors que cela me faisait du bien de discuter avec Loïc ou Nico, qui habitaient maintenant plus près et qui étaient en mesure de venir me voir assez facilement, je leur donnais des prétextes pour éviter qu'ils ne débarquent trop souvent ou qu'ils ne repartent trop tard.

Je compris vraiment que ma mère allait mal le jour où je la surpris en train de pleurer. Après le déjeuner, je montais directement dans ma chambre quand l'envie me prit de manger un carré de chocolat. Je redescendis à la recherche de mon plaisir gourmand quand je vis ma mère, allongée sur le canapé. Sur le moment, je crus qu'elle se reposait, mais aussitôt j'entendis des sanglots étouffés.

En me voyant, elle se redressa et essaya de retenir ses larmes qui coulaient le long de ses joues, et de me sourire pour se donner une contenance.

— Qu'est-ce qui se passe ? lui demandai-je, inquiète.

— Rien, t'en fais pas, ça va aller.

— Tu pleures, ce n'est pas « rien ». Il s'est passé quelque chose ? insistai-je. Tu n'es pas heureuse, tu regrettes d'être partie ?

— Non, certainement pas. C'est juste que mon contrat est terminé. Je savais depuis le début qu'il n'y avait pas moyen de le transformer en emploi permanent mais maintenant que c'est fini pour de bon, ça m'inquiète car je n'ai aucune qualification. Et, en attendant que le divorce soit prononcé définitivement, je crains de ne pas m'en sortir financièrement. J'ai envie que tu ne manques de rien, que tu puisses vivre comme n'importe quelle fille de ton âge.

— Ça va finir par s'arranger, tentai-je de la rassurer. Ne te fais pas de souci pour moi, je n'ai besoin de rien.

— Ça me tracasse quand même. Et puis, ton frère me manque ; il n'appelle pas et ne vient pas beaucoup ; j'ai peur qu'il m'en veuille. J'espère que ça se passe bien avec ton père ; je n'ose pas trop lui poser de questions.

Je n'arrivais pas à comprendre qu'elle se mette dans cet état après tout ce qu'elle avait dû traverser. Et moi ? J'étais là ! Ça ne comptait pas ? J'avais l'impression qu'il y avait autre chose, car je ne l'avais jamais vue ainsi, même dans les moments les plus difficiles : apeurée, déprimée, abattue, mais jamais à pleurer, allongée sur un canapé.

Plus tard dans l'après-midi je profitai d'être seule pour appeler ma grand-mère car je ne me sentais pas de taille à soutenir ma mère sans l'aide de quiconque. Je lui fis promettre de ne rien dévoiler de mon appel, car je savais que ma mère voulait rester digne quoi qu'il lui en coûte.

Je m'étais bernée de belles illusions : le temps du renouveau n'était pas près d'arriver ! Je ne connaissais encore rien de la vie ! J'avais naïvement imaginé que sans mon père nous serions légères, souriantes, presque euphoriques, que nous rattraperions tout ce temps où nous avions dû taire qui nous étions réellement, mais il ne suffisait pas d'habiter ailleurs pour exorciser les démons.

9

Lasse. Perdue. Incapable. Hélène ne parvenait pas à reprendre le fil de sa vie. Où étaient passées l'énergie, la détermination qui l'avaient menée ici, loin de Bertrand ? Pourquoi cette sensation de vide en elle alors qu'elle aurait dû sourire à la vie ? Certes, Marc lui manquait terriblement, mais cela n'expliquait pas cette impression de paralysie. Maintenant qu'elle était sortie du tunnel, tout lui semblait impossible : seule, sans boulot, sans son fils qui préférait profiter de la campagne plutôt que venir la voir. Même le sommeil la fuyait ; les angoisses tournaient en rond dans sa tête, la nuit, pendant des heures.

Hélène savait que pour espérer de nouvelles perspectives, il fallait retrouver un travail, mais à chaque fois qu'elle allait à l'ANPE cela se révélait vain. On ne cessait de lui répéter qu'elle manquait de qualifications, que la conjoncture n'était pas favorable, qu'elle devait se montrer patiente.

Elle était désemparée, ne sachant pas quoi faire, dans cet appartement où toute tâche à effectuer s'accomplissait trop rapidement par rapport à ce qu'elle avait l'habitude de faire dans la vaste maison

de Mareuil. Et le petit morceau de vigne qui lui restait était bien dérisoire pour l'occuper durablement.
Elle s'y rendait tout de même chaque semaine, mais
les sarments semblaient avoir stoppé leur croissance.
Tout était palissé, rogné à la perfection.

Elle comblait le temps en lisant, en rangeant l'appartement, mais cela ne suffisait pas à remplir le vide de
sa nouvelle existence si bien qu'elle finissait par
s'écrouler en sanglots. Elle se demandait à quoi ressemblerait sa vie désormais.

Gaby l'avait surprise quelques semaines plus tôt.
Quand elle la vit face à elle, rongée par l'inquiétude,
elle eut honte. Pour sa fille, elle se devait de se montrer à la hauteur ; elle n'avait pas le droit de flancher.
Dès lors, elle se promit de se contenir davantage et
de se ressaisir. Elle refusait que Gaby se sente obligée
de la soutenir.

Ce fut seulement au cours du mois d'août, quand
François rentra de vacances, qu'elle retrouva un peu
le sourire. Il venait de passer un mois dans sa maison
d'Argelès-sur-Mer avec sa famille. A peine revenu,
il sonna à sa porte à l'improviste, un après-midi.
Gaby étant chez des amis, ils profitèrent de ces vraies
retrouvailles. Cela faisait pratiquement deux ans,
depuis le jour où elle avait bien failli en finir, qu'ils
ne s'étaient pas revus seule à seul. Au moment du
déménagement, le moment n'était pas propice, puis
juste avant qu'il descende à Argelès, Hélène n'avait
pas tenu à le voir, ayant besoin de prendre un peu
de recul sur sa nouvelle situation.

Dès qu'Hélène ouvrit, François s'avança vers elle et la serra un long moment dans ses bras. Surprise, elle se laissa aller à cet élan d'affection.

— Tu m'as terriblement manqué. Je n'ai pas cessé de penser à toi, dit François.

Hélène ne s'attendait pas à ces paroles.

— Je suis heureuse de te voir aussi, fut la seule chose qu'elle parvint à dire, ayant du mal à savoir ce qu'elle ressentait vraiment.

Ils s'installèrent autour d'un café et se racontèrent leur été mais aussi ces deux années au cours desquelles ils n'avaient pas pu se parler comme ils l'auraient souhaité. Les mots fusaient de toutes parts, entrecoupés de longs silences où ils échangeaient un regard plein de tendresse. Hélène, qui avait enfoui au fond d'elle-même sa détresse, libérait ses émotions, osant même dévoiler certains secrets qu'elle lui avait toujours tus, notamment la raison pour laquelle elle avait eu envie d'avaler des médicaments pour définitivement faire taire sa souffrance. Au fur et à mesure que les mots sortaient, que les larmes coulaient, elle se sentait de plus en plus légère. François ne la jugeait pas, se contentant de l'écouter, de la rassurer.

— Tu dois te dire que je suis compliquée. J'ai tout fait pour quitter Bertrand, et maintenant que je suis seule, je n'arrive pas à me sentir heureuse. Souvent, je me réveille en sueur, croyant qu'il est à côté de moi et qu'il va encore me demander de faire l'amour. Je ne parviens pas à réaliser que tout est terminé, qu'il ne fait plus partie de ma vie.

— Je pense que c'est normal. On ne se détache pas facilement des traumatismes qu'on a vécus pendant des années.

— Peut-être, mais je m'en veux. Je devrais être plus forte. Pour le moment, quand j'emmène Gaby ou que je vais chercher Marc chez Bertrand, je me contente de les déposer, ou d'attendre dans la voiture. Je fais tout pour éviter de lui parler. Je m'organise même souvent pour que ce soit quelqu'un d'autre qui fasse les trajets. J'aimerais ne plus jamais le voir ou même lui adresser la parole tellement il me dégoûte. Tu te rends compte, c'est le père de mes enfants, et j'ai un mal de chien à ne pas le dénigrer devant eux !

— Ne t'inquiète pas, cette période va passer. Ta colère s'estompera et tu arriveras à faire la part des choses.

— Tu crois ? interrogea Hélène, sceptique.

— Tu dois panser tes blessures, te reconstruire, reprendre confiance en toi. Tout ça prendra du temps.

Ils continuèrent à discuter ainsi un bon moment avant que François lui annonce qu'il devait partir. Ils se trouvaient dans l'entrée, Hélène s'apprêtait à l'embrasser sur la joue quand François détourna la tête pour chercher ses lèvres. Hélène se laissa guider, sans réfléchir à ce qui se passait, dégustant toute la délicatesse que François mit dans ce baiser, qui ne ressemblait à aucun de ceux qu'elle avait connus.

Le premier frisson passé, Hélène revint à la réalité et se dégagea. Même s'il était très séduisant avec ses

231

yeux gris malicieux, ses fossettes qui accentuaient le charme de ses sourires, et qu'il lui avait apporté un soutien qu'elle n'oublierait jamais, il fallait se rendre à l'évidence.

— Je ne crois pas que ce soit une bonne idée. Je ne sais même pas si j'ai des sentiments amoureux pour toi. Et puis, tu es marié. Je ne veux pas me retrouver dans ce genre de situation. J'ai assez donné.

— Je serai patient ; je te laisserai le temps qu'il te faut. Pour ma femme, tu n'as pas à t'en préoccuper ; on en est toujours au même point. On est d'accord : chacun vit sa vie. Nous éprouvons encore beaucoup d'estime l'un pour l'autre, mais c'est tout. Au fil du temps, nous sommes devenus de simples compagnons. On continue de vivre ensemble parce que c'est plus pratique et que personne n'a retrouvé quelqu'un. Rien, jusqu'à présent, ne nous a obligés à changer notre manière de vivre.

— Je ne sais pas ; je dois réfléchir. Je ne me sens pas prête.

— Dis-toi que tout ce que je veux, c'est te donner tout l'amour que tu n'as pas reçu. Tous les hommes ne sont pas comme Bertrand. Tu peux me faire confiance, tu le sais.

Hélène se contenta de sourire, et François repartit, la laissant un peu chavirée par le fait qu'un homme ait envie de prendre soin d'elle sans avoir pour seul désir de lui proposer une place dans son lit.

A partir de ce jour, François vint la voir régulièrement, respectant sa parole. Il l'approchait aussi patiemment que s'il tentait de caresser une biche effarouchée. De son côté, Hélène appréciait le temps qu'elle passait avec lui ; au moins, elle n'était plus seule et elle aimait la tendresse qu'il lui donnait. Peu à peu, son corps sortait de sa paralysie : la chaleur l'envahissait de nouveau, des frissons de plaisir la parcouraient quand François l'embrassait, lui faisant espérer d'autres douceurs.

Mais même si sa présence lui permettait de retrouver la femme enfouie au fond d'elle, elle ne parvenait pas encore à s'abandonner complètement. Elle avait beau avoir trente-sept ans, elle était morte de peur. Elle ne voulait plus jamais s'offrir à un homme qui ne penserait qu'à son propre plaisir, s'affalant sur elle comme un poids mort une fois satisfait.

Profiter de l'apaisement que lui procurait François était tout ce que désirait Hélène. Jour après jour, elle retrouvait de l'énergie et l'envie de se battre pour se reconstruire. Signer un CDI était le nouvel objectif à atteindre. Pour cela, une fois l'été passé, Hélène se rendit plus souvent à l'ANPE, jusqu'à trois fois par semaine. Elle pensait que si elle leur mettait un peu la pression, on remarquerait sa détermination et que cela jouerait en sa faveur.

Malheureusement, après quelques semaines à ce rythme, on ne lui avait toujours rien proposé. Puisqu'elle ne tenait pas à passer l'hiver inactive, à se retrouver telle une chiffe molle sur le canapé, elle s'inscrivit dans plusieurs agences d'intérim et accepta qu'on lui soumette des petits contrats dans les vignes. Si elle n'était bonne qu'à tailler ou lier, elle s'y plierait. Avec la rentrée scolaire, elle avait dû faire face à d'autres frais. Sans vrais revenus, elle ne pourrait pas subvenir aux besoins de Gaby.

A force d'acharnement, une employée finit par la contacter un matin : on cherchait d'urgence une personne pour remplir les rayons et tenir la caisse d'un petit supermarché, particulièrement fréquenté, en plein centre-ville.

Il s'agissait de remplacer une femme enceinte, obligée de s'arrêter précocement. Cela n'aboutirait donc pas à un travail définitif mais c'était l'assurance d'un temps plein pendant quelques mois.

Une heure plus tard elle était dans le magasin, en entretien avec le responsable qui lui détailla sa mission. Elle serait attendue tous les matins à six heures trente, deux heures avant l'ouverture, afin d'installer les rayons, puis dès que le supermarché ouvrirait ses portes, elle se mettrait en caisse jusqu'à quatorze heures trente, cinq jours par semaine, pauses comprises.

Dès le lendemain, Hélène prit ses nouvelles fonctions, non sans difficulté car il lui fallut un certain temps pour s'adapter à la caisse automatique. Heureusement, Xavier, le responsable, se montra compréhensif et revint plusieurs fois afin de lui réexpliquer comment on faisait passer un chèque ou comment on annulait un article.

A la fin de la première semaine, elle n'avait pas encore la rapidité de ses collègues mais ne demandait plus d'aide à Xavier et prenait même plaisir à faire défiler des articles en tout genre et à observer les gens qui venaient faire leurs courses : les petits vieux du quartier qui déambulaient presque tous les jours dans les rayons parce que cela leur donnait une raison valable pour sortir de chez eux, les lycéens qui préféraient manger sur le pouce plutôt qu'à la cantine, les femmes pressées qui remplissaient leur chariot à ras bord avant d'aller rechercher leurs bambins à l'école, les agressifs qui tentaient parfois de se défouler sur elle du fait qu'ils étaient obligés d'effectuer la corvée des courses, les tristes qui ne levaient pas les yeux du tapis roulant, les bavards qui trouvaient n'importe quel prétexte pour déballer leur vie.

Ce carnaval des pousse-caddies du matin divertissait Hélène et lui permettait de se sentir mieux. Au moins, elle ne ressassait plus ses mornes pensées, ses journées avaient un but et elle commençait à se tourner réellement vers l'avenir. Elle avait une place dans ce monde et elle comptait bien la prendre pour de bon.

Ragaillardie par son nouvel emploi, Hélène entreprit d'effectuer quelques changements afin d'assainir sa situation financière et de parvenir à un meilleur équilibre des dépenses. En changeant d'assureur, elle s'aperçut que la voiture qu'elle avait gardée, une grosse berline familiale, lui coûtait bien trop cher et que cela s'accentuerait encore quand Gaby aurait son permis de conduire.

Elle se rendit un après-midi, après son travail, chez un concessionnaire, spécialisé dans les ventes d'occasions afin de trouver une solution pour remplacer sa 405 à moindre coût. L'homme qui l'accueillit, le genre beau quadragénaire aux cheveux grisonnants, et à l'allure élégante, ne se montra pas particulièrement rassurant.

— Ce que vous souhaitez va être assez compliqué. Votre voiture actuelle a déjà été achetée d'occasion, et même si elle est encore cotée à l'argus, je pense que cela ne sera pas suffisant pour vous en procurer une autre sans frais supplémentaires. Après, tout dépend de ce que vous voulez acquérir. Vous avez une idée du modèle ? Du kilométrage ?

— Une petite voiture. Pas plus de quarante mille kilomètres si possible. Une meilleure occasion que celles que l'on trouve chez les particuliers !

Elle ne manquait pas d'aplomb ! C'était surprenant car cela contrastait complètement avec l'image qu'elle avait dégagée quand il l'avait vue s'approcher pour obtenir les renseignements qu'elle attendait : pâle, des yeux bleus comme délavés reflétant une profonde tristesse, sourire timide, une voix légèrement tremblante. D'emblée, elle l'avait touché. Richard Valnet avait tout de suite perçu une fragilité qui l'émut.

— Vous êtes gourmande, répondit le vendeur, reprenant le fil de la négociation. Ce sont des voitures qui sont très recherchées, et en ce moment nous n'en avons pas.

— Concrètement, qu'est-ce que vous me proposez ? Je dois laisser tomber ou me tourner vers une autre option ?

— Je vais d'abord faire le nécessaire pour voir ce que je peux trouver, et ensuite je verrai avec mon supérieur quelle remise commerciale on pourrait appliquer, répondit le vendeur, tentant coûte que coûte de rassurer sa cliente.

— Je vous remercie, dit Hélène qui ne s'attendait pas à ce qu'il se montre aussi charmant et aussi... commercial, peut-être.

Son cas ne devait pas être si inintéressant. Il revendrait très certainement par la suite la 405 à un bon prix s'il parvenait à lui dénicher ce qu'elle demandait.

Richard Valnet la raccompagna à sa voiture et en profita pour inspecter le véhicule. Il promit ensuite à Hélène de l'informer au plus vite de ses recherches et de faire le nécessaire pour la satisfaire.

Même si ce monsieur Valnet avait réussi à se montrer convaincant, Hélène restait méfiante. Elle n'oubliait pas qu'il faisait son job et que rien ne serait gratuit. S'il n'avait aucune offre dans les jours suivants, elle irait chez un autre concessionnaire ou essaierait de vendre par elle-même sa voiture.

Hélène n'eut pas le temps de s'impatienter. La semaine suivante, alors qu'elle rentrait de courses, sa fille Gaby lui dit :

— Un certain monsieur Valnet, du garage Peugeot, a appelé. Il a dit qu'il avait une super occase ! Il a demandé si tu étais dispo ce soir car il a peur de ne pas pouvoir la retenir très longtemps.

— Bon, dans ce cas, je termine de ranger les courses et je pars.

— Je viens avec toi. Cette voiture est aussi pour moi. Je vais la conduire quand j'aurai mon permis, répliqua Gaby.

Une demi-heure plus tard, Hélène et sa fille étaient face à monsieur Valnet qui semblait content qu'elle se soit déplacée si vite.

— J'ai réussi à dénicher une 205 de 1992 qui n'a pas trop roulé, puisqu'elle affiche trente-deux mille kilomètres au compteur, de première main et bien entretenue.

— En effet, cela a l'air pas mal. Vous êtes sûr que le prix va pouvoir convenir ? demanda Hélène qui souhaitait que le vendeur entre dans le vif du sujet.

— Elle coûte quarante-deux mille sans la remise commerciale.

Le vendeur emmena Hélène et Gaby voir le véhicule qui avait en effet toutes les qualités attendues. Remarquant qu'Hélène n'avait pas pour autant l'air enthousiaste, Richard Valnet reprit la parole :

— Je vois bien ce qui vous inquiète. Nous allons trouver une solution, vous verrez, insista-t-il, tout en redirigeant les deux femmes vers son bureau.

— Inutile de discuter pour rien, dit Hélène, bien décidée à jouer cartes sur table. De mon côté, je vous l'ai dit, je n'ai pas d'argent à injecter. Je suis actuellement en instance de divorce, et le partage n'est pas terminé, si vous voyez ce que je veux dire.

— Je connais très bien ce genre de situation, ne vous en faites pas, répondit le concessionnaire. J'ai deux bonnes nouvelles. J'ai déjà vu avec mon patron avant votre arrivée : je reprends votre 405 au prix de l'argus et je peux vous faire sept pour cent sur le prix de la 205.

Richard avait dû batailler assez longuement avec son patron, mais vingt ans de maison lui permettaient d'avoir une certaine marge de manœuvre. En regardant Hélène, il savait qu'il aidait quelqu'un qui en avait vraiment besoin.

Les négociations durèrent encore plusieurs minutes. Hélène était décidée à ne rien lâcher. Sa pugnacité fut finalement récompensée puisque Richard Valnet accepta d'aller jusqu'à dix pour cent de remise, et lui proposa un paiement échelonné pour la somme qui restait à sa charge. Ils convinrent ensuite de se revoir le lendemain pour remplir le dossier administratif.

La transaction effectuée, Hélène et sa fille saluèrent chaleureusement le vendeur. Une fois en voiture, Gaby, qui s'était faite discrète tout au long de l'entretien, sortit de son mutisme.

— Tu lui as tapé dans l'œil, au vendeur !

— Qu'est-ce que tu racontes ? interrogea Hélène, surprise par la remarque de sa fille.

— T'as rien remarqué ?

— Non.

— Il n'a pas arrêté de te regarder. C'était comme si je n'existais pas. Il ne t'a pas quittée des yeux.

— Je n'ai pas fait attention.

— En plus, tu ne trouves pas ça bizarre tout ce qu'il a fait pour que tu prennes la voiture ? Qu'est-ce qu'il en a à faire que ce soit toi ou un autre ? C'est plutôt étrange pour un commercial de baisser si facilement le prix, d'autant plus qu'il n'aurait aucun mal à la vendre !

— Il est peut-être sympa, c'est tout. Il a compris que je n'étais pas dans une situation facile et a voulu m'aider un peu.

— C'est le moins qu'on puisse dire ! Je pense qu'il a surtout cherché à être apprécié ou à tout faire pour que tu reviennes. Tu verras, ça n'en restera pas là. C'était de la drague !

Hélène partit d'un grand éclat de rire.

— Je crois que tu te fais des idées.

— On en reparlera.

Hélène n'avait absolument pas prêté attention à ce Richard Valnet, n'imaginant pas un seul instant qu'elle pouvait être séduisante pour un inconnu. Cependant, elle devait avouer que Gaby avait raison sur un point : il s'était montré très prévenant.

Quand elle alla signer les différents papiers administratifs, elle lui apporta une bouteille de champagne afin de le remercier de tout le mal qu'il s'était donné pour elle.

— Vous n'auriez pas dû. Ça m'a fait plaisir de vous aider, dit-il quand Hélène lui eut offert la bouteille.

— C'est normal que je vous remercie. Vous n'étiez pas obligé de vous démener ainsi pour moi.

— Dans ce cas, je vous invite samedi soir au restaurant.

Hélène, qui ne s'attendait pas à une telle proposition, resta muette plusieurs secondes, ne sachant pas si elle devait accepter. Gaby avait-elle vu juste ?

Ou était-ce une manière polie de la remercier pour son geste ?

— Ne vous sentez pas obligée... dit Richard Valnet afin de rompre le silence et cherchant à mettre à l'aise Hélène, visiblement sur le point de défaillir.

Le sourire qu'elle avait arboré en arrivant s'était figé puis progressivement éclipsé pour laisser l'incrédulité s'emparer de tous les traits de son visage. Richard ne parvenait même pas à identifier quelle couleur parait le plus ses joues. Etait-ce le rouge de la flatterie ou bien la pâleur de la crainte qui dominait ? Elle l'observa véritablement pour la première fois, et perçut une profonde gentillesse qui lui donna envie d'accepter dans un élan spontané.

— Pourquoi pas.

Qu'est-ce qu'elle venait de dire ? Elle était folle ! Elle ne connaissait même pas cet homme.

— Très bien. Dans ce cas, je passe vous prendre à l'adresse que vous m'avez transmise pour la voiture, samedi vers dix-neuf heures trente ?

— D'accord... Je serai prête, répondit-elle, surprise par tant d'assurance.

Hélène repartit, heureuse comme une adolescente qui viendrait d'obtenir son premier rendez-vous galant. Elle attendit impatiemment que Gaby rentre du lycée pour lui faire part de son entrevue avec le beau vendeur.

— Je suis passée chez Peugeot cet après-midi. Nous aurons la 205 la semaine prochaine.

— Ah bon ? répliqua Gaby. Pourquoi pas avant ?

— Elle doit être révisée pour qu'on puisse repartir avec.

— Je ne savais pas. Je pensais qu'on pouvait la prendre directement dès qu'on avait signé la vente. A part ça, t'as revu le commercial ?

— Oui.

— Alors, cette fois t'as fait attention ? Il est bien intéressé par toi ?

— Je ne sais pas trop, mais il m'a invitée au restaurant samedi soir.

— Il t'a invitée ! J'avais raison ! Tu lui plais ! s'exclama Gaby.

— J'avais apporté une bouteille de champagne pour le remercier. Il a tout simplement voulu se montrer poli.

— Tu le fais exprès ou t'es vraiment naïve ? Ce n'est pas parce que tu lui as apporté un cadeau qu'il était obligé de t'inviter. Il a surtout saisi la perche que tu lui as tendue pour le faire sans que cela paraisse trop louche. Et toi, il te plaît ?

— Je n'en sais rien. Je ne me suis pas posé la question. Et puis, il y a François.

— Tu vas lui dire pour le restaurant ?

— Ce n'est peut-être pas la peine d'aller lui mettre des idées en tête. De toute façon, il ne se passera rien. Et puis, ton père m'a suffisamment empêchée de vivre pendant dix-huit ans pour que je me prive de sortir sous prétexte que ça contrarierait François, alors qu'il n'y a rien d'officiel entre nous.

— T'as raison, profite, l'encouragea Gaby.

C'était bien ce qu'Hélène comptait faire ! Elle n'avait pas envie de réfléchir à sa sortie avec Richard Valnet, mais elle était sûre d'une chose : elle ne regrettait pas d'avoir accepté.

Sa relation avec François peinait à décoller sans qu'elle comprenne bien pourquoi : ils se voyaient régulièrement, échangeaient de beaux moments de complicité, mais ils n'allaient pas plus loin. Parfois, elle se demandait si François ne lui rappelait pas trop son ancienne vie. Il avait été présent à des moments très forts qu'elle préférerait enfouir dans sa mémoire pour de bon. Imperceptiblement, à chaque fois qu'ils se voyaient, cela lui laissait une sensation de malaise qu'elle réprimait. Et puis, il était encore marié. Elle ne s'habituait pas à prendre le rôle de la maîtresse, qui devait se contenter d'une relation morcelée. Il avait beau prétendre que son mariage était terminé, elle avait tout de même l'impression de tromper une femme, qui, elle, ne demandait peut-être qu'à garder son mari. Après tout, elle n'avait que sa version !

Hélène avait hâte d'être au samedi suivant, excitée comme une gamine à l'idée de se retrouver en tête à tête au restaurant avec un homme : sensation qu'elle avait fini par oublier avec le temps. Hormis Bertrand, avec qui elle était sortie, surtout au début de leur relation, elle n'avait jamais connu ce genre de situation.

Toutefois, elle craignait que Richard le remarque. Qu'aurait-elle à raconter à un homme qui avait une vraie vie sociale et avait peut-être l'habitude d'enchaîner les conquêtes ? Qu'aurait-elle à échanger avec lui, elle qui n'avait pratiquement jamais côtoyé les gens de la ville ? N'allait-elle pas lui sembler stupide, même un peu niaise ?

Avant même qu'Hélène ait le temps de se poser davantage de questions, la sonnette retentit, alors qu'il était à peine dix-neuf heures trente.

Une fois en voiture, Richard lui proposa d'aller dîner plutôt à Reims.

— Ça ne vous dérange pas ? s'enquit-il. Je trouve que l'ambiance est plus chaleureuse qu'à Epernay.

— Ça me va. Vous savez, je vais rarement au restaurant, donc ici ou là, c'est du pareil au même pour moi.

Les banalités échangées au cours du trajet jusqu'à Reims furent entrecoupées par de longs silences. Aucun des deux ne paraissait très à l'aise. Chacun se scrutait timidement du coin de l'œil, sondant les pensées de l'autre.

Hélène fut soulagée quand ils arrivèrent place d'Erlon. Se retrouver noyée dans la foule lui permit de reprendre ses esprits. La luminosité provenait de tous les restaurants qui bordaient la place, tandis que la nuit obscurcissait ce qui retenait habituellement l'attention sous les rayons du soleil, comme le kiosque à journaux, fermé à cette heure-ci, ou la statue centrale. La femme ailée, juchée au sommet, n'était plus qu'un faible point lumineux, alors qu'elle brillait de mille feux la journée. Hélène l'avait déjà observée avec envie par le passé. Etre une femme volant vers la liberté l'avait fait rêver plus d'une fois !

En dépit de la fraîcheur du mois d'octobre, l'atmosphère était chaleureuse. Des groupes de tous âges entraient et sortaient des nombreux restaurants, cafés ou brasseries, créant un mouvement perpétuel et envoûtant. Une longue file de personnes discutant gaiement attendait d'accéder au guichet du cinéma, dessinant une arabesque originale sur le chemin des promeneurs dont elle empêchait la déambulation. Chaque personne participait à l'ambiance qui se dégageait.

— Vous aimez quel genre de cuisine ?

La question de Richard fit sortir Hélène de sa rêverie.

— Je n'ai pas de préférence. Je vous fais confiance.

— Je vous propose Les Coteaux. La carte est très diversifiée.

— Je vous suis.

Une fois installés à table et après quelques verres, chacun se décontracta. Petit à petit, ils apprenaient à se connaître. Richard était divorcé depuis quatre ans, avait deux garçons de neuf et douze ans. Ils parlèrent ainsi à tour de rôle de leur divorce, une étape douloureuse pour chacun, de leurs enfants et de leur travail.

Au fil de la soirée, les questions de Richard se firent plus personnelles.

— Vous avez quelqu'un en ce moment ?

— Si on veut.

— C'est-à-dire ? Ce n'est pas très net. Soit vous êtes avec quelqu'un, soit vous n'avez personne !

— Disons que je suis avec quelqu'un, mais ce n'est pas une histoire sérieuse, ni officielle.

— On peut donc vous considérer comme une femme libre ?

Hélène commença à s'interroger sur les motivations de Richard. Où voulait-il en venir au juste ?

— Oui, en partie, mais cela ne signifie pas que je souhaite pour autant m'engager dans une relation amoureuse plus sérieuse. Je me sens plutôt désabusée et, à l'heure actuelle, je ne sais pas si je serais capable de faire de la place à un homme dans ma vie.

La réplique était un peu sèche, et Hélène vit une lueur de déception passer dans les yeux de Richard.

— Moi aussi je vais être franc avec vous. Dès que je vous ai vue, il s'est passé quelque chose. J'ai été touché par votre fragilité. Vous aviez l'air si triste quand vous vous êtes postée devant mon bureau. Jamais je n'avais été confronté à un tel regard. Je vous ai tout de suite sentie différente des autres femmes que j'ai connues jusqu'alors. Depuis, je ne cesse de penser à vous. Quand vous êtes venue avec votre bouteille de champagne j'ai eu l'espoir que je vous plaisais aussi.

Gaby avait donc vu juste ! Cependant, que pouvait-elle lui répondre ? De son côté, elle l'avait à peine regardé. Elle le trouvait bel homme, mais cela s'arrêtait là.

— Vous ne semblez pas vraiment surprise par ce que je viens de vous avouer, reprit Richard.

— Ma fille, Gaby, me l'a dit avant vous : elle vous a observé au garage, et a tout de suite été persuadée que je vous avais « tapé dans l'œil », comme elle dit !

— Elle est visiblement plus perspicace que vous, rétorqua Richard en souriant. Vous savez, je ne veux pas vous mettre mal à l'aise.

— C'est surtout que je ne sais pas trop quoi vous dire, à part que je ne suis pas certaine de pouvoir réellement m'engager, et puis si je me jette à l'eau, j'ai peur d'être déçue car je ne veux pas non plus d'une histoire sans lendemain, dans laquelle je ne serai considérée que comme une proie supplémentaire. Pour la femme-objet, j'ai eu mon compte. Vous voyez, je n'ai pas grand-chose à proposer.

— Je constate surtout que vous m'avez mal compris. Si je ne souhaitais qu'une petite histoire avec vous, je ne serais pas là à prendre le temps de faire votre connaissance. Vous m'avez fait chavirer. Je veux vous rendre heureuse, je veux vous donner la vie que vous n'avez jamais eue, je veux vous redonner confiance, je veux vous emmener en vacances, je veux tout connaître de vous. Bref, ce que je vous propose, c'est une vraie relation. Commencez par réfléchir à ma proposition ! J'attendrai. Je ne suis pas pressé.

Richard et Hélène avaient fini de dîner depuis un moment déjà et le restaurant était pratiquement vide. Voyant que les serveurs attendaient que les derniers clients se décident à partir, et ne sachant ni l'un ni l'autre comment relancer leur conversation sur un autre sujet, Richard alla régler la note.

Sur le chemin du retour, plus détendus qu'à l'aller, ils parlèrent plus librement. Ils découvrirent ainsi qu'ils étaient deux pantouflards, aimant la tranquillité, la nature, les bons dîners, détestant les soirées bruyantes, les plages bondées où l'on fait la crêpe au soleil pendant des heures, et les sports d'hiver.

Hélène eut l'impression que les dernières minutes passées en compagnie de Richard s'étaient écoulées comme un éclair.

— J'ai passé une excellente soirée, et j'espère sincèrement que nous aurons l'occasion d'en vivre d'autres tout aussi agréables, dit Richard une fois qu'il eut stoppé sa voiture devant l'immeuble d'Hélène. Je vous laisse mon numéro si jamais l'envie vous prend de m'appeler, poursuivit-il tout en griffonnant quelques chiffres sur un morceau de papier.

— Je vous remercie de m'avoir invitée. Moi aussi j'ai apprécié la soirée.

Un peu gênée, Hélène sortit de la voiture, souhaita une bonne nuit à Richard et lui promit de lui donner des nouvelles.

Le lendemain, dès son réveil, elle ne cessa de ressasser ses paroles et de penser à la manière dont Richard l'avait regardée. Elle devait reconnaître que non seulement elle se sentait flattée de lui plaire mais aussi que le charme qu'il dégageait avait commencé à opérer.

Perdue dans ses pensées, Hélène n'entendit pas Gaby descendre et lui dire bonjour.

— Bonjour ! répéta sa fille pour la seconde fois d'une voix plus forte. Tu as l'air ailleurs. Ça s'est bien passé ton rancard ?

Hélène se fit un malin plaisir de raconter à sa fille les détails de sa soirée.

— T'en penses quoi ?

Hélène faisait entièrement confiance à Gaby. Elle avait souvent de bonnes intuitions, et même si cela paraissait incongru, elle avait plus d'expérience qu'elle, sa propre mère.

— Je ne suis pas à ta place. C'est à toi de voir s'il peut te correspondre ou pas. Personnellement, il a l'air au premier abord de quelqu'un de gentil et d'honnête. Mais qu'est-ce que tu fais de François ? Je croyais que progressivement vous alliez officialiser votre relation.

— Le problème avec François, c'est que je ne suis pas sûre que les choses avancent un jour.

— Qu'est-ce qui te fait dire ça ?

— Depuis qu'on a commencé à se voir plus intimement, rien n'évolue. Il ne reste jamais ; il ne me propose aucune sortie. Je pense que sa femme compte plus que ce qu'il me dit ou qu'il veut bien l'admettre. Ce n'est jamais si simple de tout plaquer, même quand on n'a plus de sentiments amoureux pour l'autre. Je ne crois pas qu'on puisse fonder quelque chose, lui et moi. Alors que Richard est libre, et me laisse d'emblée toute la place que je souhaite. Je pense qu'avec tout ce que j'ai enduré, je n'ai pas besoin d'une relation compliquée et sans issue.

— Tu n'as donc pas besoin de mon avis, tu as déjà fait ton choix ! fit remarquer Gaby.

Sa fille avait une nouvelle fois raison : une évidence s'était imposée, et qui expliquait aussi pourquoi depuis plusieurs semaines elle ne parvenait pas à envisager une relation plus solide avec François.

— Reste à savoir si toi, tu seras capable de lui faire une place dans ta vie, observa Gaby. Tu ne crois pas que c'est encore un peu tôt ? Ça ne fait que trois mois qu'on a quitté Mareuil. Tu ne voulais pas d'abord vivre pour toi ?

— Oui, mais en même temps, j'ai l'impression d'être seule depuis des années, et j'ai aussi envie de partager mon quotidien avec une personne qui m'aimerait vraiment. Mais ne t'inquiète pas, plus aucun homme ne m'empêchera de profiter de ma liberté.

— Dans ce cas, tu sais exactement ce que tu veux, alors fonce.

C'était peut-être cela dont elle avait besoin finalement : du consentement de sa fille, de s'assurer que cette fois elle ne ferait pas fausse route. Hélène avait bien conscience de s'emballer, mais la gentillesse de Richard avait finalement eu raison d'elle. Pour une fois, elle n'avait pas envie de réfléchir, de se triturer l'esprit, elle avait tout simplement envie de suivre son instinct. Qu'avait-elle à craindre ? Au pire, elle reviendrait à sa situation actuelle, au mieux, elle apprendrait l'amour.

Elle se résolut à parler à François dès le lendemain, quand il viendrait lui rendre sa visite habituelle du lundi. Mettre fin à leur amourette, elle l'aurait fait tôt ou tard. Le week-end était réservé à sa famille. Par respect, il ne découchait pas. Se contenter du rôle de maîtresse à laquelle on donnait les miettes ne la séduisait pas et lui avait fait percevoir le cul-de-sac dans lequel elle se serait engouffrée !

Malgré tout, elle savait qu'elle allait le décevoir. Il avait fait tellement pour elle ! Mais la reconnaissance ne suffisait pas pour construire une relation amoureuse durable. Aimer parce qu'on se sent redevable l'amènerait à boire un autre poison : c'était une nouvelle façon de tomber sous l'emprise de l'autre.

Se sentant pousser des ailes, elle ne voulut pas faire attendre Richard. Elle prit son téléphone, composa le numéro qu'il lui avait laissé, et attendit. Visiblement près du récepteur, Richard décrocha au bout de la première sonnerie. Hélène entendit une voix chaude et désormais familière lui répondre :

— Allô !

— Bonjour, c'est Hélène. Je voulais savoir si vous aviez des projets pour samedi prochain.

10

Mention « assez bien » : rien. Un pincement me serra le cœur. J'y avais pourtant cru à cette mention ! Je parcourus rapidement la liste des admis, sans voir l'inscription recherchée. Ce n'était pas possible ! Je n'avais pas pu passer à côté à ce point ! Dans la liste de ceux qui iraient au rattrapage : pas de Gaby Lemaire. Mon nom devait forcément être inscrit quelque part ! Mes yeux remontèrent et s'attardèrent sur la liste principale que j'avais survolée quelques secondes plus tôt. Des larmes me brouillèrent la vue quand je lus enfin mon nom et mon prénom.

Je me retournai vers ma mère qui se tenait contre la barrière protégeant le parvis du lycée de la circulation de l'avenue de Champagne. Je l'avais vue en arrivant mais je m'étais dirigée directement vers le panneau d'affichage. J'avais passé l'après-midi avec quelques camarades de classe à tuer le temps qui nous séparait des résultats. Quand nous vîmes la foule agglutinée à côté du portail d'entrée de l'établissement, nous comprîmes que nous étions arrivés un peu tard. Nous nous mîmes à courir, et chacun se faufila comme il put. Excitée par la satisfaction personnelle, je me jetai dans les bras de ma mère, qui, à voir ses yeux rougis, n'avait pas attendu que j'arrive pour savoir si j'avais obtenu mon bac. Ce fut une étreinte de bonheur, presque un an jour pour jour depuis le déménagement. Ma réussite bouclait une année chaotique. Ce bac m'avait en quelque sorte sauvée : les heures passées à travailler sur mes dissertations puis à réviser pour espérer décrocher mon bac littéraire avec mention m'avaient donné la meilleure échappatoire. Ce fut grâce à cela que je parvins à retrouver un nouvel équilibre, même s'il était encore bancal et fragile.

Steph, Carole et Ange nous ramenèrent sur terre. Ils étaient eux aussi reçus. Steph tenait son relevé de notes à la main et ne cachait pas son soulagement d'avoir obtenu son bac après deux échecs.

— C'est parce que tu voulais l'avoir en même temps que nous ! lui dis-je en riant.

Cette troisième tentative, étrangement, avait peut-être préservé notre amitié. Ayant déjà redoublé deux fois, il n'avait pas eu d'autre solution que de s'inscrire dans le même lycée que moi, s'il ne voulait pas quitter sa scolarité sans diplôme ou aller dans un établissement privé, ce que ses parents ne pouvaient pas se permettre. Même si nous n'étions pas dans la même filière et que nous ne fréquentions pas toujours les mêmes amis, nous avions retrouvé notre proximité. Ainsi, le midi, il nous arrivait souvent de nous réunir tous les quatre avec d'autres camarades qui s'étaient greffés à notre groupe. Nous revoir quotidiennement dans ce lieu coupé de tout affect nous permit de resserrer les liens qui s'étaient plus que distendus au cours de l'été. Au fil des mois j'avais eu l'impression que nous formions de nouveau un ciment que décidément rien ne démolirait.

Je restai un moment avec eux, savourant ce moment de symbiose. Puis, quand le flot de bacheliers se fut un peu dissipé, j'allai chercher mes notes.

Ce fut l'un des deux CPE du lycée, monsieur Castel, qui me remit mon dossier contenant le résultat de chaque épreuve et le livret scolaire. Onze quarante de moyenne : finalement, je n'étais pas passée loin de la mention ! La plupart de mes notes se situaient entre douze et seize, ce qui confirmait surtout le choix de la filière littéraire. C'était en histoire que j'avais le mieux réussi. J'avais toujours aimé cette discipline, mais depuis mon année de première, et plus encore cette année, je m'étais littéralement révélée ; petit à petit la voie que je prendrais après le bac se dessinait. Entrer en fac d'histoire et l'enseigner à mon tour dans quelques années devenait pour moi plus qu'une certitude : une vocation.

En finissant de parcourir mon relevé, je tombai sur la note qui expliquait mon admission sans éclat : sept en philo, sur le plus gros coefficient. Ce fut une déception parce que cela ne reflétait pas mon travail de l'année, mais en même temps je n'étais pas très surprise : l'intérêt des sujets de philo pouvait être variable, les notions étant abstraites et complexes, et il était possible de sécher devant sa feuille. S'il suffisait face à un sujet du type « Qu'est-ce que le risque ? » de répondre « Le risque c'est ça ! » et de rendre sa copie avec cette unique phrase pour obtenir une excellente note, cela se saurait, contrairement à ce que voulaient faire croire les rumeurs qui parcouraient les couloirs des lycées chaque année.

Toutefois, la matière m'avait passionnée, et je regrettais même qu'elle ne nous soit enseignée qu'une seule année, tellement il y avait de notions à étudier. A mon sens, la philosophie méritait une place plus importante du fait qu'elle participe à une vraie formation de la réflexion sur le monde.

En songeant à tout cela, je pensai obligatoirement à monsieur Denis.

Monsieur Denis avait été mon professeur principal au cours de cette dernière année au lycée. Jeune titulaire, il n'était pas ce qu'on appelle un professeur expérimenté et conformiste. Il ne savait pas encore allier la rigueur d'un cours à l'autorité ; cocktail indispensable pour faire passer au mieux un contenu à des élèves. Certes, les cours de monsieur Denis nous apportaient la compréhension de notions telles que la liberté, la raison, la beauté, l'inconscient... mais souvent on peinait à trouver le fil conducteur. Monsieur Denis nous enseignait à sa manière, qui ne ressemblait à aucune autre. A l'inverse de la plupart des professeurs qui, par tous les moyens, cherchent à ancrer un savoir dans le cerveau de leurs élèves, s'efforçant de conserver de la distance pour ne pas mettre en péril leur statut, monsieur Denis était plus attaché à la façon dont il allait s'y prendre pour capter notre attention qu'à ce qu'il avait à nous faire passer. Ainsi, le samedi matin, où nous l'avions trois heures d'affilée il mettait tout en œuvre pour nous surprendre et nous plaire, de peur que nous nous lassions. Il était capable d'organiser un petit déjeuner pour démarrer d'un bon pied, de nous jouer de la contrebasse en guise d'intermède ou de sortir du saucisson en dernière heure pour créer un apéritif savant.

Sa jovialité, son abord sympathique et sa volonté de resserrer les liens prof-élèves nous séduisaient, même s'il fallait reconnaître qu'il y avait très souvent un fond sonore de bavardages, causé par certains élèves qui profitaient de ces méthodes peu conventionnelles pour se dissiper.

En ce qui me concernait, plus qu'apprendre les idées de Platon, Socrate, Schopenhauer ou Freud, j'appris « la philosophie de monsieur Denis » : une idéologie résolument humaine, fondée sur la relation à l'autre, l'écoute, le soutien. Se remettre en question pour mieux comprendre autrui, être accessible pour lui donner confiance, surpassait à mes yeux toutes les philosophies existantes.

Au début de l'année scolaire, après les élections des délégués de classe auxquelles je fus réélue pour la troisième fois, non sans fierté, je décidai de me présenter au conseil d'administration. J'avais envie, avant de quitter le secondaire, d'approfondir ma connaissance du fonctionnement d'un établissement scolaire, parce que cela m'avait toujours plu mais aussi parce que je me destinais à y retourner un jour.

Tous les délégués avaient été appelés pour voter dans la journée et le dépouillement devait avoir lieu après les cours. Oubliant que la plupart des élèves repartaient en car, je pensais naïvement que tous les candidats y assisteraient pour connaître les résultats, signifiant leur véritable intérêt pour le rôle qui leur serait attribué. Lorsque je m'aperçus que j'étais seule dans la petite pièce attenante au bureau de M. Castel, hormis les deux élèves que je ne connaissais pas, qui avaient accepté de venir seconder les CPE pour préserver l'équité lors de la lecture des bulletins, je voulus partir. Les conseillers d'orientation, ainsi que mon envie de connaître rapidement les résultats des votes me retinrent.

Pour obtenir l'une des cinq places au conseil d'administration, j'avais misé sur le fait que j'étais en terminale et que par conséquent je connaissais suffisamment de délégués qui, potentiellement, pourraient voter pour moi. Mais au fur à mesure que les noms sortaient de l'urne, je me sentais de plus en plus ridicule d'être restée. Je fixais la grande fenêtre qui offrait une vue imprenable sur tout ce qui se déroulait dans la cour, assombrie par le soleil déclinant d'octobre. Le calme qui régnait pesait dans la salle. Je n'avais qu'une envie : m'enfuir. Je craignais qu'on ne lise toutes les émotions qui passaient sur mon visage ! Ma réputation allait être ruinée !

J'arrivai finalement ex æquo avec un élève de seconde pour la dernière place. La règle était claire : en cas d'égalité, le plus jeune l'emportait. Les regards compatissants des deux CPE me mirent mal à l'aise ;

je me trouvais à la fois stupide d'être venue assister à ma propre défaite, et déçue que ce soit toujours le même type de personnes qui remportent les faveurs des électeurs ; des garçons populaires qui subjuguaient les foules par leur grande et belle gueule, se moquant bien de savoir s'ils seraient à même de défendre leurs intérêts. Finalement, même un électorat de lycéens ne faisait pas preuve d'originalité et obéissait à des critères primaires et machistes.

Je me hâtai de sortir pour libérer les larmes qui forçaient la barrière invisible que j'avais dressée afin de ne pas accentuer mon humiliation. Une fois seule dans la grande cour de récréation, je relâchai la pression et laissai éclater ma rage. Je remontai quelques-unes des immenses marches, qui donnaient sur la cour d'origine, mais arrivée à mi-chemin, incapable d'aller plus loin, je m'assis sur le côté et éclatai en sanglots. Cela m'arrivait chaque semaine depuis cet été.

Je sursautai quand j'entendis une voix familière me demander :

— Qu'est-ce que tu fais encore là à cette heure-ci ? Qu'est-ce qui t'arrive ?

Portant des petites baskets en toile noire, un pantalon en lin crème et une chemise à manches longues avec des motifs rouges indéfinissables, serrant dans sa main un cartable marron en cuir vieilli, je reconnus monsieur Denis. Ses petits yeux noisette me regardaient de manière incrédule.

— Tu n'as pas l'air d'aller bien ; il s'est passé quelque chose ? insista-t-il.

Je lui rapportai brièvement ma triste défaite.

— Crois-tu sincèrement que cette place au conseil d'administration était capitale ?

— Elle m'aurait permis de me donner d'autres objectifs, de m'occuper positivement l'esprit.

— Qu'est-ce que tu cherches à fuir à ce point ?

— Je ne sais pas si on peut dire « fuir » mais j'ai besoin de me recentrer sur des choses qui me plaisent et qui peuvent m'aider à reprendre confiance en moi.

— Je sais que je peux paraître indiscret mais ça m'ennuie de te voir dans cet état. En cours, tu donnes plutôt l'impression d'aller bien. Je ne pense pas que cette place manquée au conseil d'administration soit seule responsable de ta tristesse.

— Vous avez peut-être raison, je ne sais pas trop. Tout ce que je peux dire c'est que depuis ma rupture avec mon petit copain et le divorce de mes parents, je ne me reconnais plus. J'ai l'impression, parfois, de ne plus savoir qui je suis... Je ne sais même pas pourquoi je vous raconte tout ça ; vous êtes mon prof, vous n'y pouvez rien, et vous allez peut-être penser que je suis un peu déséquilibrée.

— Je ne vais rien penser du tout. Je me dis juste que ce qui s'est passé ce soir cache en réalité d'autres blessures. Tu as peut-être mal digéré certains changements, avança monsieur Denis.

— Jusqu'à présent, je pensais que je gérais, que ça ne m'avait pas tant touchée que cela.

— Même si tu es persuadée que cela ne t'a pas beaucoup affectée, un divorce est source de nombreux bouleversements, et pas seulement matériels. Psychologiquement, ça a forcément laissé des marques. Ce que tu as refoulé au moment de la séparation, ton inconscient le ressortira obligatoirement, et c'est probablement ce qui est en train de se produire.

— On sent l'analyse philosophique, tentai-je d'ironiser.

— Peut-être, mais c'est tout de même de cette façon que notre cerveau fonctionne, que tu le veuilles ou non, répondit calmement monsieur Denis. Ce qu'on contient finit toujours par resurgir dans le conscient d'une manière ou d'une autre.

— Dans ce cas, qu'est-ce que je peux faire ? Est-ce qu'un jour j'aurai de nouveau la sensation d'être moi-même ? lui demandai-je, comprenant qu'il n'avait aucunement l'intention de se moquer de moi, mais simplement de m'aider.

— A mon avis, tu devrais commencer par ne pas réprimer ce que tu ressens vraiment. Tu as le droit d'avoir des pensées négatives. Etouffer tout cela n'arrangera rien. Si tu parviens à te libérer de tout ce que tu as gardé en toi, tu finiras par te retrouver. Tu ne seras plus la même, tu auras changé, grandi, mais tu te sentiras apaisée.

Je l'écoutai attentivement, émue. J'avais attendu qu'on me parle ainsi depuis des mois et à cet instant, j'aurais aimé tout lui déballer : mes crises d'hystérie au cours desquelles je crachais ma haine injustement sur mes meilleurs amis, le manque d'air, les jours, les nuits sans Fred. Une torture.

J'avais revu mon ex à la fin des vacances, lors d'une soirée mousse au Tap Too, rendez-vous immanquable de chaque été. Moi qui pensais que Fred n'avait mis les pieds dans la boîte que deux ou trois fois pour moi, je pris une nouvelle claque, au moment où tout le monde sautait dans la mousse. Je le vis, trempé, surgir doucement de l'écume, tenant entre ses mains le visage d'une petite brune aux cheveux longs. Il l'embrassait tendrement. Mon corps tout entier se noua de jalousie.

Je les avais observés un long moment pour m'obliger à accepter que jamais plus je ne sentirais le contact de ses mains, de sa bouche, que jamais plus je ne serais à la place de cette gonzesse, que j'aurais voulu étriper. Mais au bout d'un certain temps, leur baiser langoureux finit par me donner la nausée. Je m'empressai de trouver quelqu'un pour me ramener. Depuis le temps que je fréquentais cet endroit, ce n'était pas les copains qui manquaient. Je passai une nuit de plus à mouiller mon oreiller.

Même si j'avais terriblement envie de me livrer à monsieur Denis, je me retins. Je craignais qu'il ne voie en moi qu'une fille superficielle et dévergondée. Il s'était déjà montré si gentil de m'avoir donné autant d'attention !

— Je te ramène chez toi, si tu veux. Il est tard.

Je n'osai pas refuser sa proposition, parce que je voulais prolonger le temps passé en sa compagnie qui me faisait du bien. Mais l'élève docile et discrète en moi n'approuvait pas trop ce rapprochement ; il n'était pas correct, d'un point de vue hiérarchique, de briser les codes sociaux : chacun sa place. Malgré tout, je le suivis jusqu'à sa voiture, une 205 rouge, qui avait déjà fait son temps, et qui témoignait de sa simplicité.

Les semaines qui suivirent me prouvèrent que monsieur Denis était un homme de confiance : jamais il n'évoqua au lycée notre conversation. Les seuls moments où il s'enquit de savoir comment évoluait ma situation étaient quand, quelquefois le matin, il croisait ma route, s'arrêtait, m'offrait de monter dans sa voiture. Il profitait alors des quelques minutes de trajet qui nous séparaient encore du lycée pour m'interroger sur mon état psychologique. Je lui racontais comment mon équilibre commençait à se rétablir grâce au travail : je passais des journées entières dans ma chambre à réviser, à apprendre toutes les dates possibles du programme d'histoire ou à plancher sur des dissertations de philosophie ou de lettres. Monsieur Denis n'embellissait jamais rien mais me poussait à développer une autre perception des choses. Ainsi, face au bourreau de travail que je tentais de devenir, il n'oubliait pas de me rappeler que cela ne devait pas constituer un nouveau mode de fuite, et qu'il fallait également que je pense à vivre mon adolescence, en sortant et en m'amusant.

A la fois heureuse d'avoir le bac en poche et nostalgique de faire mes adieux à cet endroit si particulier, j'allai rejoindre ma mère, qui se trouvait encore en compagnie de Steph, Carole et Ange, à qui elle proposa de venir boire un verre à l'appartement. Quelle ne fut pas ma surprise de voir mon père, qui attendait devant la porte ! C'était la première fois qu'il était invité depuis qu'on avait emménagé un an auparavant. J'imaginais combien cela avait dû coûter à ma mère de l'appeler pour qu'il puisse vivre cet événement avec nous, et je comprenais mieux pourquoi elle avait tenu à ce que mes meilleurs amis soient présents. Il fallait éviter un contact trop serré !

Nous nous installâmes autour de la table de la salle à manger et ma mère déboucha une bouteille de champagne, qu'elle avait de toute évidence conservée pour l'occasion. J'observais mon père du coin de l'œil, toujours aussi suspicieuse à son égard. Je cherchais à savoir s'il n'allait pas essayer d'accaparer ma mère, de tenter une approche de réconciliation grossière. Au lieu de cela, il souriait, était agréable, et surtout semblait content. Pour la première fois depuis très longtemps, probablement depuis que tout avait basculé, j'étais heureuse qu'il soit là pour fêter mon bac, heureuse que nous puissions être réunis, sans cris, sans larmes. J'avais envie de croire que c'était un pas en avant, que notre relation allait prendre un nouveau départ.

Au cours de l'année qui venait de s'écouler, je n'avais pas fait beaucoup d'efforts pour me rapprocher de lui. Je lui en voulais toujours autant de ne pas être le père que j'avais imaginé.

Après sa relation avec « Christine panne d'essence », ses mauvais travers avaient repris le dessus. J'appréhendais chacune de mes visites, car il trouvait toujours le moyen de m'interroger sur ma mère, sur ce qu'elle faisait, sur les personnes qu'elle fréquentait. Cela m'agaçait au plus haut point, car pendant ces interrogatoires intrusifs, autant dire qu'il ne pensait pas à poser de questions sur moi, sur la vie que je menais. J'avais envie qu'il tourne la page pour de bon, et qu'il se remette à jouer son rôle de père, mais tout ce qu'il trouva pour que je vienne plus souvent, ce fut de me proposer de me payer pour faire le ménage. Toujours à croire qu'on tenait les autres par l'argent. Je refusai catégoriquement, vexée, lui spécifiant que si je l'aidais à mettre de l'ordre dans la maison, je voulais le faire par plaisir et non par obligation.

Les mois suivants, je continuai à me rendre régulièrement à Mareuil afin de préserver le peu de relation qu'il nous restait, parce que envers et contre tout il demeurait mon père. J'avais également envie de passer du temps avec mon frère, qui me manquait. Ce qui était magique avec Marc, c'était qu'on n'avait pas besoin de se parler pour se comprendre, pour savoir qu'on était là l'un pour l'autre. Même si on n'habitait plus sous le même toit, dès qu'on se voyait, c'était comme si rien n'avait changé. Notre lien était indéfectible.

En avril, j'avais prévu de faire la brocante du village, pour préserver cette habitude prise quelques années plus tôt. Afin d'être prête à l'aube pour installer mon stand, j'étais censée dormir chez mon père, ce qui arrivait rarement, car je ne parvenais pas, malgré mes efforts, à me sentir aussi bien qu'avant dans ma chambre, cet endroit vide d'avenir, figé au jour du déménagement, qui puait l'abandon. Je décidai donc pour une fois d'oublier mes réticences afin de passer une soirée complète avec mon père et Marc.

Mais alors qu'il savait que j'allais venir, mon paternel préféra honorer un rendez-vous qu'une inconnue lui avait fixé à la dernière minute. Je venais tout juste de franchir le seuil de la maison lorsqu'il me l'annonça.

Je restai sans voix, le regardant enfiler son manteau, et refermer la porte d'entrée derrière lui. C'était ce genre d'attitude qui me décevait chez lui. Ses priorités étaient ailleurs. Est-ce que lui souhaitait retrouver la complicité que nous avions auparavant ? Se rendait-il seulement compte que j'attendais qu'il fasse un pas pour me prouver que je comptais encore à ses yeux ?

Je me consolai en me disant qu'au moins Marc était là, et que nous allions nous concocter une petite fête. Les rares fois où nos parents sortaient, nous ouvrions le meuble-bar et nous préparions des cocktails infâmes élaborés à partir d'alcools que nous ne connaissions même pas, certains enfermés dans des bouteilles sans étiquette depuis des lustres.

— Qu'est-ce que c'est que ce rendez-vous de dernière minute ? demandai-je à mon frère.

— Il a mis une petite annonce dans *Canal 51* pour trouver une femme, m'apprit Marc, l'air détaché, comme si le fait qu'un homme qui cherche de cette manière une compagne était courant.

— Tu plaisantes ! Il est si désespéré que ça ! Quel genre de femme croit-il trouver de cette façon ?

— J'en sais rien, répondit mon frère aussi laconique qu'à son habitude.

— Tu te rends compte, il a préféré rejoindre une gonzesse qu'il ne connaît ni d'Eve ni d'Adam, plutôt que de rester avec nous, ses enfants ! Tu trouves ça normal, toi ? Ça ne te choque pas ? éclatai-je.

— C'est papa. Laisse-le !

— Personnellement, ça me dégoûte. Parfois, je me demande si on représente quelque chose pour lui. Depuis que maman a décidé de divorcer, tout ce qui compte à ses yeux c'est de se retrouver une bonne femme. Je ne pensais pas qu'il irait jusque-là. Il a mis quoi sur son annonce : « Homme divorcé cherche femme à mettre dans son lit » ?

— Ça ne sert à rien de s'énerver. De toute façon avec la brocante, on va se coucher de bonne heure ; nous n'aurions pas fait grand-chose.

— Ce n'est pas une raison !

J'avais toujours autant de mal à comprendre pourquoi mon frère trouvait des excuses à mon père.

— Tu ne regrettes vraiment pas d'être resté vivre avec lui ? lâchai-je.

— Il n'a pas des rendez-vous tout le temps ! Et puis, je me sens bien ici, à Mareuil. Où est-ce que je mettrais mon établi dans l'appartement ? Qui s'occuperait de Micky et de Youky ? Et papa serait tout seul...

Maintenant que j'avais plus de recul sur la vie citadine, que pouvais-je ajouter d'autre ? Il était évident que si j'avais eu la force de renoncer à notre vie à la campagne pour suivre notre mère, Marc, qui n'avait pas la même animosité envers notre père, ne l'avait jamais envisagé, et n'était pas près de le faire. Dans un certain sens, je devais reconnaître qu'il avait raison : si habiter avec mon père ne lui était pas insupportable, il était bien mieux dans cet espace de liberté à bricoler et à soigner les chiens qui avaient toujours beaucoup compté pour lui. Autant de crève-cœurs qu'il voulait éviter à tout prix pour s'accrocher au monde que nos parents nous avaient bâti.

Finalement, cette fois-ci, je ne revis pas mon père du week-end. Il rentra une fois que nous fûmes couchés, et le lendemain au moment où je repartis, je ne le trouvai pas. Puisque c'était jour de fête au village, je supposai qu'il avait été invité à boire un verre chez des amis, et je retournai à Epernay sans avoir partagé un instant avec lui. C'était certainement mieux ainsi. Cela évitait probablement de nouvelles déceptions.

Après cette soirée où nous avions célébré ma réussite au bac, je me sentis plus légère, entrevoyant enfin un vrai retour au calme et commençant à m'habituer à ma nouvelle vie. Au cours de cet été-là, Carole ayant obtenu son permis de conduire, je renouai avec la joie d'aller à Mareuil plus librement. Par amitié, elle faisait volontiers le trajet pour venir me chercher ou me ramener. C'était bon de revenir au bercail, de pouvoir retrouver les chemins de terre, l'odeur de la luzerne, les promenades le long du canal ! Je prenais même plaisir à passer du temps avec mon père, qui semblait lui aussi apaisé.

Un soir où Steph et moi avions prévu de nous balader dans les champs, comme on le faisait auparavant, mon père nous proposa de boire l'apéritif avant que l'on aille humer l'air des blés coupés. Depuis mon départ, aucun de mes amis n'avait franchi le seuil de la maison. J'osai espérer qu'il s'agissait d'un premier pas pour renouer les liens...

Mon père, souriant, nous raconta comment il avait fait une rencontre le week-end précédent au bal de la fête foraine d'Oiry. Surprise, je ne lui posai aucune question, ni sur ce qu'il faisait là-bas, ni sur l'identité de cette femme. Avec la même désinvolture que lorsqu'il nous avait annoncé qu'il avait une aventure, il exposa les détails de sa soirée. Il avait invité cette femme à danser un slow, alors qu'elle se trouvait sur le côté de la piste de danse avec deux amies. Ils avaient ensuite bu quelques verres, et il s'était retrouvé chez elle à faire l'amour jusqu'au petit matin au bruit de la sono et des manèges. Un scénario banal mais qui avait le mérite de rendre mon père heureux.

Je souhaitais d'ailleurs sincèrement que ce ne soit pas une histoire de quelques semaines, mais au contraire une vraie rencontre qui lui permettrait de refaire sa vie. Je voulais qu'il puisse à son tour, tout comme ma mère avec Richard, se reconstruire. Surtout, je rêvais de voir toutes les tensions disparaître définitivement, et tout recommencer avec lui.

Après deux verres de ratafia, Steph et moi le quittâmes pour faire notre promenade, encore étonnés de ce nouveau revirement.

— Je ne sais pas à quoi m'en tenir avec ton père, me fit remarquer Steph. Un jour, il peut être super désagréable, et le lendemain il est prêt à faire la fête avec toi.

— C'est vrai. Je te rassure, moi non plus je ne sais jamais à quoi m'attendre avec lui. Quand on vivait encore là avec ma mère, cela arrivait souvent qu'il change d'humeur. Tantôt, il jouait les pères sympas, s'intéressant à ce qu'on faisait, proposant des parties de jeux de société, tantôt il critiquait tout : la musique que nous écoutions, ce que nous regardions à la télé, les amis qu'on fréquentait. Je dois même t'avouer que, parfois, je l'entendais faire une scène de jalousie à ma mère parce que tu parlais trop avec elle, et cela ne l'empêchait pas de te payer un verre et de rire avec toi.

— Il est dingue ! Je n'aurais jamais pu imaginer quoi que ce soit avec ta mère ! J'aimais bien parler avec elle, c'est tout ! Et puis, s'il savait que ce ne sont pas les femmes que je préfère, ça lui en boucherait un coin !

— Ça, il ne le comprendrait pas. Il est trop sectaire pour accepter que l'on puisse être différent ; c'est difficile de lui faire percevoir les choses autrement. Tout ce que j'espère c'est qu'il va tourner la page une bonne fois pour toutes, et qu'il va évoluer.

Je rencontrai la nouvelle amie de mon père tout à fait par hasard deux semaines plus tard, un dimanche après-midi. Alors que nous étions tous réunis chez Carole qui venait de rentrer de vacances et qui tenait absolument à nous raconter les détails de son séjour en Corse, je pris quelques minutes pour rendre une visite à mon père, à l'improviste. Le hangar était grand ouvert, me laissant percevoir le bazar habituel causé par l'étalage des outils, des bidons pour les traitements, des rouleaux de fil de fer pour réparer les routes de vigne, et de divers engins servant à la culture. Je supposai que mon père devait être parti moissonner puisque le tracteur et la benne ne s'y trouvaient pas. Toutefois, les portes n'étaient pas fermées, et les chiens Youky et Micky étaient attachés à leur niche. J'en déduisis que mon frère était là. J'entrai donc dans la maison d'un pas alerte, en criant :

— Marc, c'est moi !

Personne ne me répondit. La salle à manger semblait étrangement calme. Je me dirigeai vers l'étage, pensant que mon frère ne m'avait peut-être pas entendue s'il était dans sa chambre, quand, en passant devant le salon, je vis une femme d'une trentaine d'années allongée sur le canapé. Dès que mon regard tomba sur elle, elle se leva nonchalamment, sans un sourire, visiblement encore engourdie par la sieste que je venais d'écourter. Se réveillait-elle à l'instant, et l'avais-je réellement surprise, ou m'avait-elle entendue et avait-elle espéré que je déguerpisse avant que je la découvre dans cette posture ?

Face à moi, je ne pus m'empêcher de la détailler : grande, mince, d'origine maghrébine, ce que je trouvai particulièrement ironique après avoir été assommée par les discours racistes, voire extrémistes de mon père quand je fus en âge de flirter, m'ordonnant de ne pas fréquenter des garçons « trop basanés ». Soit la force de l'amour avait eu raison de ses idées, soit il les mettait de côté parce que l'envie d'avoir une femme les surpassait ! Les cheveux mi-longs, très bruns, parfaitement lissés malgré le temps passé sur le canapé, les yeux marron foncé, le teint mat couleur noisette, les traits du visage aussi fins que ceux d'une statue grecque, elle était plutôt jolie, malgré la froideur qui se dégageait de ses lèvres pincées et de son regard.

— Bonjour, je suis la fille de Bertrand. Vous savez où je peux trouver mon frère ou mon père ? parvins-je à lui demander tout en lui tendant une main qu'elle ignora.

Je sentais mon regard peser sur elle. Je m'efforçais non sans mal de ne pas la dévisager, de ne pas la juger, mais les réflexions fusaient dans ma tête. Elle avait déjà l'air d'être bien à l'aise dans notre maison pour s'affaler ainsi sur le canapé ! Avait-elle délibérément refusé de me serrer la main ? Pour qui se prenait-elle pour accueillir si négligemment la fille d'un homme qu'elle connaissait à peine !

— Votre frère est chez un copain, et votre père est parti moissonner. Je ne sais pas quand ils vont rentrer l'un et l'autre, me répondit-elle d'une voix chaude mais non dénuée d'une certaine pointe d'agacement, qui me renforça dans l'idée que je la dérangeais.

— Mon père vous a dit où il moissonnait aujourd'hui ? J'aurais aimé le voir car je ne sais pas quand je reviendrai. Je dois partir en vacances la semaine prochaine, et ce soir, je suis chez une amie du village.

— Il m'a juste dit qu'il ne serait pas loin de la maison ; il m'a parlé d'un poulailler, je crois.

— C'est bon, je vois où il est, merci.

Je la saluai timidement, ne sachant pas trop quelle attitude adopter, puis je partis à la recherche de mon père, qui fauchait en effet avec l'un de ses amis à quelques centaines de mètres de la maison.

— Tu as vu Sofia, me dit mon père après m'avoir embrassée furtivement sur la joue, pour éviter de me mêler à toute la poussière provoquée par les rejets de la moissonneuse-batteuse.

Son visage était cependant épargné grâce à la nouvelle machine d'Yvon, qui possédait désormais une cabine pour protéger le conducteur.

— Oui, mais je crois que je l'ai réveillée ; elle faisait la sieste.

— Elle est fatiguée ; elle a travaillé ce matin.

Lui qui avait toujours formellement interdit à ma mère, mon frère et moi de nous prélasser dans le canapé au cours de la journée, ou de nous plaindre d'une quelconque fatigue sous prétexte qu'il y avait toujours un travail à effectuer et qu'il ne supportait pas de nous voir nous tourner les pouces, je me dis qu'il devait être vraiment très épris ou qu'elle avait quelque chose de vraiment particulier pour qu'il accepte ce genre d'attitude. Mais peu m'importait : je me fichais pas mal de ce qui attirait mon père, j'aurais accepté à peu près n'importe quoi pourvu qu'il ne nous fasse plus jamais souffrir. Je voulais me montrer optimiste : il avait peut-être tiré des leçons de son divorce et tentait de devenir plus compréhensif. C'était tout à son honneur, même si au fond de moi je doutais d'un changement radical. Je préférais taire ces maudits soupçons pour ne pas faire resurgir le mal qui m'avait déjà suffisamment détruite et qui venait à peine de s'estomper.

Je ne revis Sofia qu'une seule fois, début septembre, un samedi midi, alors qu'accompagnée de Carole je venais chercher mon frère pour le week-end. Mon père l'avait inscrit dans un lycée-internat à Sainte-Menehould, à l'est de Châlons-sur-Marne, à cent kilomètres d'Epernay, autant dire le fin fond de la Marne. Selon lui, mon frère n'avait pas suffisamment travaillé l'année précédente, bien qu'il ait obtenu son BEP, et le lycée municipal n'offrait pas assez de places pour la classe de bac pro maintenance. Mon père avait beau se retrancher derrière une prétendue décision du proviseur, la situation n'était pas claire : pourquoi ne pas l'avoir dit à ma mère ? Pourquoi ne pas l'avoir inscrit dans un lycée plus près, sur Châlons, par exemple ?

Ce jour-là, Sofia était là. Contrairement à la première fois, elle me serra la main sans grande conviction. Moi qui préférais les poignées fermes que je trouvais plus franches, je fus déçue par la réticence qu'elle dégageait. Ce corps nonchalant se levant péniblement du canapé et cette poignée de main si distante furent les seules images que je gardai de Sofia, puisque mon père n'organisa jamais de rencontre officielle qui nous aurait permis d'établir un lien et ne nous laissa même pas le temps de rêver d'une famille recomposée. Tout ce que je pus apprendre de cette femme resta lointain et restreint : elle était infirmière, célibataire, sans enfants.

Ce fut peut-être ce dernier aspect qui les amena à préférer une vie à deux, sans aucun mioche qui viendrait les priver d'instants privilégiés. Ainsi, les semaines suivantes, alors que je peinais à m'adapter au nouveau rythme imposé par les trajets en train jusqu'à la fac de lettres de Reims et à la somme de travail, mon père se mit à téléphoner à ma mère le jeudi soir afin de la prévenir qu'il ne pouvait pas accueillir mon frère durant le week-end, comme si ce dernier était encore aussi dépendant qu'un enfant de deux ans. Marc avait la surprise, le vendredi soir, de voir ma mère sur le quai de la gare d'Epernay, à la place de mon père.

Au début, mon frère se montra plutôt philosophe, nous racontant, sans rancœur, qu'il devait parfois les déranger dans leurs ébats de jeunes amoureux. Plusieurs fois, il lui était arrivé en rentrant de chez un copain de découvrir des vêtements éparpillés dans la maison. Selon Marc, ils s'adonnaient à des parties de plaisir dans toutes les pièces de la maison quelle que soit l'heure du jour et de la nuit. Il avait donc l'air de trouver normal de ne plus devoir rentrer tous les week-ends. Il acceptait de s'effacer pour permettre à mon père de vivre pleinement sa nouvelle relation sentimentale.

Marc ne retourna jamais chez mon père. Au bout d'un mois, il comprit qu'il était devenu trop gênant, qu'il n'habiterait plus Mareuil. Ce quatrième vendredi consécutif où il dut revenir chez nous, mon frère s'effondra. Il entra dans l'appartement sans dire un mot et s'empressa de se réfugier dans la chambre de ma mère, devenue la sienne. Comprenant qu'il venait de subir une nouvelle déception, nous n'intervînmes pas, et le laissâmes digérer la lâcheté de mon père. Au bout d'une heure, il n'était toujours pas redescendu. Puisque nous nous apprêtions à dîner, nous décidâmes ma mère et moi d'aller le voir. Marc, si grand, si introverti que nous peinions souvent à savoir ce qu'il ressentait, était allongé sur le lit, plongé dans l'obscurité, et sanglotait à chaudes larmes. Nous nous approchâmes de lui pour tenter de le consoler, mais il resta pétrifié, le visage dans l'oreiller. La colère contre mon père, qui s'était atténuée depuis quelque temps, tapie dans un coin de ma tête, ne mit qu'une fraction de seconde à s'infiltrer dans chacune de mes veines, tel un venin mortel.

Ma mère dévala les marches pour s'emparer du combiné. Je l'entendis s'adresser à mon père, sans pouvoir saisir ce qu'il lui répondait :

— Cette fois, il va falloir que tu prennes une décision. Tu ne peux pas le renvoyer chez moi indéfiniment ! s'énerva-t-elle.

Toujours dans l'encadrement de la porte, je me détachai de la conversation, accaparée par la tristesse de mon frère. Terriblement impuissante, je ne savais pas quoi lui dire pour l'apaiser. J'avais mal pour lui :

il se rendait probablement compte, seulement à cet instant-là, du peu qu'il représentait pour notre père.

Quand je revins au salon, ma mère me demanda d'accompagner mon frère à Mareuil le lendemain matin afin qu'il puisse récupérer une partie de ses affaires. Je venais d'obtenir mon permis de conduire le 17 novembre, une semaine plus tôt, pour mes dix-huit ans. Ma mère m'avait informée qu'elle comptait sur moi pour lui éviter au maximum les déplacements à Mareuil.

— Il t'a dit qu'il ne voulait plus s'occuper de lui ? demandai-je.

— Non, il prétend qu'il pourra revenir, mais il ne dit pas quand. En attendant, ton frère a besoin de vêtements.

— Tu vas faire quoi ?

— On avait un accord. Puisque chacun de nous avait l'un de vous deux à charge, il n'était pas question de pension. Mais si maintenant ton frère revient vivre ici, ton père devra participer aux frais. Je ne pourrai pas assumer sinon. Pour le moment, je vais attendre encore un peu, et si la situation n'évolue pas, j'irai voir un avocat.

— Il se moque bien de ce qu'il est en train de faire vivre à Marc, c'est dégueulasse ! m'emportai-je.

— C'est horrible, mais ça ne m'étonne guère. Ton père a toujours pensé d'abord à lui.

Aussi furieuses l'une que l'autre, le ventre noué, la gorge serrée, nous mangeâmes peu, et nous couchâmes de bonne heure.

Le lendemain, un samedi matin de novembre ensoleillé, nous partîmes Marc et moi, en silence, ne sachant pas comment nous allions appréhender la situation une fois face à notre père.

Au premier coup d'œil qu'il nous lança, je compris que nous avions tout intérêt à obtempérer au plus vite. Il avait ce regard noir, dur, que j'avais toujours craint ; il était décidé à obtenir ce qu'il voulait, et peu importaient les moyens qu'il faudrait employer. Il échangea quelques banalités, sans un sourire, sans faire le moindre commentaire alors qu'il me voyait pour la première fois tenir un volant. Nous n'étions pas les bienvenus et nous lui faisions perdre du temps en ce beau samedi où il aurait pu se trouver aux champs ou aux vignes.

— Quand tu auras repris tes affaires, tu me rendras les clés de la maison, dit-il calmement à mon frère.

Ne comprenant ni l'un ni l'autre où notre père voulait en venir, Marc répondit du même ton tranquille :

— Je ne les ai pas prises.

— Tu me les rapporteras quand tu reviendras chercher d'autres affaires.

Je pensai alors que c'était une manière détournée de dire à mon frère qu'il pouvait considérer qu'il devrait vivre avec ma mère et moi, à Epernay. Marc entra dans la maison pour faire son sac, et une fois qu'il fut hors de vue, mon père se tourna vers moi, me regarda bien fixement et prononça toujours aussi calmement :

— Toi aussi, tu devras me les rendre.

Plonger dans une eau gelée aurait eu le même effet : je sentis un courant glacé remonter ma colonne vertébrale, figer tous mes membres et couper ma respiration. Je mis quelques secondes à réaliser que cette fois c'était la fin de notre relation, que mon père balayait d'une phrase ce qui nous raccrochait encore à lui ; que cette maison où j'avais grandi et qui constituait encore un point d'ancrage ne serait plus la mienne ; qu'il nous privait de nos derniers repères. Il nous fermait définitivement l'accès à sa vie.

Sans un mot, sans une larme, juste une énorme boule en travers de la gorge qui menaçait de m'étouffer, je lui remis les clés que je gardais toujours dans mon sac à main. Nous restâmes ensuite l'un à côté de l'autre sans nous parler, attendant que Marc revienne avec tout ce qu'il avait pu emporter. Dans mon esprit se forma un mur invisible devant cette maison. On venait de nous intimer l'ordre de ne plus jamais passer de l'autre côté de ce mur !

Quand mon frère revint avec son sac plein à craquer, sans un coup d'œil à mon père, il ouvrit le coffre pour y mettre son paquetage, le referma d'un coup sec, et s'installa, les larmes aux yeux, à l'avant de la voiture. A mon tour, je montai sans prononcer un au revoir. Abasourdie par ce qui venait de se passer, je ne parvenais pas à réagir. Le choc était si inattendu et violent qu'il avait tué toute tentative de réplique.

Nous restâmes silencieux une grande partie du trajet, puis au fur et à mesure que nous nous éloignions de la maison, la colère prit le dessus :

— C'est dégueulasse ce qu'il t'a fait ! Après t'avoir mis en pension, il t'oblige à déménager, sans rien te dire. Il te prend pour un pion et ne se préoccupe pas de tes sentiments. C'est vraiment un lâche. Il n'a même pas eu le courage de te dire clairement qu'il ne voulait plus que tu habites avec lui. Je ne sais pas comment tu fais pour rester calme !

Mon frère s'était, une fois de plus, replié sur lui-même. Il préférait taire sa souffrance et me laisser m'égosiller. Mais, au fond de moi, je n'en menais pas large car je n'étais pas plus courageuse que lui. Moi non plus, je n'avais rien dit, je n'avais pas été capable de l'affronter, de lui demander « pourquoi ? ». Pourquoi ne voulait-il plus de nous, ses enfants ? Qu'avions-nous fait ? Que craignait-il de nous ? Je ne comprenais pas qu'il en soit venu à une telle extrémité.

Certes, c'était le coup de grâce, mais je ne faisais plus confiance à cet homme depuis si longtemps que son acte venait surtout renforcer toute ma haine.

J'imaginais ce que Marc devait endurer, lui qui avait toujours trouvé des excuses à notre père, qui n'avait pas voulu le voir ou le croire si monstrueux. Il perdait probablement en cette belle matinée ses illusions, et percevait seulement maintenant qui était le vrai Bertrand Lemaire. Je mesurais pleinement quel cataclysme intérieur il devait affronter mais je ne parvenais pas pour autant à trouver les mots qui l'apaiseraient ou qui le feraient sortir de sa torpeur. Mon père avait anéanti sans ménagement le choix que Marc avait fait de rester auprès de lui, et de conserver son mode de vie.

De retour à l'appartement, notre mère qui en avait vu de toutes les couleurs avec notre père, se montra à la fois blasée (pour elle, ce n'était qu'une nouvelle démonstration de son côté sombre) et outrée que, cette fois-ci, il ose s'attaquer à nous.

— Il y avait bien une chose dont je pensais être sûre, c'était qu'il serait toujours là pour vous. Je ne peux pas croire qu'il aille jusqu'à se détourner de son rôle de père fit-elle remarquer, les yeux dans le vague, comme si elle se faisait plutôt cette réflexion à elle-même.

11

Colère. Indignation. En réalité, c'était encore plus fort que cela : sa chair était torturée ! Comment Bertrand pouvait-il aller jusqu'à repousser ses propres enfants ? C'était inconcevable. Cette fois, elle ne le laisserait pas s'en sortir aussi facilement que pour leur divorce. Et dire qu'il lui avait versé la dernière somme qu'il lui devait sur la maison au cours de l'été dernier, et qu'elle avait pensé que désormais elle en avait fini avec lui !

Hélène attendit que Marc et Gaby soient montés à l'étage pour appeler Bertrand. Il était temps qu'il affirme clairement ce qu'il avait l'intention de faire. Elle composa le numéro, le cœur battant, expirant bruyamment pour garder son calme. Si elle s'énervait, elle ne pourrait rien tirer de lui. Il décrocha assez rapidement, ce qui surprit Hélène, qui mit quelques secondes avant de parler :

— Allô ! Allô !

— C'est moi, Hélène.

— Qu'est-ce qu'il y a ? interrogea Bertrand d'une voix brusque.

— Tu te rends compte dans quel état t'as mis les gamins tout à l'heure ?

— Je ne vois pas de quoi tu parles. Marc a pris des affaires et ils sont repartis aussitôt.

Inébranlable, Bertrand niait délibérément ses actes et leurs conséquences.

— Moi, ce que je ne comprends pas, c'est pourquoi tu as repris leurs clés de la maison.

— Tu ne vas pas me faire chier pour ça ! commença à s'énerver Bertrand. Gaby vit avec toi, Marc n'est pas là de la semaine. J'aurai les doubles pour Sofia, et puis à l'âge qu'ils ont, ils n'ont plus à entrer dans la maison si je n'y suis pas ; ça peut être gênant. Sofia va certainement venir vivre avec moi dans quelque temps ; on n'aura pas envie d'être dérangés à l'improviste à tout bout de champ.

La voilà la raison : il voulait être tranquille pour mener sa vie maintenant qu'il n'était plus seul, qu'il avait retrouvé une femme pour remplir ses jours et ses nuits. Toutefois, Hélène s'abstint de tout commentaire inutile, et poursuivit la conversation dans le but d'être fixée sur la garde de leur fils.

— Et pour Marc, tu comptes faire quoi ? Il revient vivre avec moi ?

— Ce n'est pas parce qu'il est revenu chez toi quelques week-ends, qu'il ne vit plus avec moi, ce n'est pas la peine de te faire des films !

— J'aimerais savoir à quoi m'en tenir, c'est tout, car si tu ne t'occupes plus de lui, il faudra qu'on se mette d'accord sur une pension. Tu l'as placé dans un internat ; je ne pourrai pas assumer financièrement si tu te décharges.

— On verra. Pour le moment, on ne change rien. Je fais ce que je veux, vous n'allez pas me casser les couilles ! C'est toi qui as voulu partir...

Evidemment, il fallait bien que ce soit sa faute ! Elle ne devait pas entrer dans son jeu.

— Sache que je n'attendrai pas indéfiniment. Vis à ta guise, je m'en moque, mais je n'ai pas l'intention de me faire avoir. Commence à chercher un avocat.

Elle connaissait suffisamment bien Bertrand pour savoir que dès qu'il était question d'argent, il était capable de n'importe quelle stratégie pour préserver ses intérêts et son porte-monnaie. Ses réponses lapidaires lui faisaient gagner du temps, mais Hélène savait d'ores et déjà que Marc ne vivrait plus chez son père. Bertrand mit brusquement fin à la discussion en raccrochant sans avoir relevé l'avertissement de son ex-femme, peut-être agacé par sa pugnacité.

Après cette confrontation, elle décida d'annuler la soirée qu'elle avait prévue avec Richard. Il comprit sans difficulté qu'elle devait rester avec Marc et Gaby ; ils éprouveraient certainement le besoin de parler, de vider leur sac.

En un an, pas une fois elle n'avait regretté la décision qu'elle avait presque prise sur un coup de tête de se lancer dans une aventure avec Richard. Elle avait d'abord dû rompre avec François, du moins lui expliquer qu'elle avait rencontré un autre homme avec lequel elle se sentait prête à faire un bout de chemin, ce qu'il eut du mal à comprendre. Pendant plusieurs semaines, il l'avait appelée quasiment tous les jours pour tenter de la ramener à lui, ce qui eut le don de l'exaspérer. Ne tolérant pas qu'il se comporte comme une copie de Bertrand, elle avait dû se montrer plus ferme. Ils ne se voyaient plus du tout. C'était probablement mieux ainsi !

Avec Richard, elle s'était laissé embarquer dans un tourbillon. Elle n'avait plus trente-sept, mais vingt ans. Au deuxième rendez-vous, ils s'étaient embrassés, au troisième, elle avait accepté d'aller dîner chez lui. Il habitait sur la rive droite de la vallée de la Marne, en direction de Dormans, à Châtillon-sur-Marne, là où le vignoble dévale, comme de la lave, au pied de la statue du pape Urbain II. Elle y passa la nuit.

Alors qu'elle avait été transie de peur d'aller plus loin avec François, ne parvenant pas à se détacher de tout ce qu'elle avait pu subir sexuellement, elle avait permis à Richard de l'approcher avec un naturel déconcertant. Ce soir-là, alors qu'ils venaient de terminer de dîner, ils avaient décidé de finir la bouteille de champagne, devant la cheminée. Elle qui ne buvait jamais plus d'un verre ou deux se sentit vite grisée par l'alcool. Assis l'un à côté de l'autre, ils n'avaient pas réfréné très longtemps leur attirance grandissante : ils avaient commencé par s'embrasser lentement, puis le feu éteint en eux depuis tant d'années se mit à flamboyer au-delà de ce qu'ils pensaient possible.

Hélène ressentit pour la première fois de petites décharges électriques lui parcourir tout le corps, ce qui lui provoqua l'envie irrépressible que Richard y dépose ses lèvres sucrées. Le bout des seins tendu, elle se surprit à déboutonner son chemisier afin de le laisser glisser plus aisément ses mains vers cette poitrine jadis si malmenée, et qui sous l'impulsion du premier désir se gonflait.

Richard se montra tendre et attentif. Il lui proposa de monter dans sa chambre ; il ne voulait pas d'un acte à la va-vite et qui la décevrait. Une fois dans la chambre, une petite pièce composée d'un lit placé le long du mur, d'une table de chevet toute simple et d'une armoire imposante, il alluma une lampe, qui donnait un éclairage tamisé et rendait l'atmosphère chaleureuse.

Ils se déshabillèrent mutuellement, sans trop oser regarder le corps de l'autre, avant de s'allonger sur le lit. Richard, qui ne voulait pas embarrasser Hélène, attendait qu'elle le guide, l'embrassant là où elle le souhaitait, la touchant seulement s'il sentait l'une de ses mains l'aider à s'acheminer vers l'endroit désiré.

La peau chaude et toute frissonnante, ce fut Hélène qui, d'un geste appuyé sur les reins, fit comprendre à Richard qu'elle était prête. Délicatement, il entra en elle, et commença une valse élégante de va-et-vient jusqu'à ce qu'il entende Hélène pousser un long soupir, quasi inaudible. L'extase les gagna au même moment, l'une parce qu'elle n'avait jamais éprouvé un tel chavirement du corps, l'autre parce qu'il venait de satisfaire la femme qu'il aimait déjà.

Hélène découvrit enfin le plaisir sexuel. Non seulement elle appréciait de ressentir des sensations qu'elle ne soupçonnait même pas, mais surtout elle avait le sentiment d'avoir une vraie place au sein de son couple. Elle apprenait à désirer Richard. Il voulait lui montrer que faire l'amour c'est une composition à deux, où chacun a son rôle, et que l'on doit s'accorder avec l'autre pour parvenir à la plus belle des symphonies.

Enfin respectée, Hélène reprit peu à peu confiance en elle et se trouva de moins en moins transparente aux yeux de la société. Ainsi, quand son contrat de caissière se termina, en février 1997, elle était résolue à se montrer plus déterminée dans sa recherche d'emploi, à ne plus se laisser entendre dire qu'elle aurait du mal à trouver un travail fixe parce qu'elle n'avait pas un profil intéressant.

Entre quelques missions d'intérim, elle harcelait l'ANPE, insistant toujours plus pour connaître leurs offres. Au mois de juillet, alors qu'elle quittait une nouvelle fois cet établissement sans succès, elle tomba par hasard sur une annonce, qui se trouvait tout en bas d'un panneau d'affichage et qui spécifiait que la Coop'Viti, un magasin de produits viticoles, recherchait une secrétaire pour fin août-début septembre. Hélène revint sur ses pas, et se dirigea vers l'hôtesse d'accueil :

— J'ai oublié quelque chose, pourrais-je revoir madame Delville, s'il vous plaît ? dit-elle d'un ton évasif et calme, espérant qu'on accède à sa demande.

L'hôtesse composa un numéro et interrogea sa supérieure.

— Elle vous attend. Mais faites vite, elle a encore d'autres rendez-vous.

Hélène se précipita vers le bureau qu'elle connaissait désormais par cœur.

La pièce où madame Delville recevait toutes ces personnes en mal de travail et de reconnaissance sociale lui semblait toujours aussi triste et froide : des murs gris avec pour seule décoration une affiche représentant le logo triangulaire de l'agence, une fenêtre qui donnait sur un grand bâtiment, un bureau en verre parfaitement rangé placé derrière deux fauteuils noirs.

— Qu'avez-vous oublié de si important, madame Jorin ? sembla ironiser l'employée.

— Je pense que c'est vous qui avez oublié quelque chose.

Interloquée, madame Delville regarda Hélène, attendant qu'elle poursuive.

— En sortant, j'ai vu une annonce que vous auriez pu me proposer.

— Ah bon, laquelle ?

— La Coop'Viti recherche une secrétaire. Ça m'intéresse, et je crois que c'est un domaine que je connais plutôt bien.

— En effet, c'est une annonce qui aurait pu être intéressante pour vous, mais si je ne vous en ai pas parlé, c'est parce que votre niveau d'études n'est pas suffisant. Je ne sais pas si vous avez lu l'offre jusqu'au bout, mais la Coop'Viti exige une personne qui a un bac pro et de l'expérience ; ce que vous n'avez pas.

Hélène mit quelques secondes pour digérer les dernières paroles de son interlocutrice, qui se rendit compte qu'elle avait dû la blesser mais qui ne parut pas affectée pour autant.

— Je sais que c'est difficile, mais de notre côté nous essayons de contenter le plus de monde possible. Vous n'êtes pas la seule à rechercher un emploi stable, et mon travail c'est de sélectionner les offres et de les proposer en fonction de ce que recherchent les entreprises. Vous imaginez la réaction des dirigeants si on leur envoyait des personnes qui ne correspondent pas à leur demande ?

— Je conçois ce que vous me dites, mais n'avez-vous pas l'impression d'empêcher certaines personnes de tenter leur chance ?

— Je ne vous cache pas que ce n'est pas toujours facile, mais je ne suis pas là pour faire dans les sentiments ! J'espère que vous le comprenez.

— Cela signifie qu'on peut difficilement sortir de la case dans laquelle on nous cloisonne. Mais merci quand même de m'avoir reçue.

Davantage en colère que déçue, Hélène résolut de ne pas tenir compte des propos de madame Delville et d'y aller au culot. Elle n'avait rien à perdre : elle enverrait le jour même son CV et une lettre de motivation.

Une semaine après avoir posté son courrier, on l'appela pour fixer un entretien, auquel elle se rendit deux jours plus tard. Dès qu'elle arriva dans les locaux de la Coop'Viti, une jeune femme l'amena dans le bureau de monsieur Lopin, le directeur des ressources humaines. C'était un homme d'une quarantaine d'années, grand, brun aux yeux marron foncé, un peu rond, ayant gardé quelques traits de l'adolescent qu'il avait été. Il affichait une certaine bonhomie qui mettait à l'aise, et qui le rendait d'emblée sympathique.

Monsieur Lopin lui expliqua assez longuement en quoi consistait le poste : il recherchait une personne pour remplacer un départ à la retraite. Ce n'était pas forcément le travail dont elle avait rêvé mais il était à sa portée ; il fallait savoir répondre au téléphone, prendre les commandes des fournisseurs et gérer par ordinateur le stock des produits allant des vêtements viticoles aux différents sacs d'engrais, ou de petits outils en tout genre. Une fois sa présentation terminée, monsieur Lopin se lança dans un véritable interrogatoire dans le but de tester la motivation de la postulante.

— A vrai dire, c'est votre lettre de motivation qui m'a plu ; si j'avais dû choisir de vous rencontrer à la seule lecture de votre CV, je ne l'aurais probablement pas fait. Je voudrais tout d'abord savoir comment vous avez appris qu'un poste était à pourvoir, car je n'avais donné l'information qu'à l'ANPE, à qui j'avais spécifié que je souhaitais une personne avec un minimum d'expérience et de qualification, ce qui ne semble pas être votre cas ?

— J'ai vu l'annonce à l'ANPE, que je fréquente assidûment depuis quelques mois. On m'a dit que ce poste n'était pas pour moi, mais j'ai décidé de tenter ma chance malgré tout.

— Qu'est-ce qui vous a fait croire que vous pouviez obtenir ce travail, alors que vous n'avez pas le niveau requis ?

— Je sais ce dont je suis capable, et je pense pouvoir travailler aussi bien qu'une personne qui aurait obtenu son bac, répondit Hélène sans se laisser déstabiliser.

Elle expliqua au recruteur qu'il pouvait lui faire confiance. C'était elle qui avait dirigé toutes les commandes et tous les comptes de l'exploitation qu'elle avait tenue avec son ex-mari.

— Très bien. Maintenant, parlons salaire. Si on vous engage, vous serez payée au SMIC, le salaire augmentera au fil des ans, grâce à d'éventuelles primes et à l'ancienneté. Pour ce poste, il n'y a pas de perspectives d'évolution. C'est quelque chose qui vous dérange ?

— Non, je veux juste trouver un CDI qui me permette d'aller jusqu'à la retraite et pouvoir ainsi cotiser suffisamment.

— J'ai vu sur votre CV que vous avez deux enfants. Pensez-vous que leur charge peut être un frein à votre travail ? Je suis peut-être dur, mais certaines femmes seules ont parfois des difficultés à tout concilier.

— Ne vous inquiétez pas. Mes enfants sont déjà grands ; à seize et dix-sept ans ils sont pratiquement autonomes.

Ces sous-entendus sexistes ne firent que décupler en Hélène une sorte de soif de vengeance. C'était le moment de prouver qu'elle avait le droit de prendre sa place, qu'elle n'avait rien d'une femme stupide qui n'avait jamais rien fait de sa vie. Pleine d'assurance, elle batailla encore quelques minutes pour convaincre monsieur Lopin.

— Je dois vous avouer que j'apprécie votre culot et votre sincérité. C'est d'ailleurs ce qui m'a interpellé. Quoi qu'il en soit, je vous recontacte très vite. J'ai encore quelques personnes à voir, mais je compte prendre ma décision rapidement.

De fait, la réponse de monsieur Lopin ne tarda pas ; à la fin de la semaine suivante, il l'appela pour lui annoncer une bonne nouvelle : c'était elle qu'il avait retenue.

Depuis qu'elle avait pris son poste à la Coop'Viti début septembre, la fierté balayait progressivement les doutes. Elle était dans son élément, c'était une évidence. Elle commençait à se projeter, parlait vacances avec Richard, et comptait bien, pour cela, mettre un peu d'argent de côté, après les fêtes de fin d'année. Elle rêvait de découvrir d'autres endroits que le nord de la France. Pourquoi pas même prendre l'avion ?

Après toutes ces années passées avec Bertrand, jamais elle ne s'était sentie réellement sereine, car il était toujours là, quelque part, à chaque minute, à chaque seconde, à proximité d'elle, pouvant surgir à tout instant pour prendre possession de son corps. Alors que tout était désormais terminé, et qu'elle parvenait de plus en plus à apaiser ses tensions, elle avait l'impression que son ex-mari faisait tout son possible pour se venger, pour saboter la vie qu'elle se construisait. Vivrait-elle jusqu'à la fin de ses jours avec la crainte de le voir réapparaître et tout dévaster sur son passage ?

S'il ne s'était agi que d'elle, elle aurait pu ignorer ce nouveau coup bas. Cependant, pour ses enfants, elle devait reprendre les armes et le terrasser. Marc et Gaby ne méritaient pas d'être effacés de la vie de leur père, comme on peut oublier une femme qu'on a aimée. Ce week-end de novembre, le choc avait été si intense que chacun s'était claquemuré dans ses propres pensées, dans son propre silence. Hélène avait préféré respecter le repli de ses enfants, incapable de les apaiser, de contenir toute la haine qu'elle ressentait pour Bertrand. Elle prit rendez-vous avec une avocate dont elle avait entendu parler lors de l'une de ses missions d'intérimaire dans une maison de champagne, tandis qu'elle habillait machinalement des bouteilles pour une commande spéciale. Selon les dires de deux autres femmes embauchées pour l'occasion, c'était une avocate expérimentée et tenace. Cette conversation remontait à plusieurs mois, et par conséquent Hélène se souvenait mal du nom de la personne recherchée. Mais en regardant dans l'annuaire, elle reconnut le nom de maître Brunelli…

Quatre jours plus tard, Hélène se tenait face à l'avocate parfaitement apprêtée et manucurée. Maître Brunelli avait toute la classe qu'Hélène aurait aimé posséder. Le chic et la prestance de cette femme l'intimidèrent ; elle se sentait si petite et si banale à côté d'elle !

L'avocate invita Hélène à s'asseoir et à lui expliquer les raisons de sa venue.

— Est-ce que vous savez que vous n'auriez jamais dû divorcer de cette manière ? Le divorce par consentement mutuel c'est bien, mais à condition que les deux parties soient honnêtes, fit remarquer maître Brunelli quand Hélène eut achevé son récit.

— Je le sais mais je ne voulais pas faire traîner les choses et à l'époque je me suis dit que ce que je laissais, mes enfants le récupéreraient un jour ou l'autre.

— L'avocat qui a mené les démarches aurait pu vous conseiller autrement. En choisissant un avocat personnel, ça aurait pris peut-être un peu plus de temps, mais ça vous aurait empêchée de vous faire avoir. Maintenant, vous ne pouvez plus revenir en arrière, et vos enfants ne sont pas protégés. Votre ex-mari peut faire ce qu'il veut, et vos enfants ne verront peut-être pas grand-chose de ce que vous souhaitiez leur laisser.

— Pas une seconde je n'ai imaginé qu'il se détournerait d'eux. Je le pensais capable de beaucoup de choses mais pas de s'approprier ce qui devait leur revenir, et encore moins de se déresponsabiliser de son rôle de père.

— C'est pour cette raison qu'on aurait dû vous guider autrement. Avec tous les cas que nous voyons, nous sommes bien placés pour savoir qu'une fois que le divorce a eu lieu les gens peuvent changer complètement et devenir très surprenants.

— J'avais tellement peur que mon ex-mari n'accepte jamais le divorce que j'ai fait beaucoup de concessions pour retrouver ma liberté. Je ne sais pas si j'aurais pu me battre davantage, vous savez.

— Certaines situations sont très difficiles. Je suis désolée, je ne cherchais pas à vous culpabiliser. C'est juste que je m'emporte toujours quand je vois des séparations se terminer de manière aussi injuste, quand l'un vit confortablement parce qu'il a dépouillé l'autre, sans se soucier de ce qui va lui arriver, expliqua l'avocate, dont l'implication toucha profondément Hélène. Quoi qu'il en soit, reprit-elle, on va engager la procédure pour obtenir une pension alimentaire pour vos enfants. La loi va lui rappeler ses obligations parentales.

— Concrètement, comment ça va se passer maintenant ? demanda Hélène.

— Je vais envoyer un courrier à votre ex-mari pour l'informer qu'une procédure a été engagée afin d'établir le montant d'une pension à verser à ses enfants. Normalement, il contactera à son tour un confrère et une fois que chaque partie aura préparé son dossier, un jugement sera prononcé au terme duquel il devra se plier à la décision qui aura été prise. Quant à vous, voyez avec ma secrétaire pour reprendre rendez-vous d'ici une quinzaine de jours et surtout, rapportez-moi votre acte de divorce pour que l'on étudie tout cela ensemble.

— J'ai encore quelques questions.

— Allez-y, je vous en prie.

— Est-ce que je vais être obligée de revoir mon ex-mari pour le jugement ? s'inquiéta Hélène.

— Non, n'ayez crainte. Tout peut se faire par avocats interposés. Vous serez ainsi épargnée. Je me doute que c'est très difficile d'avoir à engager une nouvelle procédure alors que vous avez divorcé il y a peu de temps.

— Est-ce que ce sera long avant d'obtenir satisfaction ?

— C'est difficile de vous donner un laps de temps précis, car cela dépend de plusieurs choses. De notre côté, nous allons faire le maximum pour que ce soit rapide. C'est maintenant que votre ex-mari doit aider vos enfants, on ne peut pas le laisser s'en sortir impunément pendant des mois. Toutefois, je ne vous cache pas qu'il aura la possibilité de repousser les audiences, mais pas plus de trois fois. C'est déjà bien suffisant pour gagner du temps. Ensuite, ça dépendra si vous et lui êtes d'accord avec le jugement. En cas d'appel, il faudrait attendre de nouveau.

— Ce n'est pas très réjouissant. Il faut donc que je me prépare à patienter !

— Je ferai de mon mieux pour que tout soit réglé en un minimum de temps, même si vous avez compris que le jugement final peut être retardé par une attitude peu conciliante de la partie adverse. Ne vous inquiétez pas, j'ai l'habitude de ce genre d'affaires, faites-moi confiance.

Hélène ressortit satisfaite de son entrevue ; même si elle aurait volontiers évité de revivre les frasques d'une procédure judiciaire face à Bertrand, qui à n'en pas douter ne faciliterait rien. Cependant, elle accordait toute confiance à maître Brunelli.

Aussi étonnant que cela puisse paraître, Hélène n'eut aucune nouvelle directe de Bertrand. Elle apprit par son avocate qu'il avait bien contacté un confrère en retour, mais il resta silencieux, continuant à ignorer les enfants. Il s'employait surtout à ne pas rendre de comptes, à ne pas être obligé d'expliquer pourquoi il n'autorisait pas Marc à retourner chez lui après sa semaine d'internat.

Hélène ne tenait pas particulièrement à se confronter à lui mais quelques jours avant Noël, sans le dire aux enfants, elle se résolut à l'appeler afin de savoir si Marc et Gaby faisaient partie de ses projets pour les fêtes.

— Ah oui ! C'est vrai, dit-il aussi innocemment que s'il venait de s'apercevoir qu'il avait oublié un simple rendez-vous. Il se trouve qu'avec Sofia on a déjà tout organisé.

— Et tu n'as pas songé que Marc et Gaby auraient envie de voir leur père pour Noël ? questionna Hélène, s'efforçant de garder un ton calme, alors qu'elle sentait la colère lui nouer la gorge.

— C'est notre premier Noël avec Sofia, on avait envie de quelque chose de spécial. Nous ne serons pas là, je l'emmène quelques jours dans les Vosges.

— C'est bien, articula péniblement Hélène. Qu'est-ce que je dis aux enfants, tu les verras quand même pendant les fêtes ?

— Je devrais être là pour le nouvel an. Tu n'as qu'à rappeler deux jours avant pour confirmation.

— Très bien.

Après la colère éprouvée lors de la scène de novembre, Hélène s'était efforcée de se persuader que même s'il ne souhaitait plus que Marc vive avec lui à Mareuil – il ne l'avait d'ailleurs jamais vraiment désiré –, cela ne l'empêcherait pas de voir sa fille et son fils. Cette conversation brisa les espoirs qu'elle s'était inventés de toutes pièces. Comment dire à des enfants, même grands, que leur père n'avait pas pensé à eux pour les fêtes de Noël, qu'il ne s'était pas soucié de savoir ce qu'ils ressentiraient, ne s'excusait de rien comme s'il ne leur devait rien ?

Elle choisit d'atténuer autant que possible l'horreur de la vérité afin de préserver coûte que coûte ce qui unissait encore Bertrand aux enfants, même si au fond d'elle elle n'y croyait plus et craignait de plus en plus l'impensable. C'était Noël : elle ne voulait pas les faire souffrir davantage.

Marc et Gaby furent déçus, mais pas vraiment surpris puisque Bertrand ne leur avait donné aucune nouvelle depuis qu'il leur avait demandé les clés de la maison.

— Nous ne sommes plus à ça près, dit Gaby. Après tout, on passera un meilleur Noël. Si c'est pour qu'il se force à nous recevoir et qu'on n'ait rien à se dire, inutile.

— Ne dis pas ça, c'est votre père, quoi qu'il en soit, malgré ses défauts.

— S'il n'a plus envie de nous voir, il n'a qu'à le dire. Au moins, on saura à quoi s'en tenir, poursuivit Gaby.

Marc ne disait rien. Il laissait parler sa sœur, mais Hélène voyait bien combien il était affecté par la situation.

— Il sera là pour le 1er janvier. Vous pourrez aller le voir dans l'après-midi pour lui souhaiter la bonne année, dit Hélène, espérant que Bertrand ne change pas d'avis au dernier moment.

— Pour quoi faire ?

— N'entrez pas dans son jeu. Si vous cessez d'y aller, vous le connaissez, il est capable de dire que c'est vous qui ne voulez plus le voir. Montrez-lui que de votre côté vous avez toujours envie de faire partie de sa vie.

— Si tu penses vraiment que ça peut changer quoi que ce soit, on ira. Mais s'il nous accueille aussi chaleureusement qu'au mois de novembre, ça sera la dernière fois pour moi, prévint Gaby.

A leur mine dépitée quand ils revinrent de chez Bertrand le 1er janvier, Hélène comprit qu'il ne s'était pas montré à la hauteur de leurs attentes, mais avait probablement poursuivi son plan d'éloignement. Marc attendit le lendemain pour l'avertir qu'il irait rechercher le restant de ses affaires dès que possible.

Hélène accompagna son fils le samedi suivant la rentrée des classes. Tout se passa en silence sous le regard de Bertrand qui se tint à distance. Il ne s'avança même pas pour la saluer, tandis qu'elle était restée au volant de la fourgonnette empruntée à son père. Elle aurait pu descendre de voiture et décharger sa colère, mais malgré tout ce qu'elle brûlait de dire à Bertrand, une autre force invisible l'avait retenue à son siège, lui soufflant de ne pas entrer dans une énième dispute avec son ex-mari, qui n'entendrait rien et qui serait encore bien capable de les persuader qu'ils se faisaient des idées. C'est parfois étrange de constater combien on se paralyse dans des instants cruciaux. Tout ce qu'on a imaginé dire se fige dans un coin de notre mémoire sans parvenir à se libérer, nous laissant terriblement frustrés une fois seuls de ne pas avoir eu le cran d'exploser.

Marc récupéra le restant de ses vêtements, son bureau, son vélo et un ensemble d'objets personnels en tout genre : outils, CD, babioles, matériel électronique servant à fabriquer des appareils improbables qu'il affectionnait tout particulièrement.

Hélène connaissait suffisamment Bertrand pour savoir que son indifférence signifiait que la page était tournée pour lui, qu'il avait obtenu ce qu'il voulait. Il agissait toujours ainsi quand une personne ne représentait plus rien à ses yeux. Auparavant, il ne s'était pas privé de le faire avec certains amis ou membres de sa famille. Désormais, c'était à la justice de lui rappeler que lorsqu'on est père, on doit assumer jusqu'à la fin de ses jours et pas simplement quand cela vous arrange.

Ni Marc ni elle n'échangèrent une parole sur le chemin du retour : les mots restaient coincés. Les yeux rivés sur la route, elle ne parvenait pas à exprimer à son fils combien elle était plus que désolée pour tout ce qu'il subissait, qu'elle n'avait pas su prévoir. Elle se sentait tellement coupable de ce désastre ! Comment allait-elle combler le vide que Bertrand venait de laisser ? Elle se contenta de pleurer en silence, incapable de regarder Marc, toujours aussi impassible.

12

Pourquoi avais-je accepté une telle mascarade ? A l'approche du nouvel an, ma mère insista pour que Marc et moi allions souhaiter une bonne année à mon père.

Nous quittâmes au milieu de l'après-midi la maison familiale de Moussy, sous le plafond de grisaille que le soleil avait généralement du mal à percer en cette saison. Il ne faisait pas particulièrement froid, à moins que ce ne soit la coupe de champagne bue au dessert qui me réchauffait encore, et me donnait un peu de courage.

Au fur et à mesure que les terres dénudées glissaient derrière nous, l'appréhension me gagnait. A hauteur de Chouilly, les potagers et vergers semblaient bien tristes avec leurs cabanes abandonnées et leur végétation en hibernation.

Cinq minutes après avoir passé la voie ferrée d'Oiry, nous arrivâmes à l'entrée de Mareuil. Je pris à gauche, m'enfonçai dans les champs au repos, puis remontai le chemin de grève. Mon cœur se serra. La maison apparut, gigantesque, dans son armature de tôle, à la fois si familière et si distante.

Frapper à la porte d'entrée comme de vulgaires étrangers anéantit aussitôt le dernier espoir qui me restait de croire que cette visite pourrait bien se dérouler. Mon père nous donna ce qu'il avait prévu pour nous en guise de cadeau de Noël ou d'étrennes : une boîte de chocolats à nous partager, et un billet de cent francs chacun, qu'il n'avait même pas pris la peine de mettre dans une enveloppe. Il ne nous offrit pas la moindre goutte de champagne ni le moindre biscuit. Autant se demander s'il n'avait pas espéré que nous ne viendrions pas. Il n'y avait même plus trace des décorations de Noël !

Sans aucun scrupule, il nous détailla ses fêtes en compagnie de Sofia, cette femme qui, à elle seule, suffisait à remplir sa vie. Il nous apprit qu'il l'avait emmenée dans les Vosges, dans un petit chalet romantique dont ils n'étaient sortis que quelques minutes par jour pour respirer l'air de la montagne. C'était tout juste s'il n'avait pas envie de faire le récit de leurs journées torrides !

Il souriait. Heureux. Vêtu d'un jean et d'un pull à col roulé noir, couleur qu'il portait rarement, je le trouvais aminci, plus soigné, presque plus jeune. Avec ses airs guillerets, on aurait pu s'y tromper.

Assise sur le canapé, je regardais la boîte de chocolats que j'avais posée entre mon frère et moi, alors qu'il se targuait de la valeur du cadeau qu'il avait offert à Sofia, une superbe montre hors de prix. Je ne cessais de me demander ce que nous faisions là, comme deux cons, sur ce beau canapé en cuir noir que ma mère avait choisi quelques années auparavant, à attendre qu'il nous dise pourquoi il n'avait pas souhaité nous voir depuis presque deux mois, à espérer des explications qui ne viendraient pas. Le pire, peut-être, était que Marc et moi restions muets, bloqués, tétanisés, le cœur brisé par ce père qui se jouait volontairement ou non de nos sentiments, ce père qui affichait un nouveau bonheur auquel il ne voulait pas nous associer, ce père qui nous dédaignait. Sa reconstruction passait par notre exclusion. Qui étions-nous devenus pour lui ? Il ne nous proposa ni de rencontrer officiellement Sofia, ni de partager un repas ou même un apéritif. Pas la moindre promesse de se revoir. Dans les non-dits, la parole était trahison.

Nous prîmes congé de lui assez rapidement alors que j'avais l'impression d'être restée des heures. Au moment de franchir le seuil, j'eus l'intime conviction que je ne remettrais plus jamais les pieds chez mon père. Il nous salua banalement, comme il le faisait le soir au moment où nous allions nous coucher. Pas de mot dur ni de geste brusque. J'en venais à regretter la violence que nous avions connue. Au moins, à cette époque, il cherchait à nous retenir. Nous étions maintenant au pied du mur, sans défense, fusillés avec le sourire. Plus de retour possible. Comme un automate, je conduisis jusqu'à Moussy, sans prêter de réelle attention à la nuit qui était tombée, ni à la vitesse, ni à la priorité au rond-point d'Oiry. Après Chouilly, j'accélérai même dangereusement dans les virages qui serpentaient entre les deux versants de vignes, au niveau du centre vinicole de Nicolas Feuillatte, puis qui zigzaguaient en contrebas du mont Bernon. Plus aucun son ne sortait de ma bouche. Quelque chose venait de mourir. Pour de bon.

— Fais gaffe, je crois que j'ai vu les flics au rond-point de la caserne ! m'avertit Marc.

— Manquait plus que ça ! marmonnai-je, en ralentissant.

Les bandes réfléchissantes qui se déplaçaient révélèrent progressivement les silhouettes de trois gendarmes. En ce jour de festivités, je n'échappai pas au contrôle d'alcoolémie. Si je n'étais pas toujours raisonnable, là, je ne craignais rien, mon dernier verre remontant à plusieurs heures. Les brigadiers me rendirent mes papiers en nous souhaitant une bonne et heureuse année.

J'étais plutôt du genre à croire aux signes. 1998 débutait. En ce premier jour se refermait toute une histoire, pour laisser un autre avenir s'écrire. Mon père avait délibérément choisi de sortir de notre vie, et c'était certainement mieux ainsi. N'était-ce pas finalement ça le nouveau départ que j'avais tant attendu ? Maintenant, il ne risquait plus de nous faire souffrir. Je n'aurais plus à me tracasser avant d'aller le voir, je n'aurais plus à hésiter entre l'amour et la haine, puisqu'il n'existerait plus pour nous.

— Ça va ? me demanda Marc, tandis que je redémarrais la 205, qui m'appartenait officiellement depuis ces vacances.

Il devait s'inquiéter de mon mutisme, habitué à ce que ma mère et moi remplissions pour lui l'espace sonore.

— Je ne veux plus jamais parler de ce connard !

— Il changera peut-être d'avis.

— Je m'en tape ! C'est terminé ! Ça a assez duré.
Parce que toi, tu y retournerais, s'il te le demandait ?
Silence.

— Pense à te préserver. Vraiment. Ecoute-moi !
Il s'en fout de nous. Tout ce qu'il veut, c'est être
tranquille avec sa nana !

— Ça ne durera peut-être qu'un temps !

— Possible ! Mais après, quelle sera son excuse ?
Il a plus d'égards pour ses chiens que pour nous !

A la seconde où je prononçai ces dernières paroles,
je vis que ses yeux bleu clair se bordaient de larmes.
Je lui serrais le cœur, sachant combien Micky et
Youky allaient lui manquer.

— Malgré tout, toi tu espères encore avoir un
père. Moi, je n'en ai plus !

Je n'étais pas d'humeur à mâcher mes mots, même
si je ne voulais pas ouvertement le blesser. Lui aussi
avait eu son compte pour la journée, mais je me donnais pour devoir d'essayer de protéger mon frère, de
l'avertir qu'il ferait fausse route tant qu'il ne renoncerait pas.

L'imposante maison de nos grands-parents était
plongée dans le noir. Nous retrouvâmes la famille au
complet dans la grande salle du vendangeoir. Certains s'étaient engagés dans un tournoi de billard,
tandis que les autres discutaient dans la partie salon,
le champagne coulant encore à flots dans les blidas
des hommes.

Depuis que Claude et Michèle avaient pris leur retraite et que leurs vignes avaient été partagées entre leurs enfants, ils n'accueillaient plus de vendangeurs, mais ils avaient conservé cet endroit pour en faire un lieu de festivités. Ce n'étaient pas les occasions qui manquaient : baptêmes, anniversaires, célébrations d'examens... Alors, on avait effectué des travaux d'isolation, on avait changé les vieux canapés en velours totalement affaissés, et en plus du matériel de musique que Christian avait laissé, on avait ajouté un billard, un téléviseur, et une console de jeux pour que la salle soit la plus confortable possible. Nous aimions nous y réunir.

Notre famille comptait maintenant une vingtaine de membres, avec les conjoints et les enfants de chacun. A Noël, Christian et Julie nous avaient annoncé que leur petit deuxième naîtrait en juillet. Richard, absent ce jour-là parce qu'il était resté avec ses fils, faisait désormais partie du clan Jorin. Sa simplicité avait séduit tout le monde, et surtout, chacun était rassuré que ma mère ait repris la voie d'une vie normale. Il était évident que mes grands-parents toléraient mieux la situation depuis qu'elle s'était remise en couple. Le célibat de leur fille aînée ne faisait pas partie de l'ordre des choses. Alors, même si l'idée du divorce constituait encore un douloureux revers familial, Richard non seulement avait rendu le sourire à ma mère, mais avait aussi redonné forme aux apparences.

Je m'assis dans l'un des fauteuils restés libres. Ma mère me fixa un instant avant de me demander :

— Ça a été ?

— Oui.

En même temps, c'était difficile de dire le contraire ! Avec autant d'oreilles aux aguets, elle devrait attendre pour les détails.

J'aurais préféré rester à observer les uns et les autres en silence, simplement en laissant le doux pétillement du champagne envahir ma gorge. Raphaël, le petit ami de ma tante, en décida autrement. Annette occupée à la table de billard, il devait s'ennuyer et se sentir un peu mal à l'aise dans cette grande famille. Il se lança dans une conversation animée au sujet du délabrement des amphis de la fac de lettres de Reims.

Je discutai ainsi avec lui jusqu'à ce que ma grand-mère nous invite à nous mettre à table. Pour autant que je m'en souvienne, jamais ma tante n'avait amené un garçon pour les fêtes. J'en déduisis que sa relation prenait des allures plus sérieuses. Je m'en réjouis, car Raphaël était gentil, et semblait sincèrement attaché à elle. J'espérais vraiment qu'elle ait envie de se stabiliser avec lui.

Depuis le déménagement, je m'étais rapprochée d'Annette. Encore célibataire, elle passait régulièrement nous voir, ma mère et moi, et il était même arrivé que le samedi on aille boire un verre en ville et qu'on finisse en boîte de nuit. J'avais appris à la comprendre. Dernière-née de cinq enfants, elle avait longtemps combattu le schéma préétabli par mes grands-parents : mariage, bébés, et boulot dans les vignes, de préférence.

Je me retrouvais en elle. Elle n'avait jamais eu l'intention de renier le patrimoine laissé par ses parents, mais elle avait envie d'autre chose. Sans savoir quoi exactement. Je me disais qu'avec Raphaël, la voie qu'elle cherchait se dessinait peut-être enfin.

En s'installant à table, elle me pressa doucement l'épaule. C'était sa manière à elle de me montrer qu'elle était là pour moi. Trinquer avec mes oncles et tante m'apporta un léger réconfort.

Vers vingt-trois heures, après avoir aidé ma grand-mère à ranger la vaisselle, je pris congé, et me rendis au Gavroche, tout en haut de Chavot-Courcourt, à la lisière de la forêt. J'avais prévu de rejoindre Amandine, une copine de fac. Carole, elle, s'était pantouflardée depuis qu'elle était tombée raide dingue amoureuse d'un étudiant en STAPS. Quant au reste de la bande, ils préféraient, la plupart du temps, se retrouver en soirée privée chez l'un d'entre nous.

La salle était pratiquement vide. Il n'y aurait pas foule ce soir, la boîte ayant été envahie la veille pour le réveillon de la Saint-Sylvestre. Je n'avais jamais aimé les soirées de grande affluence et n'appréciais pas non plus franchement Le Gavroche, mais j'y allais pour faire plaisir à Amandine qui était une habituée. Pour moi, outre le fait que le bâtiment était perché au cœur du vignoble, la clientèle se constituait en grande partie des gosses de riches du coin, qui avaient les moyens de se payer des bouteilles de whisky à cinq cents balles tous les week-ends.

D'ailleurs, on ne s'asseyait pas sur les banquettes si on ne connaissait pas un groupe qui buvait.

Même si l'alcool coulait à flots au bar, l'ambiance était toujours prisonnière d'une certaine retenue. Personne ici n'était habillé outrageusement ni ne dansait avec insouciance. Tout le monde se retrouvait sur une unique piste qui ne laissait pas de place aux originaux. Rien à voir avec Le Tap Too ! Heureusement que le DJ assurait !

Un peu plus tard, des copains d'Amandine, qui habitaient Mancy, arrivèrent, et nous invitèrent à leur table. Ils étaient sympas, mais je n'étais pas aussi à l'aise avec eux qu'avec mes propres amis. Chaque bande avait ses habitudes, son vécu, alors c'était difficile de se faire une place. Les garçons du groupe représentaient l'archétype de la région : « des fils de », qui avaient déjà le portefeuille bien garni, et qui se moquaient bien de leurs études parce qu'ils n'avaient pas à s'inquiéter de leur avenir. L'exploitation viticole de leurs parents les attendait à bras ouverts. C'était le genre d'hommes avec lesquels on s'imagine très vite devenir une femme vivant au foyer, ne manquant de rien, mais qui ne pourrait jamais réaliser ses rêves.

Aux premières notes de *Follow me* de Space Frog, je me levai avec l'énergie qui me donnait instantanément envie de bouger dès que l'un de mes titres préférés résonnait. Je dansai un bon moment, vidée de tout, jusqu'à ce que le DJ change de registre. Je quittais la piste pour aller me rasseoir lorsqu'un garçon m'invita à danser un slow. Je lui lançai un vague coup d'œil. A moins qu'il soit franchement repoussant, je refusais rarement cette sollicitation. Celui-ci était plutôt pas mal : châtain, mince, grand, les yeux clairs.

Très vite, il me bombarda de questions, voulant savoir où j'habitais, et ce que je faisais dans la vie. La réticence que je perçus lorsque je lui parlai de mes études d'histoire m'agaça. Une femme lettrée n'était pas forcément ce que les garçons recherchaient. J'imaginais qu'ils avaient d'emblée l'image d'une nana trop réfléchie, trop prise de tête. Peut-être tenterais-je un jour de m'inventer une vie de sotte rien que pour observer le changement de considération ? Je n'étais pas dupe. Je savais pertinemment que très souvent la drague en boîte était superficielle et basique. Malgré tout, j'aimais entrer dans le jeu parce que j'avais le sentiment de contrôler.

Cédric, ainsi s'appelait ce prétendant d'un soir, m'embrassa à la fin de la série de slows, que nous avions tous dansés. Amandine, qui n'était pas en reste à en juger par le blond musclé qui se tenait à ses côtés, me fit un petit signe de la main agrémenté d'un clin d'œil. Nous profitâmes que les copains de Cédric étaient installés sur la mezzanine pour nous accaparer un petit coin de banquette. Notre conversation se poursuivit, entrecoupée d'agréables baisers, mais rien de vraiment vibrant.

J'avais l'impression que moins il me sentait réceptive, plus il renforçait son approche, à glisser ses lèvres dans mon cou, à mettre plus profondément sa langue dans ma bouche, à remonter ses mains en haut de mes cuisses.

— Tu ne veux pas qu'on change d'endroit ?

— Où ? fis-je semblant de ne pas comprendre.

— Je sais pas... dans ma voiture... ou...

— J'avais envie de rentrer tôt. Je suis un peu cre-vée, et je reprends les cours après-demain.

— Ah ! répliqua-t-il, déçu. Bon... bah, c'est pas grave. On peut se revoir ?

— Oui. Pourquoi pas ! lâchai-je, manquant de courage pour avouer que sa proposition ne m'inté-ressait pas.

Quelques instants plus tard, je me levai. Je prévins Amandine, toujours en compagnie du beau blond, de mon départ. Cédric me suivit jusqu'aux vestiaires pour me laisser son numéro de téléphone.

— Tu m'appelles ?

— Oui.

Je sortis de la boîte, et m'empressai de m'engouffrer dans ma 205, tout à coup épuisée par le contrecoup du réveillon du nouvel an, fêté dignement chez Ange, par la journée, et exaspérée par ce flirt superflu, que je n'assumais même pas. Un ras-le-bol m'envahit. J'en avais assez de ces rencontres qui ne menaient à rien. Passé le moment de la séduction, que restait-il ? Je pensais toujours que j'allais éprouver une certaine satisfaction de voir que je plaisais, mais quand je m'apercevais que c'était mon corps seul qui était l'objet du désir, je me défilais, dégoûtée de constater que le résultat de ce type d'échanges soit encore et encore le même.

Je n'en pouvais plus d'Epernay et de ses environs. Je n'en pouvais plus d'être la fille de la campagne, expatriée dans une ville que je ne parvenais toujours pas à apprivoiser. Je m'étais perdue entre les soleils capiteux des colzas, l'innocence des feuilles de vigne, le raisin épicurien, et les cages de béton ; entre le père qui m'enlaçait sur ses genoux tout en regardant la télévision, et le père me donnant cent balles pour partir.

J'extirpai, avec un froissement familier, le billet, coincé dans ma poche de pantalon depuis l'après-midi. L'habitacle de ma voiture, plongé dans l'obscurité, m'empêchait de distinguer précisément la tête de Delacroix. Je me mis à le déchirer en petits morceaux, fis démarrer la voiture, et lâchai au vent de l'hiver les miettes du billet. J'imaginais les petits bouts marron clair, orange et blancs virevolter dans la nuit pour se désagréger doucement au contact du sol froid et humide, non sans en éprouver un certain plaisir à l'idée que ces cent francs ne seraient plus rien.

Le lendemain, je mis dans la machine à laver le pantalon que j'avais porté la veille. Le numéro de Cédric en ressortit illisible. Ça m'arrangeait bien !

Deux jours plus tard, je repris le chemin de la fac, contente de ne plus avoir à me lever aux aurores pour prendre le train, maintenant que j'avais ma propre voiture. Mon organisation s'en trouva simplifiée, car je n'avais plus besoin de partir la journée durant pour deux ou trois heures de cours. Toutefois, j'envisageais de plus en plus d'aller m'installer à Reims, dans mon propre appartement. J'avais terriblement envie d'être chez moi pour me retrouver. Il était temps que j'avance par mes propres moyens. Je ne savais pas trop comment en faire part à ma mère, surtout après la façon dont elle s'était démenée pour nous obtenir un endroit où nous installer confortablement tous les trois.

Je décidai d'attendre la fin des partiels, voire de l'année universitaire, pour lui en parler. Mais si je devais encore patienter pour sentir un changement positif dans ma vie, j'étais déterminée à m'assurer que je ne m'écroulerais plus. Il fallait que je trouve le moyen de bloquer tout relent de sentiment néfaste.

Je passai des heures à potasser mes cours, à préparer des exposés béton, qui provoquaient parfois l'admiration d'autres étudiants. Je m'isolais souvent dans un petit coin de la bibliothèque universitaire, éprouvant le besoin d'être à l'abri des regards. Je m'imposai une discipline ferme et régulière par un nombre minimal d'heures de révision. Je ne laissais rien au hasard. J'étais entièrement responsable de mes études : si j'échouais, ce serait parce que le maximum n'aurait pas été fait. Mes sentiments étaient contrôlés au millimètre près et ne devaient pas laisser une brèche s'ouvrir. Mon corps, soumis à cette même règle, ne devait pas me trahir et risquer de dévoiler ce que j'avais enterré au fond de moi. Je me pesais chaque jour, un nombre incalculable de fois, afin de vérifier que mon poids n'oscille pas. Cinquante kilos étaient la limite à ne pas franchir sous peine de restrictions alimentaires. En contraignant mon corps, je pensais avoir un pouvoir supplémentaire sur moi-même. Aucun grain de sable n'enrayerait mon existence, au risque de me briser.

Chaque journée était calquée sur la précédente : pesées, repas mesurés, cours révisés, coucher à heure raisonnée. Même si cela manquait de fantaisie, cet équilibre me rassurait et j'avais l'impression qu'aucun mal ne pouvait m'atteindre.

Mais la nuit, des cauchemars répétitifs se mirent à me hanter. Dans la plupart, je me trouvais dans ma maison de Mareuil. A chaque fois, des nuisibles, des renards ou des rats, tentaient de s'infiltrer dans la maison par les différentes entrées, ou se cachaient dans la cave. J'essayais toujours de faire mon possible pour qu'ils n'entrent pas, bloquant les issues de toutes mes forces, ou demandant à mon père l'un de ses fusils de chasse, mais souvent ils étaient plus forts. Ainsi, les rats dans la cave remontaient en bande et m'obligeaient à les laisser passer, ou un renard parvenait à entrer parce qu'il y avait une fenêtre ouverte que j'avais oublié de condamner. Je n'arrivais pas vraiment à élucider le sens de ces mauvais rêves, mais leur fréquence me déstabilisait, et quand je revenais à la réalité, j'avais ces boules à la gorge et au ventre pour la journée.

Parfois, il arrivait que cette carapace que je m'évertuais à maintenir se craquelle. Dans ces moments, je percevais la fragilité de ce que j'avais construit. Il suffisait d'un rien pour briser les apparences : un examen raté, une petite déception amoureuse, une prise de poids incontrôlée... Là, des torrents de larmes se déversaient.

Un jour, à la fin du mois de mai, ma première année de DEUG pratiquement achevée, ma mère rentra plus tôt que prévu et fut surprise de me trouver en train de sangloter, assise à mon bureau. J'avais bien essayé de me donner une contenance mais elle ne fut pas dupe. Elle me questionna, m'obligeant à trouver une excuse valable pour justifier mon état.

— Cet après-midi j'ai foiré ma composition sur la Renaissance.

— Comment tu peux dire ça, tu n'as même pas encore les résultats ! Attends avant de te morfondre, et puis il te reste encore un examen à passer !

Voyant que j'avais du mal à réprimer d'autres pleurs elle ajouta :

— Tu es sûre qu'il n'y a que ça ? Tu me le dirais s'il y avait autre chose ?

— Ça va passer, je suis un peu fatiguée. C'est juste un coup de stress.

— Tu es malheureuse ?

— Pourquoi tu dis ça ? lui demandai-je, réellement surprise par sa question.

— Je ne sais pas, tu ne sembles pas particulièrement épanouie, c'est tout, alors que tu fais des études qui te passionnent. Je veux juste te rappeler que si quelque chose te tracasse, on peut en parler.

— Oui, je sais, mais je t'assure qu'il n'y a rien de particulier hormis ce que je t'ai dit.

J'avais bien compris qu'elle me tendait une perche mais jamais plus je ne me laisserais entraîner sur ce terrain-là car cela m'obligerait à penser à mon père, et ma mère se culpabiliserait. Pour moi, pour elle, je devais tenir : on ne pouvait pas faire machine arrière et se laisser de nouveau détruire par le passé. Je n'avais pas le droit de lui gâcher son nouvel équilibre par mes états d'âme sans intérêt.

Sans la regarder, je remis mes lunettes, me penchai sur les cours étalés sur le bureau pour lui signifier que je devais poursuivre mes révisions, et je fis comme si je n'avais pas pleuré, comme si cette discussion n'avait jamais eu lieu, comme si tout allait bien.

Pour éviter qu'elle ne s'imagine que ma décision soit associée à un mal-être, ma première année d'histoire en poche, je lui annonçai que j'avais l'intention d'aller m'installer à Reims dès la rentrée. J'invoquai le fait que j'allais avoir de plus en plus de travail et qu'être sur place me donnerait du temps supplémentaire. Elle accusa le coup, mais ne s'opposa pas pour autant à mon envie.

De mon côté, depuis que j'y pensais, j'avais eu tout le loisir de me renseigner sur les démarches, et les astuces pour que ma mère n'ait rien à débourser. Certaines agences immobilières proposaient des solutions aux étudiants et se portaient caution auprès des propriétaires. Il était évident que je ne voulais pas que ma prise de liberté soit un poids pour ma mère. Je trouverais des petits boulots pour combler les fins de mois, et si un studio dans Reims demeurait au-dessus de mes moyens, je pourrais toujours prendre une chambre en résidence universitaire. J'étais prête à faire quelques sacrifices pourvu que je sorte de cette vie de marasme.

13

Souffler. Pour de bon.

La bataille juridique se termina dix mois plus tard au terme d'un processus que Bertrand s'était employé à ralentir par tous les moyens possibles. Son avocat repoussa trois fois les dates de l'audience. Ils en profitèrent pour peaufiner leur défense : une stratégie fondée sur la dette ! Maître Brunelli expliquait à Hélène, au fur et à mesure qu'elle avait des nouvelles de la partie adverse, quelle tournure prenaient les événements.

— J'ai reçu un courrier de l'avocat de votre mari. Ce que vous allez apprendre ne va pas vous plaire, annonça maître Brunelli à Hélène quelques mois avant l'audience.

— Dites toujours.

— Il s'est acheté une BMW à cent cinquante mille francs.

— Il fait ce qu'il veut.

— Vous ne comprenez pas. Cette voiture, en plus de tous les crédits qu'il a déjà : maison, vignes, matériel agricole, ne va pas jouer en votre faveur. Pour être plus claire, votre mari ne compte pas verser une pension trop importante, et par conséquent, il doit très bien savoir que plus il aura de dettes, moins il aura à donner.

— C'est une plaisanterie ! s'emporta Hélène qui saisit soudainement le sens des propos de son avocate. Un juge ne peut pas l'obliger à revendre des biens pour subvenir aux besoins des enfants ?

— Malheureusement, ça ne se passe pas comme cela. Les emprunts l'emportent sur les pensions alimentaires.

— On n'a donc aucune chance d'obtenir les quatre mille francs que nous demandons ?

— En effet. De toute façon, je vous avais dit qu'il fallait toujours gonfler au maximum car, très souvent, la somme fixée par le juge est inférieure à celle demandée. Cela évite les abus, c'est normal. Mais là, je dois vous avouer que je suis particulièrement écœurée. Alors que le divorce s'est largement terminé à son avantage, et encore c'est un euphémisme, il fait tout pour s'assurer que vous n'ayez pas la pension escomptée. Ce qui me révolte, c'est qu'il n'a pas l'air de se soucier de l'avenir de vos enfants. Soit il vous en veut terriblement d'être partie et continue à vous le faire payer, soit ses intérêts sont purement financiers.

— Probablement les deux ! Mais vous savez, je crois que maintenant plus rien ne peut me surprendre venant de sa part.

— Restez confiante. Rien n'est perdu, même s'il ne nous facilite pas la tâche.

Ecœurée, elle aussi l'était, mais depuis si longtemps que pour se protéger elle avait anesthésié ses sentiments.

Début octobre, le juge fixa la pension à mille francs par enfant et par mois jusqu'à la fin de leurs études, faisant remarquer que les dettes de monsieur Lemaire étaient trop importantes pour qu'il puisse verser davantage à son ex-épouse.

Même si Bertrand s'en était sorti une nouvelle fois à bon compte, Hélène ne devrait plus avoir affaire à lui avant un bon moment et la somme obtenue permettrait d'alléger un peu les charges quotidiennes.

Gaby venait d'emménager dans un studio, entre le centre-ville de Reims et la fac. Sans l'aide financière de Bertrand, sa fille aurait été contrainte de rester avec elle à Epernay ou de travailler pour gagner son autonomie. Au moins, même si elle savait qu'il lui coûterait d'utiliser l'argent de son père, car elle mettait un point d'honneur à ne plus rien lui devoir, elle poursuivrait ses études un peu plus sereinement.

Hélène n'était pas dupe, elle savait que sa fille n'allait pas bien ; elle voulait se montrer forte et faire croire que les derniers agissements de Bertrand ne l'atteignaient pas, mais les sourires qu'elle affichait n'étaient plus les mêmes : plus timides, souvent forcés et tristes.

Et puis, il y avait eu ce fameux jour où elle l'avait vue pleurer. Gaby avait tout fait pour couper court à la conversation, mais Hélène avait perçu sa détresse. Elle avait bien essayé de la faire parler, mais elle devait avouer qu'elle avait aussi très vite renoncé, par lâcheté, par égoïsme, par impuissance. Qu'aurait-elle pu lui dire ? Quels mots prononcer pour soulager tant de peine ? Elle avait refusé de noircir davantage le portrait de son père. Pour épargner tout le monde, elle avait préféré se taire et attendre que le temps fasse son œuvre.

Quant à Marc, il n'avait pas été question de le changer encore une fois d'établissement pour sa dernière année. Lui aussi avait besoin de stabilité. Le bac en poche, il n'aspirait qu'à une chose : travailler et se débrouiller par lui-même.

D'ici peu, Hélène serait seule, et le coût du F3 s'alourdirait. Depuis quelque temps, elle avait commencé à réfléchir à son devenir. Elle ne voyait pas l'intérêt de garder un grand appartement qui serait quasi inhabité et dont le loyer, maintenant qu'elle avait signé un CDI, augmenterait de manière conséquente puisqu'elle n'aurait plus le droit aux mêmes aides. Elle avait envie de croire que le futur tant rêvé était à portée de main. Pour quitter cet entre-deux et respirer un air plus sain que celui de Mareuil, un air qu'elle respirerait à pleins poumons, elle se mit à rechercher une maison avec un petit jardin. La nature lui manquait terriblement.

Cela faisait pratiquement deux ans et demi qu'elle habitait Epernay ; elle avait besoin de quitter le béton érigé du sol au ciel, masquant l'horizon et la terre. A Mareuil, il lui suffisait de se mettre à une fenêtre ou de franchir le seuil pour observer la multitude de fleurs qu'elle avait plantées sur le devant de la maison et dans le jardin en contrebas. Dès la fin de l'hiver jusqu'à l'automne, les crocus, narcisses, tulipes, brins de muguet, roses, marguerites et dahlias se succédaient pour égayer la propriété, et se mêlaient au développement des cultures tout autour, qui elles aussi changeaient de couleurs selon les saisons. Au loin, à l'ouest, au fil du temps, des sillons de verdure épaississaient pendant que les grappes de raisin se gorgeaient de soleil, se teintant peu à peu d'une pellicule dorée. Un espace de vie perpétuelle.

Au fond d'elle, elle avait toujours espéré pouvoir s'acheter un endroit qui lui appartiendrait, que personne ne pourrait lui enlever, et qui reviendrait, quoi qu'il arrive, à ses enfants. Un soir, au début du printemps, elle décida de parler de son projet à Richard.

— Je pense que c'est le moment pour moi de chercher une maison.

— Ah ! fit Richard, surpris. Cela fait longtemps que tu y réfléchis ?

— Oui, mais je ne savais pas si je pourrais réaliser ce rêve. Quand nous nous sommes rencontrés, je venais juste de partir de Mareuil, je devais trouver du travail, me reprendre en main, et après il a fallu que je fasse le nécessaire pour que Bertrand ne se décharge pas complètement de ses obligations. Finalement, j'ai l'impression que depuis que j'ai entrepris de divorcer, je ne me suis pas posée. J'ai vraiment besoin de tranquillité et de me sortir du passé. Maintenant que tout est réglé, que les enfants vont vivre chacun de leur côté, et que financièrement j'ai retrouvé une certaine stabilité, je ne compte pas rester dans mon appartement jusqu'à la fin de mes jours. Je pense à l'avenir. J'ai envie d'avoir mon chez-moi, où j'aurai la place pour recevoir mes enfants, et mes petits-enfants un jour : une maison de famille, tout simplement.

— Je comprends.

— C'est tout ? interrogea Hélène, étonnée par la réaction de Richard, qui ne semblait pas emballé par sa décision.

— C'est juste que je ne m'attendais pas à ce que tu me dises ça. Je suis un peu chamboulé.

— Je ne vois pas pourquoi, rétorqua Hélène qui était de plus en plus interloquée par l'attitude de Richard.

— Je te dois une confidence ; moi aussi j'ai réfléchi à l'avenir. J'attendais que l'année scolaire se termine pour te proposer de venir vivre chez moi. Maintenant que j'apprends que tu veux acheter une maison, ça remet tout en cause.

Hélène resta un instant sans voix, surprise par la révélation de Richard. Même si leur relation était au beau fixe, elle s'était tellement focalisée sur sa propre vie qu'elle n'avait pas envisagé de revivre en couple un jour.

— Ne dis pas ça. On peut discuter. Moi non plus, je ne savais pas ce que tu imaginais.

— Si tu viens vivre chez moi, tu n'auras plus besoin de chercher de maison. La voilà toute trouvée !

Le visage d'Hélène s'assombrit. Même si la proposition de Richard la flattait et la rendait heureuse de savoir qu'il souhaitait un avenir commun, elle ne comptait pas renoncer à son but pour autant.

— Tu n'as pas compris. C'est important pour moi. Ta maison ne sera pas ma maison ni celle de mes enfants, même si tu fais tout pour que l'on se sente chez nous. Après tout ce que j'ai laissé à Bertrand, et qu'il ne restituera pas à Marc et Gaby, j'ai besoin de leur laisser un bien de valeur, si jamais il m'arrive quelque chose. Ce qu'a fait Bertrand à nos enfants m'a fait comprendre qu'ils ne pourront jamais compter sur lui en cas de pépin. Je veux leur laisser un héritage. Et puis, c'est aussi pour moi, je veux un endroit qui m'appartienne. Pour le moment, tout va bien entre nous, mais on ne sait pas de quoi demain sera fait. Si notre couple vient à mal tourner, où vais-je aller ? Je refuse de revivre ce que j'ai traversé. Je n'ai pas envie de prendre le risque d'avoir à batailler pour retrouver ma liberté. Plus jamais.

— D'accord. Mais est-ce que tout cela veut dire que tu refuses d'habiter avec moi... que nous ferons maison à part ?

— Non, pas du tout. Je tiens vraiment à aller au bout de ma démarche pour toutes les raisons que j'ai évoquées, mais je ne désire pas forcément vivre seule de mon côté. On peut certainement trouver un compromis.

— Oui, bien sûr. Ce qui m'importe, c'est que tu te sentes bien et que tu sois heureuse. Sache que si tu emménages à Châtillon-sur-Marne, je te donnerai carte blanche pour refaire la décoration. Il faut que tu te sentes chez toi. Tu pourras t'occuper du jardin. Je sais que tu y tiens. Ça habillera un peu mon terrain qui ne sert pas à grand-chose !

— C'est gentil. Tu sais, j'ai vraiment envie d'être avec toi chaque jour, de partager ton quotidien, mais j'ai aussi besoin de mon indépendance que j'ai trop durement gagnée. Je dois nous protéger : Marc, Gaby et moi ; ce que je n'ai pas su faire avant parce que j'étais trop naïve. On trouvera bien un équilibre. J'ai confiance.

Même si Hélène sentait bien qu'elle laissait Richard un peu déçu car il attendait certainement plus de sa part, elle savait qu'elle faisait le bon choix.

Elle commença par éplucher les annonces des logements mis en vente à Epernay, mais elle abandonna très vite car rien ne correspondait à ce qu'elle attendait. Soit le prix était trop élevé, soit les travaux à effectuer trop importants, soit il manquait le petit coin de verdure qui lui tenait tant à cœur. Finalement, elle s'aperçut que la maison de ville serait peut-être plus commode d'un point de vue organisationnel, mais que ce n'était pas ce qu'elle désirait vraiment. Elle préférait une liberté fleurie, des gens qui, lorsqu'ils croisent votre chemin, essayent de capter votre regard pour voir si vous allez dire bonjour, et non des citadins qui s'ignorent les uns les autres ou qui s'observent de travers.

Hélène étendit donc ses recherches aux villages alentour, et retourna aux sources de son enfance. Elle visita quelques habitations, à prix plus raisonnables, mais rien ne lui plaisait vraiment, car là aussi, les travaux pour rafraîchir ou pour remettre aux normes se révélaient trop lourds pour son budget.

Le début de l'été arriva et elle n'avait toujours pas fait une seule proposition : à chaque fois, un détail non négligeable mettait un frein à un éventuel achat. Dans son appartement déserté, elle se languissait de s'installer dans un canapé confortable avec un bon livre, éprouvant la satisfaction de se dire qu'on est chez soi. Marc avait obtenu son bac, s'était déjà fait embaucher dans l'entreprise qui l'avait pris en stage, et s'apprêtait à emménager dans un petit appartement, conçu dans un ancien vendangeoir, dans le centre de Cumières. Hélène était rassurée de le savoir près d'Epernay. Gaby revenait de moins en moins souvent, se plaisant dans sa nouvelle vie à Reims. Quant à elle, elle vivait en grande partie chez Richard mais sans parvenir à prendre ses marques.

Même si au cours du printemps ils avaient refait la décoration de la cuisine, du séjour et de la chambre à coucher, une certaine atmosphère, de celles qui sans savoir pourquoi nous assurent qu'on ne se sentira jamais bien, persistait et semblait lui signifier qu'elle serait toujours une étrangère en ces lieux.

Tandis qu'elle poursuivait inlassablement sa quête de logement, elle reçut un soir un appel de la secrétaire du notaire de Tours-sur-Marne qui s'était occupé de la liquidation des biens durant son divorce.

— Bonjour, je suis bien chez madame Lemaire ? demanda une voix jeune à l'autre bout du fil.

— Oui, même si désormais je m'appelle madame Jorin, répondit sèchement Hélène qui était toujours autant agacée quand on l'appelait ainsi depuis qu'elle avait divorcé.

— Oh, désolée, mais je n'avais que ce nom ! Je vous appelle car maître Frayet souhaiterait vous voir le plus rapidement possible. Pourriez-vous venir à notre étude samedi matin prochain vers dix heures ?

— Euh... oui, mais puis-je savoir ce qu'il y a de si urgent ? demanda Hélène, surprise par ce rendez-vous inattendu.

— Maître Frayet m'a juste demandé de vous contacter car il a besoin de votre signature pour un papier. Il était pressé, il ne m'a pas donné plus d'explications.

— Bon, je viendrai samedi.

— Merci, madame Lemaire.

Zélée cette secrétaire, ou un peu stupide ! se dit Hélène tout en raccrochant le combiné du téléphone.

A dix heures pile, le samedi suivant, Hélène se trouvait dans la salle d'attente du notaire.

— Merci d'avoir accepté de vous déplacer, madame Lemaire.

— Madame Jorin, comme je l'ai déjà mentionné à votre secrétaire l'autre jour.

— Oui, excusez-moi, quand on est habitué à un nom, on a du mal à s'en défaire, ricana nerveusement maître Frayet. Comment allez-vous ?

— Bien, merci.

— J'ai appris que vous habitiez Epernay. Tout se passe bien ? Et vos enfants ?

— Tout va pour le mieux, répondit Hélène laconiquement car elle n'avait pas envie d'entrer dans une conversation de convenance hypocrite.

En quoi sa vie l'intéressait-il vraiment ?

La vérité, c'était que le notaire ne semblait pas à l'aise ; il n'avait toujours pas abordé la raison de sa venue, peinait à la regarder en face et ne cessait de remettre en ordre des feuilles disposées sur son bureau.

— Bon... je suppose que vous savez pourquoi vous êtes là ? Vous devez être au courant que votre ex-mari a décidé de vendre la maison ? demanda maître Frayet, qui cherchait à tester ce que savait Hélène.

Hélène sentit un frisson parcourir son échine. Qu'est-ce que c'était que cette histoire ? Bertrand vendait la maison ? Lui qui avait fait tout un cinéma pour la garder !

— Je vous apprends quelque chose, on dirait, fit remarquer le notaire en voyant Hélène devenir livide.

— En effet, je ne le savais pas.

— Je vous ai fait venir pour cette raison. Votre ex-mari a trouvé un acheteur. Il a besoin de votre signature pour faire la levée d'hypothèque.

Le notaire lui présenta le feuillet qu'il avait dû bouger une bonne dizaine de fois depuis qu'elle était arrivée. En le lisant, Hélène sentit ses yeux picoter, ses mains se crisper, sa gorge se nouer.

— Ce n'est pas possible, il doit y avoir une erreur. Le chiffre indiqué ne peut pas être celui de la vente.

— Hélas, ce qui est écrit est bien la vérité. Il a en effet vendu la maison un million de francs.

— Je ne peux pas le croire ! J'ai accepté de sous-estimer la valeur au moment du divorce parce qu'il tenait coûte que coûte à la garder. Vous vous rendez compte qu'on a fait une estimation à cinq cent mille francs !

— Je suis sincèrement désolé. Je me sens terriblement coupable. Quand vous êtes venus tous les deux pour votre divorce, il avait l'air si malheureux et ne cessait de dire qu'il la garderait pour vos enfants, que je n'ai pas cru une seule seconde qu'il la vendrait deux ans plus tard. Je connais votre ex-mari depuis de très nombreuses années et je n'aurais jamais imaginé qu'il aurait été capable d'une telle traîtrise.

Au fur et à mesure que maître Frayet se libérait, ses gestes s'apaisaient, et la nervosité qu'il tentait de camoufler au début de l'entretien disparut peu à peu.

— Je suis honteux de vous le dire, mais je dois vous avouer que c'est lui que je croyais quand il disait que vous aviez tout orchestré pour lui gâcher sa vie. J'avais de la peine pour lui, un homme si respectable, si courageux. Et puis, il avait la réputation d'être un bon père et un bon mari. Je ne comprenais pas que vous vouliez faire partir en fumée tout ce que vous aviez construit. Les divorces dans les familles de vignerons sont tellement rares que je n'ai pas compris ce qui pouvait vous motiver.

— Ce n'était pas à vous de juger tout cela. Vous ne partagiez pas notre quotidien. Qu'est-ce que vous connaissiez de notre vie au juste ? répliqua Hélène que la colère avait gagnée.

— Je sais, j'ai fait une énorme erreur et si j'avais pu imaginer quel genre de personne il était en réalité, je vous aurais aidée à vous protéger davantage. J'étais persuadé qu'il était honnête et qu'il rendrait tout à vos enfants un jour ou l'autre. Il semblait si triste, si désemparé, lors du divorce.

— Et maintenant, à part signer cette levée d'hypothèque, quel recours ai-je pour espérer reprendre la part de mes enfants ?

— C'est cela que je redoutais le plus de vous annoncer : aucun. Il a attendu le délai légal qui lui permet de céder son bien sans rien vous devoir ni à vous ni à vos enfants. La raison pour laquelle je tiens à m'excuser c'est que j'aurais dû me montrer plus impartial et lui faire signer une clause sur l'acte de divorce spécifiant qu'en cas de vente de la maison la part de vos enfants leur soit reversée. Désormais, il est trop tard.

Hélène prit le stylo près d'elle, signa si abruptement qu'elle en aurait déchiré ce maudit papier, et se leva.

Sans un salut, elle quitta le bureau du notaire, plus dégoûtée que jamais de ces hommes solidaires les uns des autres, qui ne se posent jamais les vraies questions. Sa rage vis-à-vis de Bertrand était intense mais ce qui la faisait souffrir encore bien davantage que cette nouvelle bassesse, c'était sa propre naïveté. Comment, au moment du partage, avait-elle pu encore faire confiance à cet homme qui lui avait déjà volé sa vie ? Comment avait-elle pu être si sûre qu'il préserverait les enfants ? Elle aurait dû prévoir qu'il serait incapable d'avoir une once d'honnêteté, pour se venger ou satisfaire ses propres intérêts !

Quelques semaines plus tard, Hélène remarqua que le cachet de la poste affiché sur le courrier que Bertrand lui envoyait chaque mois avait changé. Marc et Gaby apprirent de-ci de-là que leur père s'était installé sur le plateau de la Montagne de Reims, à Saint-Imoges, dans une maison tape-à-l'œil. Il avait donc quitté son village natal, pour vivre à une vingtaine de minutes de Mareuil. En passant par Germaine et Avenay-Val-d'Or, il accédait à ses parcelles sans traverser la ville, mais cela l'éloignait tout de même des vignes, surtout celles de Vertus, qui se trouvaient à l'opposé, au sud d'Epernay. Mais sa nouvelle compagne avait peut-être souhaité qu'il refasse sa vie dans un endroit où il n'avait aucune attache. Après tout, il avait raison, qu'il se cache dans la forêt ! Elle n'aurait plus à croiser sa route ! ! Malheureusement, Hélène ne pouvait rien effacer de son passé, et certains sentiments hanteraient toujours un coin de sa tête. Il lui fallait aller de l'avant, s'accrocher au havre de paix qu'elle désirait tant.

Richard, qui avait du mal à comprendre ce besoin irrépressible de liberté, tentait régulièrement de la dissuader de poursuivre ses recherches. Il arguait que tout allait bien depuis qu'elle avait emménagé à Châtillon-sur-Marne, et débordait d'arguments pour lui prouver que, malgré la distance, elle parvenait à gérer au mieux son travail à la coopérative et sa parcelle de vignes. Elle avait beau lui rétorquer que les allers-retours la fatiguaient, Richard faisait la sourde oreille et patientait.

Alors qu'elle s'était résignée à rendre l'appartement, qu'elle ne payait plus que pour y venir manger le midi, pour emménager complètement à Châtillon-sur-Marne, elle reçut un appel de Catherine Petrel, agent immobilier chez Dargeron, avec laquelle, à force de franchir la porte de l'agence, Hélène s'était liée d'amitié.

— Hélène, je viens d'installer une annonce qui pourrait t'intéresser. C'est une petite maison, à prix abordable, située à Cramant. Je ne sais pas grand-chose de plus car c'est ma collègue qui a reçu le vendeur hier. Elle m'a juste dit qu'il s'agit d'un petit vieux.

— On peut déjà la visiter ? demanda Hélène, pleine d'espoir en écoutant la voix enthousiaste de son amie.

Le petit village de Cramant se trouvait dans un secteur qui lui correspondait. Non loin de Moussy et d'Epernay, sur la route de la Côte des Blancs. Elle peinait à croire en sa chance.

— Oui, mais il faut que j'appelle le propriétaire car il habite encore la maison.

— Vois si je peux la visiter après le travail. Je peux être à Cramant pour dix-huit heures.

Quelques minutes plus tard son téléphone sonna de nouveau : elle était attendue le soir même. Malgré cela, elle réfréna les rêves qui tentaient de s'infiltrer en elle ; une annonce alléchante cachait certainement une triste réalité.

Quand Hélène arriva, Catherine se trouvait à la porte d'entrée de la maison en compagnie d'un homme de taille moyenne, courbé par l'âge, qui tenait debout tant bien que mal grâce à une canne. Mais ce qui lui sauta d'abord aux yeux, ce fut l'environnement : la maison se trouvait à l'entrée du village, à quelques pas de la gigantesque bouteille de champagne qui honorait le vignoble avec ses huit mètres soixante de haut. L'étiquette représentait le village de Cramant, bâti au cœur de la viticulture, et dominant une partie de la vallée de la Côte des Blancs. Hormis quelques rues et habitations au charme de pierre, le reste n'était qu'un océan de vigne.

La maison détonnait dans le vaste paysage : petite, un terrain sans clôture, la façade grisâtre cachée par une végétation à l'abandon. Toutefois, Hélène refusa de céder au moindre a priori avant d'avoir fait le tour complet des lieux. Elle parcourut l'étroite allée qui permettait d'accéder aux marches du perron. Hélène retrouva Catherine et le propriétaire.

Après un bref salut, ils franchirent le pas de la porte qui donnait d'emblée sur une petite cuisine aménagée avec le strict nécessaire : évier, gazinière et un meuble branlant qui devait faire office de vaisselier. De la cuisine, on entrait dans un séjour, plutôt vaste, au parquet mal entretenu. Une vieille table en bois, quelques chaises branlantes, un fauteuil à la tapisserie usée auprès d'un guéridon de même style que la table, sur lequel un antique poste de télévision était posé. Les murs, jaunis par le temps, avaient besoin d'un bon rafraîchissement, mais Hélène perçut tout de suite le potentiel de la pièce.

Catherine et le propriétaire demeuraient étrangement silencieux ; ils la laissaient parcourir la maison à sa guise, l'homme ne faisait aucun commentaire. Elle poursuivit son inspection par la chambre. Le volume de la pièce était correct, mais comme le reste de la maison, il fallait redonner un peu de jeunesse. Le papier à fleurs semblait avoir un nombre incalculable d'années tant par son aspect ancien que par les couleurs qui n'étaient pratiquement plus visibles. Trois portes étaient encore fermées. La première abritait les toilettes. La deuxième donnait sur une seconde chambre à peu près semblable à la précédente, la dernière ouvrait sur une salle de bains assez spacieuse. Hélène remarqua au passage que la douche ne devait plus être fonctionnelle, et que c'était donc une dépense qui s'ajouterait au reste.

Hélène sortit ensuite par la porte-fenêtre du séjour pour accéder au terrain d'environ trois cents mètres carrés, quasiment en friche. Pas de terrasse, pas de pelouse, pas de potager, mais seulement de hautes herbes et un grand poirier planté au milieu.

Toujours sans un mot, les deux femmes suivirent lentement le vieil homme qui les mena au sous-sol, qui reprenait les soixante-cinq mètres carrés au sol de la maison. Au fur et à mesure qu'Hélène y réfléchissait, elle imaginait comment redonner vie à cet endroit, comment métamorphoser cette bâtisse en une maison qui lui ressemblerait.

Hélène savait que l'achat d'un bien immobilier serait son dernier investissement, et elle ne voulait pas se tromper. Seule, avec un modeste pécule, la banque l'avait déjà prévenue qu'elle ne pourrait pas se permettre un très gros endettement. Même avec les travaux à effectuer, c'était la première opportunité qui correspondait à son budget. Certes, elle était loin, la grande maison familiale dont elle avait rêvé ! Elle n'y concocterait pas non plus de sitôt de bons petits plats !

Mais une fois l'intérieur rafraîchi et le jardin délivré de ses mauvaises herbes, l'espace retrouverait déjà un peu de respiration. Au prix d'achat qui s'élevait à cinq cent mille francs, il faudrait prévoir la réfection du crépi, le remplacement des fenêtres pour des doubles vitrages et les travaux d'isolation. Elle n'était pas experte, mais elle avait aussi remarqué que l'électricité n'était pas aux normes. Avec le temps, elle parviendrait bien à épargner un peu afin d'installer une belle terrasse. Elle voyait déjà comment des arbustes à fleurs, plantés de chaque côté du voisinage, rendraient le jardin agréable et mettraient en valeur le bout du terrain qui donnait sur les vignes. L'esprit d'Hélène s'appropriait les lieux et, pour la première fois depuis son mariage avec Bertrand, elle envisagea sereinement le futur : de longues heures de lecture dans un petit intérieur douillet, du temps pour récolter des fruits et des légumes, des petits-enfants heureux de courir dans le jardin et de grappiller quelques framboises...

— Qu'est-ce que tu en penses ? questionna Catherine, l'obligeant à reprendre contact avec le présent.

— C'est vrai qu'il y a du boulot et que ce n'est pas aussi grand que je l'espérais, mais je pense que c'est une maison qui a du potentiel et dans laquelle je me vois bien vivre.

Finalement, la maison de ses rêves, c'est certainement celle dans laquelle on se sent bien, en accord avec soi-même. Une larme coula le long de sa joue : Hélène ressentit un profond soulagement, celui d'être arrivée au terme d'une épreuve qui avait semblé ne jamais vouloir se terminer.

14

Seule. Musique pop rock à bas volume. Un verre de ratafia à la main. La bouteille posée non loin du fauteuil où je m'étais installée. Pour cette dernière soirée de « célibat » je n'avais pas envie de parcourir les rues à la recherche du plan du siècle, mais simplement de profiter d'une nuit calme comme au temps où j'habitais dans mon petit appartement d'étudiante. J'avais toujours adoré ces moments, où emportée par la musique, je laissais mon esprit s'évader : des moments que la vie commune avait rendus rares.

Dans la pure tradition, Julien passait la nuit chez ses parents, tandis que moi, j'avais souhaité rester dans la petite maison que nous louions depuis un an. Tous mes préparatifs du lendemain − coiffure, maquillage − se feraient à Reims. Après, je me rendrais chez ma mère, à Cramant, qui m'aiderait à enfiler ma robe de mariée. Il était prévu que Julien vienne m'y rejoindre, puis tout s'enchaînerait à une vitesse vertigineuse : séance photo, mairie, église, vin d'honneur, repas, bal, réveil des mariés. Avant que j'aie pu réaliser quoi que ce soit, mon « oui » serait prononcé, le contrat d'engagement signé.

Un « oui » que je ne doutais pas de prononcer haut et fort devant toute l'assemblée, mais qui avait créé un sacré remue-ménage dans ma tête et dans mon corps ces derniers mois.

Alors que tout allait pour le mieux dans ma vie – j'avais été titularisée en tant que professeur d'histoire-géographie en juin dernier, puis au cours de l'été Julien m'avait demandée en mariage sur la plage, dans une petite crique en Sicile ; en septembre j'avais été affectée à un poste à l'année dans un lycée à côté de chez nous ; depuis janvier les préparatifs du mariage battaient leur plein – les choses avaient commencé à déraper en moi. Je pensais que les blessures, nées des actes et paroles de mon père, avaient cicatrisé depuis longtemps, mais des résurgences se manifestèrent. Quelques années après que Bertrand nous eut silencieusement abandonnés, la colère que je ressentais envers lui n'avait pas disparu. Je voulais mettre fin une bonne fois pour toutes aux cauchemars qui m'oppressaient, à mes rituels obses-sionnels de contrôle, aux crises de nerfs à chaque défaite ou contrariété, aux coups de sang sans véritable motif que subissait mon entourage, et à la vision plus que négative que j'avais de la gent masculine et du couple. A vingt ans, j'étais persuadée que je ne rencontrerais jamais un homme avec qui me marier parce qu'il ne vaudrait pas mieux que tous les autres, pas mieux que Bertrand Lemaire.

Un matin, après avoir pleuré toute une nuit parce que je venais d'être plaquée un peu rudement par un beau brun ténébreux, je me dis qu'il était temps de changer de stratégie. J'avais fini par me détester moi-même à force de ne plus être capable de me réjouir et de surmonter les difficultés de la vie. J'ouvris l'annuaire à la page des psychothérapeutes et choisis la première femme de la liste : un homme, c'était hors de question !

A la première séance, face à la psy, je me sentis complètement ridicule. J'avais une vision plutôt sté-réotypée des gens qui se rendaient dans leur cabinet. Non pas que je les imaginais tous couchés sur un divan, la période freudienne étant certainement un peu dépassée, mais ne fallait-il pas avoir des problèmes comportementaux manifestes ou avoir vécu un évé-nement insurmontable tel que la mort d'un mari ou d'un enfant ou un viol pour s'épancher auprès d'un inconnu ? Il ne faudrait pas non plus que j'accepte d'avaler n'importe quelle cochonnerie susceptible d'apaiser mes humeurs ! Ne s'empressaient-ils pas de prescrire quelques bons cachetons pour calmer les névrosés ? N'était-ce pas ce que faisaient tous les psys ?

Quand madame Bolant me demanda ce qui m'ame-nait dans son cabinet, j'anticipais déjà en mon esprit les railleries qui suivraient. J'étais jeune et croyais souffrir d'un manque important. N'allait-elle pas me faire comprendre que je n'étais qu'une adoles-cente attardée, qui devait mûrir un peu et cesser de s'apitoyer sur elle-même ? Timidement et maladroi-tement, j'expliquai les raisons de ma venue et ne pus m'empêcher de m'excuser de lui faire perdre son temps :

— Vous allez probablement penser que c'est stu-pide d'avoir pris rendez-vous. Je n'ai rien vécu de vraiment grave, par rapport aux personnes que vous devez habituellement recevoir. Finalement, ma vie ne va pas si mal : je vais bien, je réussis mes études, je n'ai pas de problème de santé. Ça ne sert peut-être à rien d'être là.

— Je vois bien quel est votre problème. Si vous êtes là, c'est qu'il y a une raison et elle est aussi valable qu'une autre. Pour tout vous dire, vous faites bien de venir maintenant. Je reçois souvent des personnes plus âgées que vous, qui n'ont pas voulu faire la démarche plus tôt et qui viennent quand l'être qui les a fait souffrir vient de mourir ou quand elles ont un enfant. Lors de ces événements émotionnellement marquants, tout ce qui a été refoulé remonte et les submerge, elles sont subitement perdues, complètement déboussolées, comme si on avait détruit tous leurs repères. Dites-vous qu'en venant maintenant vous allez régler un bon nombre de choses, ce qui va vous permettre d'avancer et de construire de manière positive votre avenir.

Non, il n'était pas question de me prendre pour une dingue ! Madame Bolant m'exposa sa méthode : agir sur les comportements par associations d'idées. Je ne voyais pas comment elle allait s'y prendre, mais au moins je ne serais pas assommée par tout un tas de médicaments !

Je débutai les séances en décembre et au printemps qui suivit, je me sentais déjà presque aussi légère qu'auparavant. Même si je savais que les cicatrices ne s'effacent jamais vraiment, je n'avais plus ni colère ni haine en moi. Je respectais toujours autant mes petits rituels qui cimentaient mon équilibre mais j'étais apaisée, mes nuits étaient plus calmes, et j'envisageai enfin le futur que j'avais toujours espéré. Les illusions en moins.

Madame Bolant avait su me faire percevoir une vision des choses à laquelle je n'aurais pu accéder seule. Elle avait rétabli certaines vérités que j'avais tenté d'enfouir pour mieux détester mon père. Je ne devais pas oublier ce que j'avais vécu avec lui avant que tout s'écroule, car tous ces événements faisaient partie de mon histoire personnelle. Des couleurs sont réapparues sur le sombre tableau, sans que jamais madame Bolant n'émette de jugement sur les actes de mon père. Elle m'avait simplement proposé des clés pour comprendre les agissements d'un homme qui s'était senti abandonné par la femme qu'il croyait posséder jusqu'à la fin de ses jours.

Après cela, la vie me sourit de nouveau, ou plutôt ce fut moi qui souris de nouveau à la vie et, pour me récompenser, elle avait décidé de m'offrir du bonheur. Julien et moi tombâmes amoureux après une soirée étudiante bien arrosée dans un bar à bières de Reims. J'avais aimé d'emblée sa gentillesse, son humour, son torse large et rassurant, son corps athlétique. Ce qui avait fini de me séduire, c'était que je ne lui faisais pas peur, qu'il acceptait entièrement mon esprit indépendant. Quatre ans plus tard, nous nous apprêtions à nous engager l'un envers l'autre. Quatre ans sans véritable gros nuage menaçant. Quelques coups de gueule sans grandes conséquences jusqu'à ce début d'année...

L'alcool me rendait mélancolique ; une certaine tristesse me parcourait, quand je pensais que j'avais été à deux doigts de fiche mon mariage en l'air avant même d'être passée devant monsieur le maire, que j'avais franchi mes propres limites avec une facilité déconcertante.

Même si sexuellement nous n'avions plus la même fougue qu'au début de notre relation, Julien et moi étions épanouis ensemble. Mais sans que je puisse comprendre pourquoi, sans qu'il y ait eu d'élément déclencheur, je n'éprouvais plus l'envie de faire l'amour. Au début, je crus que c'était passager. Après tout, il pouvait très bien y avoir une période où l'on ne ressent aucun besoin, surtout en plein hiver, avec la fatigue.

Comme moi, Julien n'y prêta guère attention. Puis, au bout d'un bon mois, il se fit plus pressant, souhaitant que l'on reprenne notre vie intime. Au lieu de se raviver, mon corps se raidit davantage. Chaque centimètre carré de ma peau, écorchée, se crispait sous ses doigts. Je devenais dingue. Je ne voulais plus que l'on me touche : on allait me faire mal, m'envahir, m'oppresser, m'étouffer. Ce n'était plus Julien que je voyais, mais mon père quand il s'approchait de ma mère avec son air lubrique, les mains tendues vers ses seins. Plus Julien voulait faire l'amour, plus j'assimilais l'acte sexuel à un acte bestial, dicté par un instinct primaire qui me faisait honte. J'essayai en vain de chasser ces images sans comprendre pourquoi mon père se retrouvait lié à ma libido défaillante.

— Qu'est-ce qui se passe ? finit par demander Julien un soir. Je commence à me poser des questions. Tu as quelqu'un ? Tu ne m'aimes plus ?

— Non, ce n'est rien de tout ça. Je ne sais pas. C'est comme si j'étais dégoûtée du sexe. J'ai l'impression que tu es là tous les soirs à attendre que j'entre dans le lit pour me sauter dessus.

J'essayais de mettre des mots sur la distance que j'avais établie entre nous sans pour autant lui dévoiler les images qui me venaient quand je pensais au sexe.

— Qu'est-ce que tu racontes ? Je n'attends pas que ça ! Tu devrais le savoir depuis le temps qu'on est ensemble. Tu me prends pour un obsédé sans cervelle ou quoi ?

— Excuse-moi. Je sais que tu es compréhensif. Mais je n'arrive plus à éprouver d'envie. Je n'arrive même plus à me souvenir de ce qui est plaisant à faire l'amour.

— C'est peut-être parce que tu ne me désires plus. Dans ce cas, il faudrait réfléchir un peu car on se marie dans moins de six mois ! s'agaça Julien.

— Je t'aime toujours autant. Je veux qu'on se marie. Ne crois pas que ce qui arrive ne me perturbe pas. J'y pense tous les jours sans parvenir à trouver le moyen de rétablir l'équilibre. Moi aussi je m'inquiète car je ne comprends pas, et j'ai peur que tu ne finisses par te lasser d'attendre.

— Bon, on s'accorde encore un peu de temps et on voit, d'accord ? Ce n'est pas la peine de te mettre la pression.

— Oui, répondis-je, soulagée que Julien n'insiste pas davantage.

Cependant, plus les semaines s'écoulaient, plus ma libido disparaissait au plus profond de mon corps. Je me sentais honteuse de repousser sans cesse Julien, l'homme avec lequel j'avais décidé de faire ma vie. Mais rien n'y faisait. Toute caresse était rêche et mon corps raidi par crainte d'un ennemi tapi dans l'ombre.

C'était très étrange mais j'avais l'impression que la pièce manquante du puzzle était juste en face de moi, mais sans savoir pourquoi je ne réussissais pas à la voir. Parfois, je me disais qu'il s'agissait probablement d'un traumatisme refoulé. Peut-être avais-je été victime dans mon enfance d'un abus sexuel que j'avais enfoui au plus profond de mon inconscient? J'avais déjà entendu des jeunes filles raconter ce genre d'histoires. Les séquelles peuvent surgir des années plus tard. Mais à peine émettais-je cette hypothèse que je me trouvais complètement idiote de penser une chose pareille. Avec qui? Quand? Ça n'avait aucun sens! Même si je ne pensais pas sérieusement avoir vécu un événement aussi douloureux, une drôle de sensation subsistait, l'impression qu'un détail m'échappait quelque part.

J'avais beau fouiller dans mes plus lointains souvenirs, je ne trouvais aucune raison valable qui puisse expliquer un tel blocage. Alors, un soir, lasse de me triturer l'esprit, je tentai de renverser la situation et de montrer à mon fiancé que j'étais résolue à faire des efforts pour retrouver notre vie sexuelle. Je ne retins pas ses mains quand elles se mirent à parcourir mon corps selon leur désir. Mais trouvant une nouvelle fois route barrée à l'entrée du plaisir, Julien s'écarta de moi.

— Essaie de reprendre. Je vais finir par y arriver, prononçai-je pour l'encourager.

— Ça va pas ! Je veux faire l'amour avec toi, mais pas à n'importe quel prix, pas de cette manière. J'aurais l'impression de te violer ! s'énerva-t-il.

Je ne sus quoi lui dire. Nous restâmes un long moment allongés l'un à côté de l'autre, en silence.

— Tu es sûre qu'il n'y a rien, que tu n'as personne et que tes sentiments n'ont pas changé ?

— Certaine, je te l'ai déjà dit ! Je ne te mens pas, je t'assure.

— Tu en as parlé à quelqu'un ? finit-il par demander.

— A qui ?

— Je ne sais pas, Carole, Ange ou ta mère.

— Non, je n'ai pas osé. Si c'est pour m'entendre dire que je ne devrais pas me marier si je n'ai plus envie de faire l'amour avec toi, non merci ! Je ne pense pas que le problème soit là.

J'avais songé à en parler avec ma mère ; plus que mes meilleures amies, elle pouvait certainement m'éclairer sur ma situation car j'étais au fond de moi persuadée que cela avait un lien avec mon passé, mais quand je la voyais je ne savais jamais comment aborder le sujet et j'avais toujours des scrupules à lui faire ressasser toute cette période qu'elle s'était employée à oublier.

— Dans ce cas, il faudrait peut-être envisager d'en discuter avec un professionnel.

— Qui, un psy ?

— Je pensais plutôt à ton gynéco ou à un sexologue.

— A vrai dire, j'y ai déjà réfléchi et je m'étais dit que si ça n'allait pas mieux à la fin du mois, je me renseignerais.

— Pourquoi attendre la fin du mois ? Ça fait déjà plus de trois mois qu'on n'a pas fait l'amour, et j'aimerais qu'on règle ça avant de nous marier. C'est important, non ?

— Tu as raison. J'appellerai mon gynéco demain matin.

Trois semaines plus tard, je me rendis chez le docteur Massé, un gynécologue spécialisé dans la sexologie et que mon propre gynécologue m'avait recommandé. J'étais un peu tendue de devoir déballer ma vie intime devant un inconnu, et sceptique car je n'avais toujours pas identifié précisément d'où provenait mon problème et ne voyais pas vraiment comment on pouvait m'aider.

Le docteur Massé me mit tout de suite à l'aise. Son sourire communicatif détendait l'atmosphère. La quarantaine, châtain clair, les yeux bleus, il était plutôt bel homme et avait un petit air paternel qui rassurait. Assez rapidement la situation fut exposée.

— Vous savez, la libido, notamment celle des femmes, peut être fragile. Si vous êtes préoccupée par quelque chose ou fatiguée, ça peut couper les

343

envies. Contrairement aux hommes, les désirs des femmes fonctionnent beaucoup par leur psychologie, me rassura-t-il.

Le médecin m'expliqua ensuite qu'on se verrait une fois par semaine afin d'établir ensemble des solutions pour recréer le désir. Cependant, à chaque séance, je ressortais du cabinet, frustrée d'avoir attendu une heure, voire plus, pour un entretien de dix minutes au cours duquel il ne s'employait aucunement à chercher les causes de mon abstinence inexpliquée mais se contentait de me donner des pistes pour retrouver l'envie de faire l'amour ; des pistes qui me mettaient plutôt mal à l'aise, dont je ne percevais pas les bénéfices.

— Vous vous interdisez beaucoup de choses. Dans de nombreux couples, les partenaires imaginent des jeux de rôle pour provoquer le désir.

Je restais plutôt incrédule face à ces stratégies, non que je les trouve inintéressantes, en temps normal elles pouvaient en effet décoincer une certaine routine, mais dans mon cas, je ne voyais pas en quoi cela allait me donner envie de Julien, ni m'expliquer ce que mon père avait à voir avec mon problème. D'ailleurs, le docteur Massé lui-même m'avait dit que si je recherchais à soulever les causes, je n'étais pas au bon endroit, c'était l'œuvre d'un psy. Toutefois, débuter une nouvelle thérapie quatre mois avant mon mariage me semblait un peu court et exagéré car ma libido ne méritait tout de même pas une telle analyse. Surtout, je n'avais pas envie de réveiller de vieux démons maintenant. J'avais bien compris que mes blessures

me faisaient encore souffrir, et que ma chair s'expri-
mait. Mais pour moi, la page Bertrand Lemaire était
définitivement tournée, et si c'était en effet un tour
de mon inconscient pour assimiler mon père à Julien,
mieux valait suturer la plaie au plus vite !

Je tins tout de même compte de quelques conseils
du docteur Massé, mais cessai de prendre rendez-vous
en espérant que le temps arrangerait les choses et que
la nature reprendrait le dessus.

Ce fut à cette période que ma relation amicale
avec Serge prit un autre tournant. Je l'avais rencontré quelques mois auparavant. Aux vacances de la
Toussaint, je m'étais inscrite dans l'un des plus gros
clubs de sport en salle de Reims, pour y faire un
peu de vélo et profiter des cours de fitness pour me
détendre après mes journées de travail.

Serge était un habitué. Nous avions très vite sym-
pathisé car nous venions aux mêmes heures, et nous
nous retrouvions très fréquemment l'un à côté de
l'autre sur les vélos ou dans le sauna, que j'affection-
nais tout particulièrement, surtout l'hiver.

De fil en aiguille, à force de passer du temps
ensemble, les conversations devinrent plus intimes,
les regards plus appuyés, mais chacun était en couple,
et j'imaginais que nous nous plaisions à flirter avec
les limites d'un petit jeu de séduction sans consé-
quence. Il ne ressemblait en rien à Julien. Il avait une
ouverture d'esprit qui lui manquait, du moins que je
regrettais parfois dans nos conversations. Avec Serge,
je pouvais parler de sujets que je n'aurais jamais osé

aborder avec personne, ni avec ma mère ni même avec ma meilleure amie. J'en éprouvais une forme de fascination. Il se décrivait comme une personne sans véritable morale et qui refusait tout engagement qui pouvait le lier trop durablement à quelqu'un : pas de mariage, pas d'enfants ; c'était ainsi qu'il voyait son avenir.

Plus on se rapprochait, plus mon corps se réchauffait, tressaillait, mais à mon grand regret, ce n'était pas Julien qui était à l'origine de ce réveil des sens. Je préférais taire les prémices de cette nouvelle chaleur. Je n'avais aucunement l'intention d'explorer davantage ce chemin. Tout ce qui comptait était que je me sente de nouveau femme et qu'avec Julien nous commencions à retrouver un contact physique.

Je continuais à jouer les naïves, me persuadant que je n'intéressais pas Serge, que cela faisait partie de sa personnalité que de paraître libre en toutes circonstances et d'afficher sa sensualité. Mais peu à peu, les séances de sport s'écourtèrent pour laisser place à de longues discussions au bar du club, les baisers sur la joue au moment de se quitter se firent plus insistants.

Physiquement, je ne le trouvais pas plus beau que Julien. Au contraire, mon futur mari, de par sa carrure imposante, tout en muscles, et ses traits réguliers, était plus séduisant. Serge, petit, mince, avec des mains fines et de petits yeux gris mystérieux, correspondait moins à mes attentes, mais son attitude suave, ses gestes précis et sa manière de me regarder avec désir me chaviraient.

Un soir, je rentrai encore plus tard que d'habitude. Julien m'attendait sur le canapé, et laissa éclater la colère qui semblait le ronger depuis un bon moment. Jusqu'alors il ne m'avait fait aucune remarque, aucun reproche, car il savait que mon indépendance était vitale. Après toutes ces années, je ne tolérais toujours pas qu'un homme me dicte ce que j'avais à faire. Julien avait compris, accepté et respecté ce besoin irrépressible d'espace, mais ce soir-là, j'avais visiblement dépassé les bornes.

— Qu'est-ce que tu faisais ? demanda-t-il sèchement, dès que j'eus franchi le pas de la porte.

— Désolée ! J'ai bu un verre avec Serge après le sauna, et je n'ai pas vu l'heure passer.

— Je ne le sens pas, ce mec. Je connais ce genre de types, je sais ce qu'ils veulent !

— Ah bon ! dis-je d'un ton désinvolte.

— A la première occase, il va te sauter dessus.

— Tu dis vraiment n'importe quoi !

— Tu lui as dit que tu avais quelqu'un ?

— Bien sûr, qu'est-ce que tu crois ?

— Je ne sais pas, c'est tout de même étrange. D'habitude, tes amis viennent à la maison. Tu m'as toujours présenté les gens que tu rencontres. Comment se fait-il que lui, je ne l'aie jamais vu ?

— Tout simplement parce que je ne le vois qu'au club. Ce n'est pas un ami.

— C'est quoi alors ? T'as vu tout le temps que tu passes avec lui, tout ce que tu fais avec lui, alors que quand je te propose de venir faire un Jacuzzi, tu refuses, et que je peux à peine te toucher !

Face à la vérité de ses propos, je ne rétorquai rien mais je me mis à rire nerveusement.

— Tu te fiches de moi ou quoi ? cria-t-il, au bord de l'hystérie.

Jamais je n'avais vu Julien dans un tel état. Je crus même percevoir des larmes couler le long de ses joues, lui qui ne laissait jamais transparaître la moindre tristesse. Il faisait partie de ces rares personnes, toujours positives, presque un peu naïves tellement elles veulent croire à la beauté des autres et du monde. Pour la première fois, il avait peur de me perdre. Au lieu d'en éprouver de la peine, j'en étais presque satisfaite, parce que j'avais encore tendance à croire que tout ce qui nous arrive de bien dans la vie finit irrémédiablement par se briser.

— Tu es jaloux ?

— Tu ne le serais pas, toi, si je passais autant de temps avec une femme que tu ne connais pas ?

— Tout dépendrait si elle te drague.

— Justement, je n'ai pas confiance en ce type.

— Pourtant, on ne fait rien de mal ! Je suis quand même encore libre de discuter avec qui je veux !

— Je trouve cette relation louche. Tu ne me dis rien de lui ! Je devrais peut-être venir faire un tour au club !

— On n'est pas obligés de tout partager. De mon côté je ne te suis pas partout, je te laisse aller où bon te semble. Il n'y a rien avec Serge. J'aime bien parler avec lui, c'est tout.

— Tu ne m'enlèveras pas l'idée qu'il a certainement envie d'autre chose avec toi.

Le visage fermé, Julien partit se coucher, sans que j'aie pu répliquer quoi que ce soit.

Ce que j'avais omis de dire à Julien, c'était que je n'avais pas mentionné mon mariage à Serge. Peut-être avait-il raison : je laissais délibérément une brèche ouverte. Ne pas avoir dit que j'étais fiancée n'était pas honnête. Je prenais plaisir à m'enliser dans une situation qui finirait par m'éclater à la figure.

D'ailleurs, je n'échappai pas au célèbre adage « toute vérité finit par se savoir ». Un soir où je présentais ma carte d'abonnée, Luc, qui s'occupait de l'accueil, m'aborda, amusé :

— Dis donc j'en ai appris une bonne aujourd'hui ! Personne ne savait que tu te mariais !

Je le fixai, interloquée.

— C'est l'une de tes copines qui est venue dans l'après-midi. Elle voulait organiser quelque chose ici pour ton enterrement de vie de jeune fille. Autant t'avouer que j'ai été surpris !

— Je m'en doute, mais quand je viens pour ma séance, je ne viens pas pour raconter ma vie, répondis-je tranquillement, masquant mon étonnement.

Serge devait déjà être au courant car Luc nous voyait suffisamment ensemble pour se faire un malin plaisir de lui annoncer le potin du jour.

Je tombai justement sur Serge alors que je sortais des vestiaires.

— Laisse tomber, il y a un monde fou ce soir. Les vélos sont déjà tous pris, m'informa-t-il.

— C'est vrai que je ne suis pas en avance ! Bon, du coup je ne sais pas trop ce que j'ai envie de faire.

— On pourrait aller dans l'espace détente, qu'est-ce que tu en dis ?

Je réfléchis un instant, consciente que Serge attendait peut-être un moment plus intime pour me parler de ce qu'il avait appris. Comme je ressentais le besoin de me justifier, j'acceptai. Après quelques séquences d'abdos, je le rejoignis au niveau des transats qui se trouvaient à côté du sauna. Serge n'y alla pas par quatre chemins.

— Pourquoi tu ne m'as jamais parlé de ton mariage ? Si j'ai bien compris c'est pour bientôt.

C'était le moins que l'on puisse dire, puisque nous étions mi-mai et qu'il était prévu pour le 3 juillet ! Après avoir plus ou moins délibérément caché cet aspect de ma vie, je résolus de me montrer honnête envers Serge.

— Je suis désolée, j'aurais dû t'en informer. Et depuis longtemps.

— J'ai du mal à te suivre. Normalement, quand on décide de se marier, on est heureux, ce n'est pas un événement qu'on a envie de cacher.

— Je pense que je n'avais pas envie de gâcher ce que je ressens quand je suis ici. Quand je viens, je ne suis pas Gaby Lemaire, la prof d'histoire, je ne suis pas Gaby, la future mariée, je suis juste moi, et ça me fait du bien.

— Je ne comprends toujours pas ! Tu n'as peut-être pas envie de te marier dans le fond !

— Bien sûr que si ! criai-je presque. Julien est un homme formidable. J'ai vraiment beaucoup de chance !

— Mais...

Ce que j'aimais était que Serge me cernait mieux que quiconque. Il me poussait à regarder les choses en face, et je percevais petit à petit tout ce qui me bloquait et que je n'étais pas encore parvenue à identifier précisément.

— Mais plein de choses se bousculent. Je crois qu'au fond le mariage me fait peur. Parfois, on entend certaines femmes dire qu'elles sont sûres d'avoir trouvé l'homme de leur vie. Moi, je n'ai jamais eu cette conviction. Parfois, je pense même qu'il a plus de sentiments pour moi que je n'en ai pour lui. Je ne serai peut-être pas à la hauteur de ses attentes. Il y a toujours une part de moi qui freine les émotions, pour me protéger. Maintenant que j'ai pris la décision de me marier, je crains de ne pas l'aimer assez pour faire ma vie avec lui, et je ne pourrai pas supporter un échec sentimental après tout le temps qu'il m'a fallu pour me reconstruire après le divorce de mes parents.

— En effet, tu te prends bien la tête ! C'est pour ça que moi je ne veux pas entendre parler de mariage !

— Tu n'as pas peur de passer à côté de quelque chose ?

— Quand je vois mon frère qui a divorcé, non, je ne crois pas passer à côté de quelque chose.

J'avais du mal à accepter que l'on puisse refuser toute sa vie de s'engager mais en même temps je le comprenais. Tout comme moi, il tentait de se préserver. Il n'avait jamais connu son père, qui était parti alors que son frère était encore très jeune et lui un nourrisson. Sa mère avait dû les élever seule.

— Je trouve dommage de s'interdire certains choix sous prétexte qu'on a peur que ça tourne mal, continuai-je.

— Dans ce cas, tu as ta réponse. Tu verras bien ce qui se passera. Sinon, si tu décides de ne plus te marier, je suis là, dit-il en riant.

Après cette discussion j'y voyais plus clair, mais je ne me sentais pas plus rassurée pour autant. Mon père restait le symbole de tout ce qui m'effrayait dans le mariage : les exigences de l'autre, la liberté entravée, la jalousie embarrassante, le devoir conjugal... De son côté, Serge se montra encore plus séducteur. Il se tenait encore plus près de moi dès qu'il en avait l'occasion, me prenant la main dans le Jacuzzi ou m'effleurant longuement dès que ses doigts me rencontraient. Prise entre mes interrogations et l'attirance que j'éprouvais pour lui, je perdais pied et ne faisais rien pour reprendre le contrôle.

La saison au club se terminait et avant que tout le monde ne parte en vacances et que les lieux soient désertés, une fête fut organisée. Nous restâmes une partie de la soirée chacun de notre côté, nous observant du coin de l'œil. Puis, semblables à deux aimants, nous nous retrouvâmes au bar devant nos coupes de champagne. Désinhibés par l'alcool, la conversation tourna rapidement autour de sujets intimes et nous échangeâmes à propos de la fidélité ou du sexe dans le couple.

— Par le passé, j'ai déjà couché avec des femmes mariées, me dévoila-t-il.

— Ça ne te gênait pas de savoir qu'elles étaient avec quelqu'un ?

— Non, elles le voulaient bien et moi je n'attendais rien d'elles. C'est ce qu'elles recherchaient justement. Il y a plus de femmes qu'on ne croit qui s'ennuient avec leur mari !

— Tu veux me prévenir que ça risque d'être mon cas ?

— C'est possible. Si ça t'arrive, tu viendras me voir ! me rétorqua-t-il en me fixant droit dans les yeux.

Ces allusions me mettaient un peu mal à l'aise en même temps qu'elles me flattaient. J'étais consciente de m'adonner à un jeu dangereux mais une attraction plus forte que ma raison me poussait à aller au bout de ce jeu démoniaque.

Il était près de minuit quand le petit groupe des habitués proposa de finir la soirée en boîte de nuit. Je déclinai leur proposition car j'avais promis à Julien, qui voyait déjà mon absence d'un mauvais œil, que je ne rentrerais pas trop tard. Serge décida de les rejoindre un peu plus tard. Une fois les dernières voitures parties, nous laissâmes l'attirance que nous n'avions cessé d'attiser ces derniers mois, et notamment ce soir-là, se manifester. Nous nous embrassâmes avec toute la fougue que nous avions contenue, peinant à nous écarter l'un de l'autre.

Nous avions beau être au mois de juin, l'été n'était pas encore véritablement installé et la nuit était fraîche. Ce fut donc naturellement que nous nous dirigeâmes vers ma voiture. Nous échangeâmes encore quelques baisers puis Serge partit à la découverte de mon corps. Après avoir parcouru mes seins, mon ventre, il tenta de déboutonner mon pantalon, mais je le retins.

— Ecoute ton corps, il en a envie. Laisse-toi aller, dit-il dans un murmure.

C'était plus facile pour lui qui ne se mettait jamais aucune barrière !

— Non, je ne peux pas, je ne peux pas faire ça à Julien. Je préfère qu'on en reste là. De toute façon, il est déjà tard, il vaut mieux que je rentre.

— Comme tu veux !

Entre quelques baisers, nous reprîmes contenance, réajustâmes nos vêtements, puis Serge m'embrassa une dernière fois. Je rentrai chez moi, des images plein la tête de ce que je venais de faire. Même dans mes rêves les plus secrets, je n'aurais jamais imaginé être capable de tromper l'homme que j'allais épouser.

Les jours suivants, je continuai à voir Serge, non plus pour nos séances sportives mais pour ses baisers et nos longues discussions. Nous nous donnions rendez-vous devant le club puis nous prenions l'une de nos voitures et nous roulions jusqu'à un endroit moins fréquenté de Reims afin d'éviter des rencontres malencontreuses.

Nous profitions d'être ensemble. J'évoquais la date de mon mariage, qui se rapprochait, uniquement pour maintenir Serge à distance lorsque son contact devenait trop dangereux.

— J'ai terriblement envie de toi. Si tu savais ce que j'imagine ! Je suis sûr que nous deux, ce serait génial, aimait-il me répéter.

— Je t'ai déjà dit qu'en ce moment j'étais plutôt froide de ce côté-là !

— Ça, c'est ce que tu crois ! Si tu me laissais faire, je te prouverais le contraire. Il n'y a qu'à voir comment tu m'embrasses. Tu me rends fou !

— Je ne peux pas aller plus loin. Julien ne mérite pas ça.

— Même si tu en as envie ?

— Je ne suis pas sûre d'en avoir envie, justement.

Ce qui me plaisait c'était de voir le désir dans les yeux de Serge. C'était me croire libre de faire ce dont j'avais envie, d'être à la lisière d'une tout autre destinée. Mais je savais que je devrais prendre une décision. Je ne pouvais pas continuer à jouer ainsi, ni avec l'un ni avec l'autre.

Quelques jours avant le mariage, nous nous donnâmes rendez-vous un midi au parc des Mariés, sans qu'aucun de nous ne relève l'ironie du nom de l'endroit. Tout ce qui importait était sa situation géographique, non loin du club, et sa tranquillité. Le temps était maussade et avait dissuadé les promeneurs de mettre le nez dehors. Nous nous installâmes sur un banc à l'écart du passage central pour nous embrasser comme deux adolescents.

— Tu te doutes que c'est la dernière fois qu'on fait ça ? Après, ce sera terminé entre nous, lui annonçai-je.

— Non, pourquoi ? fit-il étonné.

— Te moque pas. Tu sais bien que je me marie dans trois jours. A partir de demain on commence les préparatifs, je ne viendrai pas au club avant un bon moment.

— Je ne me moque pas. Je pourrai très bien être ton amant quand tu seras mariée.

— Tu plaisantes, j'espère !

— Non, pas du tout, je suis sérieux.

— Je me déteste assez de jouer sur deux tableaux. Je serais incapable de vivre une double vie.

— Pourtant, c'est ce que tu fais déjà !

— Justement, je ne me sens pas à l'aise avec ça ! Je ne sais même pas comment j'arrive encore à lui parler en le regardant droit dans les yeux ! J'ai l'impression que je suis la trahison incarnée.

— Tu as trop de morale, tu en as même pour nous deux je crois.

— J'ai une conscience, c'est tout. Je ne peux tout de même pas me marier et prendre un amant aussitôt sortie de l'église ! Ça ferait une sacrée entaille dans le contrat ! Comment veux-tu ensuite que j'imagine que mon mariage va durer ? Julien finirait par tout découvrir. Et puis, il ne mérite pas que je le fasse souffrir.

— Alors pourquoi tu as craqué ?

— J'ai eu l'impression que le mariage allait me priver d'une partie de ma liberté. Je n'ai pas envie de faire le mauvais choix, j'ai peur qu'un jour ça finisse en divorce comme mes parents. Tu as été pour moi un moyen de fuir.

— C'est vrai qu'à part être ton amant, je ne peux rien te promettre.

— Et ce n'est pas ce que je te demande. Mais honnêtement, même si on continuait, ça ne nous mènerait nulle part. Même si j'ai plein d'appréhensions, je rêve d'une vie simple et on ne peut plus banale : un mari, des enfants, une maison... je sais que c'est avec Julien que je réaliserai tout ça.

— Bon, j'aurai toujours le regret de ne pas avoir assouvi mes fantasmes avec toi, mais je respecte tes choix. Pour moi, tu resteras un beau souvenir. Ça ne nous empêchera pas de continuer à nous voir au club ?

— Non, bien sûr.

Tendrement et longuement, nous nous embrassâmes une ultime fois. Je ne savais pas quand je me déciderais à le revoir, mais quand ce jour arriverait, ce ne serait pas sans frissons. Je devrais alors avoir construit une barrière suffisamment résistante pour tenir Serge en dehors de mes désirs.

J'étais assommée, probablement en raison du ratafia que je m'étais servi plus que de raison et de toutes ces émotions qui se mélangeaient en moi. J'allai me coucher, n'ayant pas envie de ressembler à une mariée à la gueule de bois. Ça ferait désordre.

Le lendemain, la nuit avait fait son œuvre réparatrice, le cœur plus léger j'enchaînai tous mes rendez-vous avant de prendre la direction de Cramant, où ma mère m'attendait avec impatience pour m'aider à enfiler ma robe de mariée, et où Julien et moi prononcerions nos vœux.

Sur le plateau de la Montagne de Reims, je passai à hauteur du village de Saint-Imoges, niché au cœur de la forêt. Je ne pus m'empêcher de penser à mon père, le seul qui n'ait pas été invité. Etait-ce un regret ? Non, pas après toutes les souffrances endurées par sa faute. Je n'éprouvais plus de colère depuis longtemps. Désormais quand je pensais à lui je ressentais juste une énorme déception : il ne faisait plus partie de ma vie, je n'avais plus de père sur qui compter. La dernière fois que j'avais franchi le seuil de la maison à Mareuil, j'avais secrètement espéré que mon père réagirait et reviendrait vers moi, ne pouvant rester indifférent à la vie de son enfant. Mais le jour de mes vingt ans, tout était resté désespérément silencieux : le téléphone, la boîte aux lettres et la sonnette de la porte de l'appartement. Pas le moindre signe de lui. Quand j'obtins mon CAPES d'histoire, je m'étais dit que la fierté qu'il ressentirait face à ma réussite le pousserait à resurgir, mais sa réponse fut sans équivoque : l'arrêt de la pension alimentaire sans autre mention !

De nombreuses fois, j'avais eu envie de lui écrire pour lui déverser ma haine, pour qu'il lise noir sur blanc tout le mal qu'il nous avait causé à Marc et moi, mais je restais bloquée devant la feuille : les mots refusaient de se coucher sur les lignes. Je ne savais pas par quoi commencer, et la peur de me prendre une nouvelle claque, car je savais qu'une lettre ne serait pas suffisante pour le faire réagir, me dictait de ne rien tenter qui serait vain.

J'avais trop souvent vu Marc aller au-devant des coups. Il avait essayé plusieurs fois de rétablir le contact, en se rendant directement dans les vignes ou en s'arrêtant pour le saluer quand il le croisait à Mareuil, mais mon père était à chaque fois resté de marbre, détournant la tête pour éviter toute discussion. Dans un sens je le plaignais de nourrir encore des illusions.

Parfois je me demandais encore comment mon père parvenait à vivre en nous ayant rejetés. Toutefois, un début de réponse me fut apporté l'année passée, lors d'une fête organisée par le frère de mon père.

Depuis la mort de ma grand-mère Lucie trois ans auparavant, qui, même après le divorce, avait continué à ne pas se sentir concernée par notre devenir à Marc et à moi, mon oncle avait pris l'habitude, chaque été, d'inviter sa famille et ses amis proches à un méchoui. C'était l'occasion de réunir tout le monde, de se retrouver pour profiter d'une belle journée, la plus grande partie des moissons terminée. Sans me l'avoir dit ouvertement, je pensais qu'il avait morflé de perdre sa mère et de ne jamais avoir réussi à se réconcilier avec son frère, qui avait redoublé de rancœur à son encontre au fil du temps. J'appréciais qu'il nous invite, Marc, Julien et moi ; je n'allais plus spontanément à Mareuil car cela réveillait toujours en moi de drôles de sensations.

On dit parfois que les âmes des morts hantent des lieux quand elles n'ont pas pu franchir sereinement le passage vers l'au-delà. Pour moi, c'était la souffrance qui avait une âme et qui marquait de son empreinte indélébile les rues, les maisons, les objets, les souvenirs brisés trop vite. C'était elle que je voyais quand je me rendais dans le village de mon enfance. Je repartais irrémédiablement nostalgique, des regrets plein le cœur de ne plus pouvoir rattraper les moments perdus, d'être devenue une sorte d'étrangère, y compris pour les plus jeunes de ma famille qui ne me connaissaient pratiquement pas. Cependant, j'acceptai avec plaisir les différentes invitations afin de garder un contact avec les gens que j'aimais, et peut-être aussi pour tenter de retrouver la part de moi que j'y avais laissée.

L'été dernier, le hasard nous plaça Julien et moi à la table d'une cousine de mon père que je n'avais pas revue depuis longtemps. D'après mes souvenirs, nous avions cessé de la voir lorsqu'elle avait déménagé pour le centre de la France, sans que je comprenne bien pourquoi. Mais avec mon père il était fréquent que l'ami d'un jour ne soit plus rien le lendemain. Je ne l'avais d'ailleurs pas reconnue jusqu'à ce qu'elle se rappelle à moi. Elle m'expliqua qu'habituellement elle ne venait jamais au méchoui organisé par Franck car c'était toujours la période à laquelle elle partait dans sa résidence de vacances. Cette année-là, les ennuis de santé de son mari les avaient contraints à reporter leur séjour estival.

Le début de la conversation fut donc plutôt agréable, c'était souvent amusant de revoir une personne perdue de vue, de savoir ce qu'elle était devenue. Mais très vite, quand elle s'intéressa à ma vie et à celle de Marc, la manière dont elle détournait la discussion à chaque fois que j'évoquais ma mère, qu'elle avait pourtant bien connue, m'interpella. Je n'eus pas à m'interroger longtemps pour découvrir ce que cela cachait, car son envie de me provoquer devait la démanger.

— Je vois ton père de temps en temps. Quand nous revenons dans la région je vais chez lui et je lui prends quelques cartons de champagne.

Face à mon mutisme, et à mon étonnement, car je n'avais jusqu'alors jamais entendu qu'il produisait son propre vin, elle poursuivit :

— Il m'a dit que ta mère l'avait empêché de vous voir.

— Marc et moi avions seize et dix-sept ans au moment du divorce, je crois qu'on était assez grands pour décider par nous-mêmes ! Notre mère n'a rien à voir là-dedans, répondis-je, agacée.

Ainsi, c'était de cette manière qu'il parvenait à se regarder dans la glace sans aucune honte, en s'inventant une réalité bien à lui qui lui permettait de donner le change aux autres sans se faire passer pour un salaud ! Comment cette bonne femme pouvait-elle croire à ses mensonges quand la plupart des gens présents ce jour-là chez Franck auraient pu lui raconter de quelle façon il s'était mis à dos quasiment tous les membres de sa famille ? Je refusai de jouer les hypocrites avec une alliée de mon père ; je ne lui adressai plus la parole de la journée.

Quand je me garai devant chez ma mère, je la vis derrière la fenêtre. Elle se précipita vers moi alors que j'avais à peine mis un pied hors de la voiture.

— Je commençais à m'inquiéter. Je pensais que tu serais là plus tôt.

— J'ai pris mon temps. Et puis, c'est samedi, il y a un peu de monde à l'entrée d'Epernay. En passant par Montchenot, je n'avais pas d'autre choix que de traverser une partie de la capitale du champagne pour regagner les villages de la Côte des Blancs, ce qui rendait le trajet parfois un peu long.

— Tu es superbe ! Resplendissante ! finit-elle par remarquer.

— Merci. Je suis contente du résultat. Je n'ai pas l'habitude de me complimenter, mais pour une fois je me trouve belle.

La maquilleuse ainsi que les quelques séances d'UV que j'avais faites avaient rehaussé mon teint naturel, le rendant éclatant et coloré comme si je revenais de vacances au soleil. Elle avait tenu compte de mes désirs et n'avait utilisé pour le reste du visage que des tons pastel car j'avais horreur des maquillages criards. L'ensemble était lumineux, faisant ressortir le bleu de mes yeux.

Quant à la coiffure, j'avais voulu quelque chose de simple, mais élégant. Mes cheveux étaient attachés en chignon agrémenté de quelques perles nacrées, et deux-trois mèches bouclées encadraient mon visage.

— Si on mange maintenant, on aura plus de temps pour nous préparer.

— Je n'ai pas très faim.

— Il vaut mieux que tu te remplisses un peu l'estomac, car tu vas avoir besoin de ton énergie !

Nous entrâmes dans la maison. La porte-fenêtre était ouverte : je vis Richard qui s'occupait des derniers détails. Le jardin était somptueux : la pelouse parfaitement tondue, les allées désherbées, les rosiers en plein épanouissement, des bouquets de lis avaient également été déposés à différents endroits de la terrasse. Avec ma mère, ils avaient confectionné des fleurs en papier crépon rose pâle et blanc qu'ils avaient disposées dans les arbres.

Jamais le jardin n'avait été aussi beau. Ma mère avait enfin le petit coin de paradis qu'elle avait rêvé de retrouver après avoir dû se séparer de Mareuil. Chaque année depuis qu'elle avait acheté cette maison, elle avait embelli l'extérieur. Elle avait coupé les gros arbres pour libérer l'espace, puis labouré la terre pour remettre tout à niveau. Progressivement, elle avait fait de nouvelles plantations, avait délimité un potager au fond du jardin. Quand elle eut suffisamment d'argent, et après avoir effectué les travaux de rénovation indispensables à l'intérieur de la maison, elle trouva quelques bons maçons qui lui installèrent une belle terrasse en petits pavés couleur sable sur toute la longueur de la demeure.

J'étais fière du chemin qu'elle avait parcouru. Elle vivait de façon atypique, se partageant entre sa vie de femme indépendante qu'elle s'était construite : ses vignes, son travail, sa maison, et sa vie de couple. Je ne savais pas trop si ce drôle d'équilibre leur convenait vraiment, à elle et à Richard, mais ils s'en accommodaient et ils évitaient ainsi un bon nombre de désagréments d'une vie de couple banale et pesante. Après tout, à quoi bon mettre en péril ce qu'ils avaient reconstruit, ce qu'ils étaient désormais devenus, pour faire comme tout le monde, vivre sous le même toit et être obligés de supporter tout ce qu'il y a d'agaçant chez l'autre au quotidien ?

Cela faisait maintenant plusieurs années que nous n'évoquions plus du tout Bertrand, depuis qu'il n'était plus tenu de nous envoyer une pension alimentaire. Même quand il avait fallu dresser la liste des invités et décider qui m'accompagnerait jusqu'à l'autel, son nom n'avait pas été prononcé. Pourtant, chacune avait bien senti qu'il planait au-dessus de nos têtes, mais aucune des deux n'osa toucher aux plaies de l'autre.

J'allai saluer Richard.

— Ça va, tu ne te sens pas trop stressée ? me demanda-t-il de son habituel ton jovial.

— Non, pas trop. J'ai hâte de voir tout le monde, surtout Julien, et que les festivités commencent.

Tandis que Richard avait pris une chambre pour se mettre sur son trente et un, ma mère et moi nous nous installâmes dans l'autre et entreprîmes la dernière étape de la transformation, qui ferait de moi une vraie mariée, et qui accomplirait mon rêve de petite fille : revêtir La Robe !

— Tu as vraiment bien choisi. Elle te va à ravir, me complimenta ma mère. Je suis très heureuse pour toi. Julien et toi formez un beau couple. C'est vraiment quelqu'un de bien.

— Comment tu peux te montrer si sûre ? On ne sait pas ce qui pourrait se passer un jour, fis-je remarquer évasivement.

— Oui, comme je dis souvent, quand la porte de la chambre est fermée on ne sait pas ce qui se passe. Mais je ne suis pas inquiète. Si, quand je me suis mariée avec ton père, je n'étais pas clairvoyante et que je me suis aperçue de certaines choses trop tard, maintenant j'ai un peu plus d'expérience, et je ne pense pas me tromper en te disant que Julien est un homme charmant.

Ces mots, aussi apaisants que du miel, arrivaient à point nommé. Soudainement, je regrettai de ne pas m'être confiée à ma mère, mais je craignais toujours de la choquer en abordant certains sujets intimes. Elle n'avait jamais aimé que Marc et moi riions à des plaisanteries grivoises et ne s'était jamais montrée très loquace pour répondre à mes interrogations de petite fille ou d'adolescente. Elle avait toujours affiché une grande pudeur, que j'aurais parfois voulu briser pour pouvoir parler plus librement avec elle. En ce jour, j'étais heureuse qu'elle baisse enfin la garde pour conforter mon choix.

Une fois la robe bien ajustée et une dernière embrassade pleine d'émotion, ma mère alla se préparer à son tour et me laissa donc seule devant la glace. Je ne me lassais pas d'admirer le modèle que j'avais choisi : ton champagne, près du corps, petites bretelles, décors perlés sur tout le buste, descendant sur toute la longueur de la traîne, grand laçage dorsal. J'étais ravie du résultat, de l'apparence que je renvoyais.

En revanche, passé cette barrière de protection, ce que je percevais de moi, c'était l'accroc que j'avais fait à mon intimité. Il n'était plus temps d'éprouver des remords pour avoir succombé en partie à Serge ; cela ne servirait à rien, je ne pouvais pas effacer tous ces baisers, ces caresses comme on peut corriger les fautes dans une belle histoire que l'on a écrite. D'une certaine manière, grâce à lui, j'avais appris à me connaître un peu plus. J'avais pénétré dans un antre secret qui m'avait donné accès à mon Moi le plus obscur.

Je ne regrettais pas d'avoir été mise face à mon petit Satan, mais de le savoir en moi, qui pouvait un jour resurgir sans crier gare, me faisait un peu peur. Il faudrait désormais que je sois vigilante pour ne pas le laisser duper, mentir, prendre du plaisir interdit.

Jusqu'à ces derniers jours, j'étais comme la plupart des gens qui ont toujours été fidèles, pleine d'a priori stéréotypés : les infidèles sont le plus souvent des hommes en manque de sexe, enfermés dans un mariage trop psychorigide, des gens qui sont tombés amoureux d'une personne qui les comble autrement que leur conjoint, des individus en mal de tendresse au bord du divorce. La réalité est bien plus subtile. Si on suit ma logique, Julien aurait eu des raisons d'aller goûter une herbe plus verte et plus tendre, mais tandis que sa jalousie avait fait rage et qu'il avait souffert de mon indifférence, c'était moi qui avais poussé à l'extrême un jeu de séduction qui me revigorait. Je prenais conscience que nos limites, nos valeurs peuvent céder très facilement. Il suffit parfois d'un petit grain de sable, de quelque peur cachée pour troubler notre raison et nos agissements sans que l'on soit capable d'enrayer la machine que l'on a mise en marche, poussé par un élan destructeur.

Des voix provenant de l'extérieur me ramenèrent à la réalité du moment. Julien venait d'arriver avec ses parents. J'attendis bien sagement que ma mère me donne le feu vert pour sortir de la chambre. Quand je fus autorisée à me dévoiler aux nouveaux venus, je me dirigeai, un peu maladroitement, vers le jardin où tout le monde s'était rassemblé.

Julien attendait, probablement impatient de me voir franchir le pas de la porte. Il était très élégant dans son costume noir, couleur que j'avais secrètement espéré qu'il porte. Sous sa veste on pouvait apercevoir une chemise, un gilet et une lavallière coordonnés à la couleur de ma robe. Nous étions parfaitement assortis. Habituellement, je détestais ce mot car je trouvais toujours un détail venant casser une perfection possible, mais là, tout semblait impeccable, préparé au millimètre près. La manière dont il m'admira quand j'apparus m'émut profondément.

Cet instant fut hors du temps. Je savourais chaque seconde. Plus rien n'existait à part ce long regard que nous échangions. Ses yeux brillaient d'un feu nouveau que je voulais voir brûler pour toujours. Tout ce que j'avais vécu les semaines précédentes se disloqua soudainement, me paraissant étrangement loin, enfoui dans un espace de ma mémoire qui resterait sous clé un très long moment. Soudain, tout s'emballa. Entassés dans la petite mairie de Cramant, nous prononçâmes, devant une foule enjouée, nos premiers « oui ». Nous nous dirigeâmes ensuite vers l'église, sous une pluie d'embrassades et de photos.

Nous attendîmes que les invités soient installés et que la musique d'entrée commence pour nous diriger vers l'autel où le prêtre recevrait nos consentements. Julien s'avança le premier, puis au bras de mon grand-père je remontai l'allée. Toutes les têtes étaient tournées vers nous. Comme des images qui défilent trop vite, je ne parvenais pas à distinguer tous les visages. J'eus le temps de remarquer Annette avec un grand chapeau flamboyant rose, qui me souriait. Raphaël, qu'elle refusait d'épouser, se tenait à ses côtés. Steph, Carole, Ange et le reste de la bande, fidèles au poste, affichaient des mines réjouies, gage que la fête battrait son plein un peu plus tard. Arrivée au bout de l'allée centrale, je jetai un bref coup d'œil vers les premiers rangs où se tenaient ma mère et mon frère, heureuse de les sentir si proches. Puis, avant que le prêtre nous invite à nous asseoir, je me tournai légèrement pour chercher le regard de Julien.

Les doutes et les angoisses s'étaient dissipés. Rien ni personne ne pouvait dire ce qu'il adviendrait de notre couple, mais, enfin, j'étais intimement convaincue de faire le bon choix. Julien me respecterait, et toutes les valeurs qui me tenaient le plus à cœur, il les possédait. Rien ne comptait plus à mes yeux que le père qu'il serait un jour pour nos enfants. L'essentiel était là : il ne ressemblerait jamais à mon père.

Vous souhaitez en savoir plus sur les livres et les auteurs
de la collection Terres de France ?

Retrouvez toutes les informations sur le site
www.collection-terresdefrance.fr
et abonnez-vous à notre lettre d'information.

Suivez-nous également sur notre page Facebook
et sur notre fil Twitter.

Club des Amis de Terres de France
12, avenue d'Italie
75627 Paris cedex 13

Dépôt légal : janvier 2017

Achevé d'imprimer en France par EPAC Technologies

N° d'édition: 4550414329117

Dépôt légal: janvier 2017